PLAZA & JANES
P & J
EDITORES

Blanca García-Valdecasas

POR DONDE SALE EL SOL

PLAZA & JANES EDITORES, S. A.

Portada de
IBORRA & ASS.

Foto de la portada:
THE IMAGE BANK

Primera edición: Abril, 1987

Editado por PLAZA & JANES EDITORES, S. A.
Virgen de Guadalupe, 21-33. Esplugues de Llobregat (Barcelona)

Printed in Spain – Impreso en España

ISBN: 84-01-80726-3 - Depósito Legal: B. 13231-1987

Impreso por Printer I.G.S.A. cn. II 08620 Sant Vicenç dels Horts Barcelona

A mis hijos: Alfonso, Mercedes,
Jaime-Juan y Javier-Fernando,
que conviven con mis fantasmas.

...que, tarde o temprano, el amor
da una señal de vida.

DELIA DOMÍNGUEZ, «Vigilias».

1

...Y llenar los balcones de geranios, de esos que desbordan por las fachadas blancas, relumbre de la cal, se derraman, chorrean en cascadas, gloria de los carmines donde la luz apoya y se detiene sólida, establecida.

Eso deseé-soñé para nosotros, atardecer nuestro, cuando ya los niños fueran grandes y nos hubiéramos quedado en el hombro con hombro de la mutua compañía, tiempo para los recuerdos y una paz como perro acostado a los pies, modestamente. Casa de aquel otro Sur, con su patio chico y las macetas, quizá un aljibe, el emparrado en el jardín de atrás con flores antiguas, vistosas, como en una pintura de Joaquín Sorolla. O en Santa María de mis abuelos con su palmera grande y el pilón donde bebían las palomas, exactamente siempre igual que lo pintó un anónimo talento en el siglo pasado. Acaso también una de aquellas casitas con la quietud encima del tejado a festones de onda, encajes de Bruselas, que tanto nos gustaban. Ah, Brujas, Bruges-la-Morte perdida en tu llanura pequeña; el aire un vapor gris, ligero. Lo recogido del paisaje, planicie de alcance corto, y la humedad subiendo, vaho desde los canales. Arquitectura de moderación, estrechez de los arcos apuntados, interior apacible un poco estático suspendido en el tiempo... una luz indirecta algo cobriza reflejada en un espejo circular, al fondo. Estoy pensando, me parece, en la familia Arnolphini; se diría que todo lo figuro con imágenes de alguna pinacoteca. Ésos fueron los antiguos sueños; después, desde que vinimos aquí, te he querido ver en esta misma casa donde estoy viviendo, grande hermosa; no me recuerda a ningún pintor sino a mí mismo: aquí llevo pintados muchos cuadros. Casa de abrigado espesor en sus muros de adobe, envigada de encina, con los aleros viniendo a apoyar en las columnas blancas, los corredores largos. El jardín rodeado de tapias como en un recato de convento, afuera el verde pastizal y los sembrados. Margarita y Hortensia de dulce mirar mugen con la suavidad de cada día su ternura de madres llamando a sus becerras, patitas torpes y movimientos rápidos, asustadizos. Atardece en el jardín donde en tu nombre dispusimos macizos de violetas bajo las araucarias grandes; la luz escapa por el corredor, verdea y se demora un poco más en el prado encendiendo los tréboles con el último rosa. Los diamelos ya perdieron la flor y los árboles crespón empiezan con sus plumeros rojos como exóticos pájaros. Los muchachos han salido de paseo por el camino de la higuera grande, llevándose con ellos a los mellizos para darles alguna distracción, todavía los ánimos están un poco alterados. Elsa porque le duele un tobillo y Marianita que aún no puede seguir a los mayores se sentaron a mirar los caballos junto a la cerca.

Y yo me quedo aquí, como de costumbre pensando en Violeta, en estas calmas de la tarde. Llevo la vista a las montañas alzadas por el lado de Levante; siempre algún ventisquero guarda nieve hasta en lo más caluroso del verano. Entonces me pregunto cómo ha resultado mi vida tan distinta a lo que pude esperar por el curso seguido de las cosas. Reveo Santa María con abuela Clara, las tías Dolores y Francisca, mi madre con su languidez, mis primos... y Violeta, siempre. Estoy a muchas distancias de la tierra en que nací, miles de leguas, a la otra orilla de una realidad y el mar por medio. Violeta, que inventó esta aventura para nosotros, imaginando todos los confines, está ausente. A veces me sucede que no sé distinguir entre las cosas ciertas y las que se mueven en un país de sueños, entre lo que murió y lo que vive todavía. Mi corazón va por delante de mí: yo me estoy quieto. Pero esta noche pasada soñé, otra vez, con ella; llevaba ropa hecha de millares de briznas de paja y en la cabeza una especie de tocado alto con muchas flores. Rosas y diamelos, lirios, reinamargaritas... Subía, levantándose en el aire, emprendía viaje hacia el Norte cálido. A lo que, al remontar encima de unas nubes, los rayos del sol encendieron de luces las pajas, brillaban más que oro. Entonces yo la perdía de vista y las flores venían cayendo hasta la tierra, despacito bajaban como por un vacío.

Sí. Este viaje fue empeño de Violeta, que yo al principio no quería; me asustaba la mera idea de trasladar a todos los niños. Creo que lo decidió así, de golpe, una inspiración repentina. O quizá no; ella siempre tan pensativa de sus ideítas interiores, maquinando felicidades nuestras. Sacándolas de pronto afuera cuando llevaban tiempo preparándose: su gusto por los secretillos de meditada inocencia. Después me lo he preguntado, ¿el ataque de nervios de Pep Sarriá, nuestra estancia en Barcelona, aquella estúpida guerra-relámpago fueron acaso, pudieron ser, motivos para torcer nuestro rumbo cambiándonos la vida definitivamente? O sólo razones superpuestas, vagamente sumadas a un cúmulo de otras muchas que Violeta llevara almacenando sabe Dios cuánto tiempo. Porque ella nunca había sido cobarde y aún aquella noche en Barcelona mientras veíamos por televisión en casa de Mireya y Pep Sarriá el Oriente Medio a punto de volar en pedazos por lo que quedara del aire y todo el Mediterráneo incendiándose con él, Violeta era de los cuatro la más tranquila. Yo disimulaba mi real preocupación y hasta en mala hora quise hacer un chiste, empecé a recitar los versos de un compañero pintor, uno de esos granadinos que hacen versos de cualquier cosa: Medio Oriente, Medio Oriente / démosle gracias a Alá / porque, afortunadamente, / no eres más que la mitad. A lo que Pep chilló que no me daba cuenta de las cosas, que me ponía del lado de los árabes por ser andaluz y, además, no me preocupaba la destrucción de nuestra cultura porque no era de verdad pintor. Me defendí. Pintor, sí, y padre de siete hijos por añadidura. Con eso se afirmaba más en su opinión; ¿qué pintor que se respetase y viviera para su arte iba a andar por el mundo produciendo a siete hijos? Que no, hombre. Que no. Y los jeques de mierda, creyéndose que por tener petróleo podían hacer todas las barbaridades que les diese la gana... porque los americanos eran unos cretinos, que si no... Violeta preguntó con suavidad, ¿y los rusos? Él se enfurecía: «¿Qué pasa con los rusos? Ellos no tienen nada que ver.» Todo tenía que ver con todo, los países como amarrados por la misma soga, más tirante cada vez con el tiempo... Lo llevable dentro del «grupo» era criticar a los americanos... y después perder con gusto el trasero para exponer en Nueva York. Las cosas... Nunca he podido soportar verme envuelto en una discusión de política, callé esperando que a mi amigo se le pasara el ataque de nervios. «Esto me tenía que ocurrir a mí cuando estoy en el momento más importante de mi carrera, ¡me tenía que ocurrir!» Me recordó a mis tías, protagonistas por vocación de todos los sucesos; cuando se murió el señor arzobispo, no lo conocían, la tía Dolores dijo que aquellas cosas no le pasaban más que a ella, con el asombro de toda la familia y un rencor de la otra tía que no quería ser menos. Pep, igual. Aquella guerra parecía haber conflagrado nada más para estropearle a él su carrera de éxitos. «Tengo varias exposiciones programadas para los próximos cinco años. París, Milán, Nueva York... los mejores sitios. ¿Y si se lía, eh?» Me lo decía a mí, acusador, como si yo fuera el primer ministro israelí o uno de los maldecidos jeques. Violeta, al nombre de Nueva York, había levantado una ceja, sin sonreír. Yo veía su sonrisa interiormente. Aquí intervino Mireya: «Escucha, deja en paz a Rogelio. ¿Verdad que él no tiene la culpa de este lío? Pues entonces. Y él también es pintor, recuerda que en la Escuela...» Pero Pep apartaba la Escuela con un gesto airado de la mano, la borraba. Bah, la Escuela... sí, que yo había conseguido las mejores calificaciones, el caso típico de los que después nunca llegan a ninguna parte. Pintura académica, cualquiera era capaz... «Yo me he pasado años tratando de olvidar lo que nos enseñaron en aquel maldito tugurio, no me hables...» Mireya revolvía en una caja llena de medicinas, sacaba un frasco. «Tómate dos píldoras, de las azules. Te has de tranquilizar.» Tragaba sus pastillas con un sorbo de huisqui; las dos mujeres iban a la cocina a disponer la cena. Pep se medio disculpaba, eran sus nervios, tanto trabajo, las responsabilidades, caía después en un silencio mustio mientras yo me quedaba con mis pensamientos. Sí que estaba nervioso, el pobre, quizá por la excesiva tensión de permanecer en las alturas, esa alerta continua por estar *à la page*, desasosiego de todas las horas. He conocido otros pintores así, algunos de mis antiguos compañeros, todos muy parecidos. Viven en departamentos como el de los Sarriá, modernos de mucho lujo, estudio incorporado con techo de doble altura, cristaleras y muebles de importación, Suecia o Italia por lo general. Salvo el piano, no saben tocar, que suele ser japonés o, quizá, ruso. Pertenecen al «grupo»; si no pertenecieran, no encontrarían crítico que escribiera sobre ellos, no tendrían el mismo marchante que los grandes... como me pasaba a mí. Violeta y yo no apreciábamos tales inquietudes. El Arte es la casa de Dios, decía Violeta, y ellos lo convierten en guarida de ladrones. Yo siempre buscaba mis caminos, dentro de mí para bien o para mal. Las luces escondidas. Pep pintaba muy decentemente, en lo obligado de la moda. Pensé que de seguro se quedaría en la gloria si una buena mañana vinieran a decirle que se acabó, que todos los críticos de este mundo se habían ido para el otro de una epidemia. Después del primer sofocón, descansaría, suprimiría al menos la mitad de las píldoras, azules, amarillas o rosadas, y quizá hasta se sacara la espina de aquella naturaleza muerta, Bodegón con Pan de Payeses, o del paisaje romántico con álamos y un río que nunca se ha atrevido a pintar porque no se diga. Y es que el «grupo» es implacable, no perdona. O perteneces, con los condicionantes, o no eres nadie. Acerca de mí mismo, me preguntaba. ¿Yo era artista, tenía temperamento? La contestación: me parece que no. Entonces, ¿por qué pintaba? Sólo porque sí, me gustaba, siempre me había gustado... era lo único que sabía hacer. Sin buscar, sin atormentamientos, sencillamente encontrando. Aquel paisaje, ese árbol visto desde aquí, las gallinas picoteando entre la hierba con ese melindre tan gracioso para sus cositas de comer, una luz. No invento nada, creo yo, sino que voy aprovechando lo que veo. Todo me sirve; mi molino muele con cualquier agua. Así. Algún compañero me había dicho que no tengo mensaje; será verdad. No tengo nada que decir a la gente, no me importa la gente, por otra parte: pinto por gusto. El pintor, el escultor, el poeta, ¿tienen acaso que ser filántropos? Mis cuadros se venden, siempre se vendieron desde que estaba en San Fernando, antes de terminar la Escuela. Sin ser de ningún grupo, ni Cadaqués ni Cuenca, Sevilla o Granada... No salgo en los periódicos. No había salido nunca, cuando estuve aquella vez en Barcelona. Si acaso una reseña en un rincón perdido, página de la izquierda probablemente, numeración de los pares, la que menos se lee. Por exponer tampoco me había preocupado... Estas cosas rumiaba mientras Pep se mantenía sin hablar, fija la mirada en su vaso de huisqui y las dos señoras sacaban la comida con una de esas conversaciones entre ellas, propiamente femeninas. Y sí, mis cuadros se vendían, tenía depósitos en media docena de salas... para tratar con una galería habíamos ido a Barcelona. Salas modestas, lugares adonde de vez en cuando llegaba una persona, miraba, preguntaba precio. No gente importante de esa que compra por invertir, que la pintura es dinero y la Bolsa está incierta... No. Alguien veía un cuadro: lo quería. Vacilaba después porque no era de un pintor conocido, prometía pensarlo y volver. Generalmente, volvía y se lo llevaba.

En el taxi, de vuelta al hotel, callábamos los dos. Barcelona señora y hermosa, de día atareada, de noche discreta con un recogimiento de buena ley: siempre disfrutábamos de aquellos viajes rápidos. Ya en la habitación dije a Violeta que Pep preocupaba por lo nervioso, tantas píldoras no podían ser buenas. Violeta asentía, todo el mundo andaba desquiciado últimamente. Pero, añadió, en una cosa había tenido razón. En decir que yo no era pintor, me figuré. Majadero, dijo Violeta, tú eres cien veces más pintor que todos ellos juntos. Que alguien mantenga esa fe en uno es lo diferente de la vida, calorcito para el alma. Violeta mía. No; en lo que tenía razón, en decir que el Mediterráneo estaba hecho una porquería. Y Europa tan vieja... qué pesadez. Entonces:

–Rogelio, tráeme el Atlas.

–¿Qué Atlas?

Ah, era verdad que no estábamos en nuestra casa. Bueno, uno cualquiera, a ella le daba igual.

–Pero, amor mío, ¿tú sabes qué hora es? ¿Dónde quieres que encuentre un Atlas, así, entre prisa y prisa? Espérate hasta mañana.

–No, no puedo esperar, estoy pensando... No seas flojo ni te las des de inútil; eres perfectamente capaz de encontrarme algo.

Me volví a poner la chaqueta, bajé nueve pisos en busca de un sucedáneo de Atlas; hasta el muchacho del ascensor se había ido a dormir, los catalanes siendo de retirarse temprano. Una expedición complicada pero volví con la guía de una compañía aérea, antigua y poco limpia; tenía mapamundi. Uno de los porteros de noche me la había prestado mediante propina exagerada por lo generosa. Siempre hay quien se compadezca de los locos, a cualquier hora.

Violeta estaba bañada, con camisón y bata color de albaricoque pálido. «¿Ves cómo te resultó fácil?» dijo sonriente, Princesa de la Edad Media dando parabienes a su caballero a la vuelta de las Cruzadas. Violeta sonreía; me quedaba mirándola. Otras mujeres sonríen y no pasa nada, un agrado sin más. Pero ella... sonrisa en unas facciones con gravedad de niña seriecita, puerta abierta de repente sobre un jardín de atrás, escondido secreto.

Cuando antes de casarme llevé a Violeta a Santa María para presentarla a la familia, mis tías quisieron oponerse por principio a aquel enamoramiento. ¿Cómo? ¿La había conocido dos meses atrás y quería casarme? Debía de estar loco... a menos que la muchacha tuviera dinero. Tuve que desilusionarlas; su padre toda la vida míseramente viviendo de un sueldo, catedrático de la Universidad. Lo único que heredó, y había pertenecido a su abuelo, fue el reloj de oro con su cadena, reloj muy antiguo con cinco tapas y unas iniciales grabadas bellamente; me lo regaló a mí cuando nos casamos. Nunca había sido yo capaz de llevar nada en las muñecas y el reloj era lo único de valor que Violeta tuvo en toda su vida de soltera. La primera vez que vino a casa fue por Navidad; la había conocido en una fiesta de compañeros de la Escuela a mediados de octubre. Menuda, vestida de gris, con sus ojos grises que querían decirme «yo tengo un secreto». Así, en el primer instante. Y enseguida después: «yo tengo un secreto y si hay alguien en el mundo que pueda adivinarlo, ese alguien eres tú». Sin presumir nada, con la toda sencillez. Tenía dieciocho años, un escondido resplandor como un milagro visible sólo a los ojos con fe. Piedra de imán para atraer a ella, mujer para querer conocerla más y más durante toda la vida... y más lejos aún. La llevé a Santa María en Navidad; para fin de año la familia entera concordaba conmigo, hasta las tías se rindieron a regañadientes. Las tías que, según Ramón, son como Diógenes, aquel que andaba por ahí con un candil, buenas para buscar el fallo en las personas, no descansando hasta pillarlas en la cuestabajo. Lo que me dijeron al despedirme: «Tiene mucha personalidad, ésta te va a llevar a ti por donde le dé a ella la gana.» Yo respondí: Amén.

Violeta, bella y diferente, única.

Allí, en la habitación del hotel, absorta en su guía. Me dijo:

–Rogelio, ¿tienes un compás?

Me alarmé, bueno estaba lo bueno. ¿Geometría a aquellas horas? Ah, no. No tenía compás ni cartabón ni escuadra ni...

–No importa, me lo fabricaré.

Ahí las cosas claras rápidamente: tenía cinco minutos exactos para jugar con su mapa, los que iba a emplear yo en darme una ducha. Cinco minutos y después se iba a meter en la cama, conmigo, por más señas. ¿Estábamos? Estábamos.

Por la mañana desperté con inquietud, no la encontraba, hecha un ovillo a mi lado como solía. Sentada delante de la mesa, se apoyaba en el mapa mirando con mucha concentración. Tenía un compás, especie de. Se lo había construido con uno de mis lápices, un alfiler y una hebra de hilo. Le pedí que volviera a la cama. Pero no; estaba estudiando algo de mucha importancia. Bostecé. Era muy temprano todavía.

–Así no sirve; tienes que saber los ángulos, la declinación...

–Ya sé, ya sé... no seas tan complicado, ven acá.

Pinchado un alfiler en el punto que era Madrid, había llenado el mapa de círculos, cada vez de mayor radio. La idea parecía ser averiguar cuánto de lejos podía uno marcharse sin caer en la península de Corea o en las selvas del Amazonas. Revolví en mi cartera en busca de goma de borrar, no podía devolverle al conserje su mapa completamente pintarrajeado. Le daba igual, ella ya había elegido el sitio. Franja larga de tierra entre la Cordillera de los Andes y el océano Pacífico: república de Chile. Era una hermosura; se colocaba uno aquí, ves, en Valparaíso, o cómo se llamaba ese otro sitio... Constitución, entonces desde allí tenía uno delante las tres cuartas partes del globo, todo agua. Un infinito placer, tanta soledad y limpieza... el aire debía de ser el más puro del mundo, pasando por tanto mar. Y: estarás de acuerdo, ¿verdad? Quise tomarlo a broma, en el fondo sentía el temor de que Violeta hablara seriamente. Como hablaba, con todo empeño. Queriendo persuadirme; siempre había tenido pasión por los viajes. A lo que yo ofrecí pobremente trasladarnos al campo, mi Santa María. Se negó. La casa, ahora que faltaba abuela Clara, le daba una tristeza. Aparte de que mis tías Dolores y Francisca nos la tenían tomada, ahí vivían; no las podíamos echar. Lo determinante, que yo debía cambiar de aires, abrir el alma y la paleta a más amplios horizontes.

–Mira, Rogelio, tú eres un pintor bueno pero te estás dejando llevar por el camino de la facilidad. ¡No te cuesta!

Llevaba razón; no me costaba. Me lapidó con una frase terrible por la sobriedad: «Tienes que reconocer que llevas cinco años pintando la misma gallina.»

En lo que exageraba. Cierto, había hecho dos o tres series de gallinas y pavos, aves de corral, cuadros graciosos que se vendían muy bien. Continuó: yo era antes que todo paisajista, tenía que cambiar. «No tienes más remedio que ver mundo. Mundos.» No era como si trabajara en una empresa, oficinas y cosas por ese estilo. Mientras los cuadros se fueran vendiendo tanto daba vivir en un sitio como en otro; los cheques llegarían igual. Ella siempre había tenido la ilusión de conocer lugares nuevos, hasta para los niños viajar iba a ser una riqueza. Justamente en Santiago estaban nuestros amigos Silva, muy queridos, pintores los dos. Elsa era la mejor amiga de Violeta, se dedicaba a dibujo sobre telas, serigrafías. Mujer de mucha personalidad y encanto, dispuesta sin duda a ayudarnos en todo. Gerardo, compañero mío de tantísimos años; cuando venían a Madrid se alojaban en casa. Entonces no era como si nos fuéramos a encontrar sin ningún apoyo. Intenté defenderme, trasladar así a nueve personas me parecía disparate, pero siguió insistiendo. Yo he querido a Violeta siempre de esta manera, que no he sido capaz de negarme a ningún deseo suyo. Nuestra familia la gobernaba ella con buen pulso, suavidad y firmeza; cuando quería algo, no flaqueaba. Con todo, vacilé. Discutí. Pedí el desayuno por teléfono, a ver si una taza de café nos aclaraba las ideas. Encima de la bandeja, peligrosamente vecino a las tostadas calientes, venía el periódico de la mañana, doblado. Lo abrí; una ojeada a los titulares de las primeras páginas me hizo perder pie. Las cosas se estaban poniendo feas de veras. Mundo loco. Parecía que íbamos a arder por los cuatro puntos cardinales en cuanto alguien se descuidara... y como de costumbre la pobre vieja Europa ahí en medio fatalmente para ser campo de batalla de los demás... ¿Y si Violeta tenía razón? Había dicho algo de un presentimiento. Siempre he sido indeciso; cualquier determinación me ha costado trabajo. Por eso, no sólo por eso, también por mi confianza en su juicio mejor, era por lo que me dejaba conducir por Violeta. Adonde dijera de ir, íbamos.

–Bueno –cedí–, si eso es lo que tú quieres, lo haremos.

–Yo lo organizaré todo, llamaré a Elsa. Tú no te tienes que ocupar de nada.

Contaba con ello, para organizar soy bastante inútil. Sólo contesté: «Está bien.» Pero me temblaba la mano al llevarme la taza a la boca.

2

En una de mis viejas carpetas guardo un dibujo que hice años atrás en un viaje a Asturias, de romería. Es un carro tirado por dos bueyes: los seis niños y yo –Paz no había nacido– aparecemos vagamente reconocibles, sentados en las tablas del carro. Violeta en el pescante de pie, con su fragilidad, cinturita de sortija, llevando las riendas y un aire de fiesta en todas las figuras del dibujo. Así era nuestra vida; Violeta conduciendo segura, con un empeño dulce de obstinación en nuestras mejoras. Nadie a mi alrededor, familia o amigos, se extrañaba: que yo no servía para asuntos prácticos era de sobras sabido. Tal vez por haberme criado entre mujeres, todas pendientes de mí; cinco para decirlo con exactitud. La más tenaz abuela Clara, toda su vida sola, cargada de energías femeninas. Llevaba un año de matrimonio, y acababa de nacer mi padre, cuando vinieron a decirle que mi abuelo Rogelio se había caído del caballo y estaba muerto. Su cabeza contra una piedra de la vereda y el animal al lado, inmóvil. «Dios mío, haz que hoy sea ayer.» Esta súplica extraña fue su único desfallecimiento; siguió adelante en la misma casa de campo, Santa María, con sus hijastras Francisca y Dolores. Hijas las dos de un primer matrimonio de mi abuelo con sabe Dios qué especie de mujer, a juzgar por las crías; abuela Clara no les llevaba más que seis y siete años.

A veces aún cierro los ojos, trato de volver atrás. Ser otra vez un niño en el patio grande debajo de la sombra desflecada de la palmera. Que sea invierno, frescura de las mañanitas; al mediodía el sol calentará de todos modos y alguien dirá que estamos necesitando lluvia. Bajarán las palomas a beber en el pilón, el abaniqueo jaleoso; siempre deseé echar mano a una de ellas y no se dejaban, aún pareciendo tontas con su monótono zureo y la forma de andar, tambaleándose. Sí, que sea invierno adelantado, tiempo de la recolección, campos míos verdegrises, rutina de los trabajos tan bonita. En el molino se muele la aceituna, aquel olor amargo de alpechín, la traen las caballerías que vienen llegando con su indiferencia, en serones de esparto grandes. Alguna vez un mulero complaciente nos agarraba a los chiquillos por los hombros, casi el gesto con que se levanta de la piel del cuello a un perro cachorrito, nos metía dentro de un serón para dar la vuelta hasta el abrevadero. Un nido templado y hondo, con el olor caliente de la ganadería trabajada, ese fuerte sudor, balanceo de cuna, un compás de trantrantrán. El esparto arañaba brazos y piernas mientras rayaba y enrejaba la luz viva del aire hasta infinitas veces, multiplicada. De quien más recuerdos tengo es de Ramón.

Cuando yo nací mis tías no vivían ya en la casa, después iban a volver para quedarse, pero en Navidad se reunía toda la familia, algún amigo; entonces se daban cacerías de perdices. Eran las fiestas de Pascua. Las tías hacían cuanto estaba en sus manos por estropeárnoslas, no por mala voluntad sino por la disposición de su carácter. De las dos la mayor se había casado mal y la otra, por decir, bien. Bien según el mundo; su marido, el tío Juan Pedro, se suponía que era «de buena familia», sus suegros tenían tierras en la región, no lejos de las nuestras. A tía Dolores la «buena familia» sólo le sirvió para tener que colgar en su casa una serie de acuarelitas con escudos; de las riquezas nunca vio un real, con lo que le hubiera gustado. Igual que su hermana, adoraba el dinero. Su marido sufría alucinaciones de negocios, considerándose un genio de las finanzas. De vez en cuando tenía una idea de mucha brillantez; para hacer realidad aquella ilusión rápidamente vendía un olivar, montaba una empresa. Los meses siguientes los pasaba calculando beneficios: ahora sí que no podía fallar, estaba claro. Abría una oficina, producía razones para ir a la ciudad continuamente, tomaba una secretaria, pelo teñido de rubio y pechos desmesurados de preferencia. Se asignaba un gran sueldo: «No hay como un sueldo bueno, lo fijo; así sabes seguro con lo que cuentas. A mí, que no me hablen de vivir del campo, pendiente del tiempo y de la lluvia.» De lo que no acababa de enterarse, que él a sí mismo se pagaba. Inventaba un título a las parejas con el sueldo, mandaba imprimir colección de tarjetas. Gerente General, Director Gerente, Presidente Ejecutivo... qué sé yo. Durante una temporada andaba arriba y abajo en sus atareos, aire de eficiencia y una mirada hacia su familia menos asqueada que de costumbre. Nada paternal, el tío Juan Pedro; tampoco que su descendencia tuviera un atractivo muy visible. El mayor, Juanpedrito, era pálido y gordo; después había dos niñas, Dolorcitas y Leonor, blancuchas también pero flacas. Aquellas palideces mi tía las encontraba aristocráticas. El tío no miraba a su prole más que para encontrarle faltas, cosa que a la madre de las criaturas, dada con entusiasmo a los ditirambos y orgullos familiares, le sacaba de quicio. La pobre vivía en esclavitud, pendiente de él, sus ropas, sus comidas, sus negocios y malasuertes. Las ideas gloriosas, sueños de fortuna, se derrumbaban con regularidad que hubiera resultado monótona a no ser por la pasión que ponía mi tía Dolores en contar y lamentar cada uno de los fracasos sucesivos. De costumbre, el culpable era «ese malnacido de Fulano de Tal», que resultaba ser siempre judío porque Juan Pedro era psicópata racista; de todos los males de este mundo tenían los judíos la culpa. Tía Francisca, por su parte, había descubierto dos apellidos judíos entre los tan relumbrantes de su cuñado; no supe si de eso ofreció comprobación pero lanzaba la especie mientras tanto. Del tío Juan Pedro, nadie en la familia comprendió nunca por qué seguía asociándose con judíos una vez y otra sin escarmiento; como decía abuela Clara con su paciencia de costumbre: «Pero, ¿de dónde los saca?» Con aquel sistema se fundió su capital y el pequeñísimo de tía Dolores; trató de encentar el de abuela Clara que se negó con suavidad y firmeza. Aparte de su ansia por hacer dinero, era de bastante agrado y buena compañía en el campo, dispuesto a paseos, cacerías o juegos de cartas. Cuando más se extremaba en las amabilidades era cuando había invitados, señoras sobre todo. Entonces tomaba aires de galantería anticuada y algo picarona: el humor de tía Dolores, de suyo ácido, no mejoraba en aquellas circunstancias.

Al marido de mi tía Francisca, el tío Ramón Abad, no lo conocí. Pocos años después de casarse había abandonado la lucha desigual; tiró la toalla y se marchó a Australia, lugar más cercano a mi tía que pudo considerar tolerable. Mi padre había intentado arreglar el asunto; al fin y al cabo, aunque más joven, el hombre de la casa. Sin éxito. El tío Ramón dijo que tenía buenas perspectivas en el comercio de la lana, cosa que la familia juzgó sospechosa por demasiado obvia, y que iría mandando dinero a mi padre para la educación de sus hijos Ramón y Francisco. Mi padre se preocupaba: ¿Y si te va mal? El otro, al parecer, nada más de pensar en marcharse se sentía optimista. «Me irá bien, tengo buenos contactos. Cualquier cosa antes que soportar a tu hermana, a tus dos hermanas. Lo siento por mis hijos, por mi suegra y por ti, pero no hay nada que hacer.» Curiosamente, con quien había querido casarse Ramón en un principio fue con abuela Clara; tenían la misma edad y eran muy buenos amigos. A mi padre le hubiera gustado aquel arreglo de matrimonio; eso me lo contó la abuela Rosario. Algunas veces, a la edad en que los niños empiezan a observar la existencia de las personas mayores, inventan para sí historias que no dicen nunca, yo miraba a mi tía y a la abuela; me preguntaba si habrían sido rivales. Por parte de abuela Clara no parecía, en verdad, tan igual era con todo el mundo. Entonces barajé diferentes relatos, acaso por trozos de conversaciones oídas al azar. Uno, que tía Francisca se había metido por medio entre la pareja de enamorados y siendo más joven y artera había ganado la partida llevándose el trofeo tío Ramón. Ahí yo era capaz de alegrarme de que él se hubiera marchado a Australia; esta versión parece lucir el sello de tía Dolores, la malpensada. Otra, que a abuela Clara casarse en segundas le pareciera mal, casi indecencia, podría venir de la abuela Rosario que me contaba muchas cosas de la familia, a pesar de la furia de mis tías porque yo pasara horas con ella, hasta llamándola abuela, cuando no era en realidad sino la doncella de abuela Clara. Que la abuela, teniendo dos hijastras solteras, se hubiera borrado a sí misma de la escena con discreción, *effacée*, sacrificándose para darles a ellas mayores oportunidades, debía de ser intrepretación de mi madre, incluso por la palabra en francés que el pensamiento llevaba entremezclada. Mi madre se nutría de novelitas de Delly, le gustaban las delicadezas románticas, los pequeños matices de alguna complicación y buenos sentimientos. Y, desde luego, todo lo francés. Al final creo que adopté una historia propia, la más lógica probablemente: que mi abuela, queriendo al tío Ramón, no estaba enamorada, por lo que él habría buscado consuelo en tía Francisca. Pobre, le costó el exilio de por vida. En los primeros meses no se recibió noticia de él; ya tía Dolores había abrumado a su hermana con sombríos pronósticos y Juan Pedro con declaraciones como «es que hasta para emigrar hay que tener clase, si no, en ninguna parte levantas cabeza», cuando empezó a llegar un chorreíto de dinero, que mi padre mientras vivió administraba, y ya no faltó nunca. Mi primo Ramón, gloria de mi infancia, admiración mía, estudió en los Estados Unidos y después montó una empresa, una de verdad, en Venezuela; tiene dos hoteles, dos galerías de Arte y negocios de anticuario. Hoy es mi principal cliente. Paquito se hizo ingeniero agrónomo, lleva el campo familiar además de otras tierras vecinas. Durante años, el tío Juan Pedro criticó a su cuñado más o menos abiertamente, sembraba acerca de él toda clase de rumores: andaba en malos pasos, se había arruinado, estaba muerto o en la cárcel. Por último, y éste fue su único acierto, que se había vuelto a casar, «vaya un sinvergüenza». A lo que todos pensaron que en su interior lo envidiaba. Creo que tía Dolores, por su afición a apuntarse cualquier éxito, hasta el tan discutible de que su marido hubiera encontrado mujer de quien se rumoreó que era rica, llegó a insinuárselo: «¡Ay, que están verdes, Juan Pedrito!» Las hermanas no se callaban ninguna ocurrencia; si podía resultar desagradable, menos todavía.

Las tías vivían en Fuentes a pocos kilómetros del campo, en dos casas que había hecho construir mi abuelo sobre el mismo solar, dando cada una a una calle. Espalda con espalda y un patio en el medio. La de tía Francisca algo mayor, con fachada que daba al Norte; tía Dolores tenía un salón pequeño y el Mediodía. Con lo que una alababa su buena orientación mientras alimentaba una secreta envidia –no tan secreta porque la conocíamos todos– por el salón grande y la otra al contrario. A pesar de que por Navidad las dos familias venían a instalarse en Santa María, yo pasaba el año entero esperando aquellas fiestas. Los primos Acuña no nos molestaban por la sencilla razón de que no los tomábamos en cuenta; a los primos Abad los adoraba, sobre todo a Ramón. Con halagos, consejos o críticas, las tías estaban siempre sobre mi persona, me daban como un continuo peso. Seguramente porque la fortuna de abuela Clara, aun no siendo de importancia, el día de mañana recaería en mí; yo era el primogénito de la familia aunque fuera el más joven. Entonces, de mi educación tenían que opinar ellas. Con todo, las Pascuas eran alegres. En aquella época los aceituneros venían de temporada, eventuales, a las viviendas que había junto al cortijo, cinco o seis casillas muy blanqueadas con cal en una hilera, como un trencito claro de mucha gracia y limpieza. Traían a sus hijos y mujeres en caballerías con el ajuar a cuestas, trébedes y sartenes asomando de los hatos de ropa. Con lo que para jugar nos juntábamos hasta dos docenas de chiquillos; ¡las partidas de pilla-pilla y de escondites!

Las mujeres de la casa, incluida abuela Rosario y excluida mi madre que por una dolencia de columna no podía hacer labores de aguja, tejían chalecos para los hijos de los aceituneros; se los regalaban el día de Navidad. Ásperas lanas y colores muy tristes, verde botella, gris ratón; aquello yo no podía entenderlo. Lo que me gustaba era verlas a la tarea que daba a la conversación un ritmo de dos-al-derecho y dos-al-revés, tan sosegado, y cuando se les hacía alguna pregunta no contestaban enseguida; antes tenían que contar los puntos. ¡Por Dios, que contaban! Pregunté a la abuela Rosario por qué ellas nunca hacían chalecos amarillos, azules o rojos, las alegrías. Me respondió que aquéllos eran los colores más sufridos. Y sí que lo eran pero, ¿por qué habrían de sufrir los colores? Entonces, como suelen hacer los niños, di por buena la respuesta hasta sin haberla comprendido; me desahogué pintando niños en un cuaderno con todos los tonos más vivos de mis acuarelas.

De dónde me vino la facilidad para pintar, no sabría decirlo. Abuela Clara había dibujado bien en su juventud pero sin pasión ni seguimiento. Al estilo de entonces: dibujo, un poco de piano y canto eran parte de la educación de las muchachas. Bordar, esas delicadezas. Había por la casa algún óleo de ella, giraldillas y fachadas de antiguos palacios de la región; estaban bien. Pero mi infancia la presidió la música; mi madre había sido pianista, de profesión. Vivió en París muchos años estudiando primero, dando conciertos más tarde, hasta que le sobrevino una artrosis de columna. Tuvo que dejar el piano, volvió a España en los primeros días de la Segunda Guerra Mundial con la pesadumbre de que el pueblo que había compuesto la música más hermosa del mundo parecía haberse transformado de repente en un monstruo desconocido y temible y a la vez la de su propia desgracia, derrumbamiento de su carrera. En Madrid conoció a mi padre en casa de amigos comunes. Ella era varios años mayor que él, no le gustaba vivir en el campo y, siendo navarra, no entendía el carácter de los andaluces. Aquellas facilidades para reírse de las cosas serias, tomar con interés lo sin ninguna importancia, que eran aparentes además, la dejaban en una incertidumbre, como apartada, lejos de todos ellos. Tampoco era mujer de mucha salud ni vitalidad; se diría que, terminada por las circunstancias su vida de artista, todo le diera más o menos lo mismo. Dudaron bastante tiempo antes de casarse, pasó la guerra por medio, y, curiosamente, fueron felices después. Se metió en Santa María, figura algo absorta con desvaimiento casi vegetativo, como una planta demasiado frágil en un invernadero. Hablaba poco, manteniendo un ambiente de lejanía romántica; en los atardeceres tocaba su piano. Recuerdo a las cinco mujeres de la familia pareciendo todas de la misma edad, quizá la de aspecto más joven precisamente abuela Clara.

La educación que me daba mi madre era un lujo. Me hablaba en francés, me hacía leer libros, biografías sobre todo, tocaba para mí mientras yo llenaba cuadernos y cuadernos con mis dibujos, tumbado en la alfombra. Teníamos una serie de sobreentendidos; nocturnos de Chopin quería decir que estaba más melancólica que de costumbre; entonces yo no debía molestarla. Valses de Brahms, me encantaban, era que había cumplido bien con mis trabajos, estaba contenta de mí. Con las Escenas de Niños de Schumann me señalaba la hora de ir a la cama. Mis obligaciones escolares, hasta pasados los doce años, eran: una redacción, seis divisiones que yo mismo me ponía abusando del número cinco por la mayor facilidad, leer un capítulo de cualquier libro a mi gusto y solfear una página de un método Hertz amarillento y bastante enrevesado, todo lo cual me ocupaba unas dos horas más o menos. Con lo que el resto del tiempo estaba libre para jugar o hacer dibujos; considerando ahora lo que tienen que estudiar los chicos, me lleno de asombro. Cuando murió mi padre, abuela Clara me hizo entrar interno en un colegio de Sevilla. Ahí vivía para mis cuadernos y para esperar las vacaciones que me traían de vuelta a Santa María, a la familia que de la muerte de mi padre algo me consolaba, sobre todo mi ídolo Ramón, el primo grande, y al flamenco por las noches.

Dando de mano, los trabajadores se reunían en la cocina de campo, las buenas voces, el contento del día terminado. Circulaba la garrafa con vino blanco, fino, aceitunas endulzadas en la casa. Tiempo de la matanza, también, chicharrones y chorizos, el grueso pan candeal. A lo que las mujeres de los aceituneros y las muchachas de servicio nuestro bailaban sevillanas, olvidadas de sus trabajos y del cansancio. Desechando pesares, tan alegres. Algún hombre se entonaba en un flamenco serio; el que hacía buen papel era Ramón para todo lo cantable, y más que se acompañaba bien con la guitarra. Yo siempre deseando cantar aunque fuera cante chico, fandanguillos estilo Huelva, lo fácil; por timidez no me atrevía a echar fuera la voz. Cantaba para adentro, imaginado, tarareaba en mi garganta las músicas tan hondas, con aquello disfrutaba. Abuela Rosario presidente, participaba de las dos existencias de la casa; el salón a las cinco, hora de rosario llevado por abuela Clara con añadido de diferentes tríduos y novenas, el gabinete de la abuela muchos ratos cuando juntas cosían o ajustaban las cuentas y las habitaciones del servicio donde era gobernadora de todas las actividades. En la cocina de campo tenía su mecedora suya, con pañitos de ganchillo siempre albos donde apoyar la cabeza. A nadie se le hubiera ocurrido ocuparla; fuera tanto atrevimiento como quitarle a la abuela su butaca del salón. A veces hasta cantaba, en las ocasiones grandes, con voz rasgada y fina, por lo alto; conservaba a la perfección su buen oído. El señorío se quedaba en el salón jugando al bridge o conversando y no estorbaba ni pedía al servicio en aquellas horas cosa ninguna. La cocina de campo estaba al otro lado del patio del molino; los primos Acuña no iban por prohibición de la tía Dolores, eso daba a la reunión mayor encanto para nosotros. Ramón, Paquito y yo no teníamos permiso explícito para acudir y no faltábamos nunca; las personas mayores haciendo como si no estuvieran al corriente, consentían. En verdad, nunca oímos nada que no debiéramos oír; las primeras groserías, palabras de dos sentidos, fue en el colegio de los frailes donde las escuché, entre los compañeros. Y no sólo había comedimiento en el hablar porque estuviera abuela Rosario; aquellos campesinos eran gente de finura, señores más señores de lo que encontramos después entre personas más instruidas. Cuando la recolección y la molienda terminaban, los aceituneros se iban con sus cachivaches, tarareando por esas veredas de Dios, ea, hasta el año que viene. Todos los niños llevaban los chalecos nuevos sufridos. Entonces, no teníamos más remedio que volver al salón por las noches, a las tertulias frente a la chimenea, con una nostalgia de los cantes y bailes de la cocina. Los primos jugaban al palé; yo nunca le había visto la gracia a aquello de comprar la Gran Vía, a lo que me quedaba observando a los mayores, facciones y gestos, la expresión o las ropas. Me producía una incomodidad advertir que mi madre desentonaba, no se vestía como las demás señoras. De sus épocas de artista había conservado un gusto por los cuellos de encaje, chaquetas largas de terciopelo, medias finas como humo y telas sedosas de colores pastel, pálidas. Telas que eran ricas para tocar pero inadecuadas en el campo. Por aquello mis tías la criticaban, no delante de abuela desde luego; ellas dos eran altas, un motivo más de orgullo, hacían mil combinaciones para vestirse con apropiada elegancia; en Santa María *tweeds* y ante y zapatos de becerro engrasado hechos a mano. Mamá se veía como un ser de otro mundo, personaje casi de los libros o de los sueños; en realidad, era la única que estaba en su casa y no parecía.

Con el tiempo, arruinado sin remisión el tío Juan Pedro por sus iluminaciones, tía Dolores vendió la casa en el pueblo de Fuentes, se instaló con nosotros. Tía Francisca, por no querer ser menos cerró la suya, alegó que no podía compartir el patio de atrás con otra familia, seguramente de mínima distinción, y se vino también. Entonces ya no vivía mi padre, yo estudiaba en Madrid, en San Fernando.

Cuando contribuí a la población femenina de la familia aportando a Violeta, al principio hubo un revuelo como de pájaros asustados. Apenas la vi, en una reunión sin ninguna gracia, supe: ella era la mujer para mí, que siempre lo había sido desde que empezó a dar vueltas el mundo. Clarividencia que me empujó a quererme casar enseguida, sin vacilar; ni Violeta se asombró de mi decisión, siendo tan poco resuelto de costumbre, ni yo de que ella aceptase inmediatamente. Éramos muy jóvenes, no había terminado la escuela de Bellas Artes pero me bandeaba con una rentita de mi padre y vendiendo algunos cuadros. Podía vivir, pensé, imaginando que tendríamos un solo niño quizá por haber sido hijos únicos Violeta y yo. Las tías se opusieron por principio; mi madre calló. Las dos abuelas me apoyaban, no que necesitara ningún respaldo pero igual... me fortalecía. Pronto Violeta se labró un lugar, el suyo, suavemente, sin rozar con ninguna, pero se negó a vivir en Santa María y ni siquiera me lo dijo a solas sino delante de todo el mundo a la hora de comer, con mucha serenidad. Me quedé aterrado, para pagar un piso no íbamos a tener dinero; corrió un frío por la mesa del comedor, las tías se veían sofocadas, furiosas por tanta audacia. ¿Quién era aquella niña para...? De pronto abuela Clara habló a mi madre con toda su calma. «Oye, Silvita.» Mamá dijo «¿Sí?» La abuela mandó tranquilamente: «Vende tus acciones, Silvita, no las necesitas para nada.» Y mamá, con su vaguedad de costumbre: «Ah... sí, Clara. Tienes razón.» De aquel modo compramos un piso en Madrid, nos casamos. Cuando nació nuestra primera hija le pusimos Lorena en honor a mi madre, adicta a todo lo francés, que salió de su incertidumbre habitual para desear ese nombre. Como dijo con resignación abuela Clara, podría haber sido peor; Alsacia, por ejemplo, nombre de cerveza. No apreciaba a los franceses, se había criado con institutrices alemanas. Ella sobrevivió a mi madre, llegó a conocer a sus siete nietos aún activa y disfrutando de las cosas, con su aceptación bienhumorada de la vida. Había muerto unos meses antes de aquel viaje a Barcelona; entonces, cuando Violeta puso tanto empeño en nuestro traslado, era cierto que no existía persona que nos atara a quedarnos. La casa del campo ocupada por mis tías, Paquito cuidando de mis pocos intereses, Violeta empezó a organizar el Gran Viaje.

3

Al principio, los niños estaban con un desconcierto. ¿Que nos vamos? ¿Pero por qué? ¿Y adónde? Dejé que las contestaciones las diera Violeta, era la que sabía. Muy segura de lo que estaba haciendo, activa por demás, hablaba con transportistas, escribía cartas, compraba baúles... en unas semanas teníamos la casa toda en revolución y encima venía gente a verla; Violeta había decidido alquilar mientras estuviéramos fuera. Sin muebles; pasaba horas con los niños pensando qué cosas nos íbamos a llevar, haciendo listas. Todo lo más pesado quería que se guardara en la casa del campo que habitaban las tías. Cómo metió a los niños en el juego no pude saberlo; habían empezado lamentándose y colaboraban después de buena gana. Lorena parecía la menos contenta. Llegaron las vacaciones, tenían los días enteros para ayudar a su madre. Unas seis o siete veces al día me arrepentía de la determinación, intentaba volverme atrás; aquel desarraigo no podía ser. Pero estábamos metidos en una especie de maldito engranaje que nos iba a llevar hasta la escalerilla del avión. Al final, lo único que deseaba era estar en cualquier sitio donde pudiera tener tranquilidad y pintar. Violeta se escribía con varios corredores de propiedades en Santiago para tomar una casa; no nos decidíamos por ninguna. A la distancia resultaba difícil. Para mayor complicación, los Silva habían tenido que viajar a Río; Elsa montaba allí una exposición de sus telas, iba a hablar con industriales para vender diseños, no podía faltar. Mandó las direcciones de los agentes más conocidos, lamentando la imposibilidad de buscarnos ella la casa. Habíamos encontrado arrendatarios para la nuestra, hasta firmamos contrato, teníamos los pasajes tomados; el tiempo se nos venía encima y aún no sabíamos dónde nos íbamos a meter. Violeta dudaba.

–¿Te parecería que me fuera yo por delante para buscar la casa? Creo que sería lo más cómodo.

Ojalá le hubiera respondido que sí. No quise ni oír hablar de aquel asunto. ¿Cómo iba yo a saber...? La idea de una separación me horrorizaba. ¡Qué disparate! –dije con enfado–. De ninguna manera. Ella insistía: serían quince días lo más, dos semanas. Iba, miraba las ofertas, decidía. Me negué, con firmeza; no estaba dispuesto a viajar solo con los siete niños. Nada que hacer. Iríamos todos juntos o no iríamos. Había recibido cantidad de cartas, no tenía más que elegir.

–Es que es muy importante que la casa sea simpática y no sé... así sin verla... No es como si Elsa estuviera allí, entonces sería distinto. Ella conoce nuestra manera de vivir, nuestros gustos. Los agentes lo pintan todo muy bonito pero vete tú a saber...

Pedí las cartas de los corredores, las fui repasando. Todo parecía muy atractivo: casas con jardín, casas con piscina, salones, estudios, ventanales y terrazas... Los anuncios prometían maravillas. Estudié los papeles con detenimiento; cualquier cosa antes que separarme de Violeta.

–A ver, mira aquí... preciosa casa, calefacción, agua caliente, zona residencial muy tranquila, jardín, cuatro dormitorios buenos, salón, chimenea, comedor... teléfono. Estado excelente. ¿Qué le pasa a ésta? Suena muy bien.

–No sé, no me fío. Me da mala impresión; no dice los metros ni...

Por una vez, decidí decidir: Responde que nos quedamos con ésta. Y manda el dinero. No estaba muy conforme pero escribió; yo no solía imponer mi voluntad. Quizá pensó que por una vez que tenía empeño... quisiera Dios que no me hubiera hecho caso. ¿Está el futuro escrito? De un sí o un no dicho con precipitación sin poner en juego siquiera la inteligencia, pueden resultar tan diferentes cosas. Violeta recibió contestación a su carta, mandó el dinero y entramos en la recta final. Faltaban otras angustias: qué nos llevábamos y qué se dejaba atrás. Los muebles iban a ir en un camión para Santa María; las tías protestaron ante el anuncio. Furiosas. Que la casa estaba llena y era un desorden, armaron un jaleo terrible con aquello. Paquito desde el pueblo telefoneó.

–Mi madre y mi tía están locas, debe de ser la edad. ¡Es tuya la casa! ¿Qué se han creído? Manda lo que quieras, Rogelio, no faltaba más.

–No te preocupes; ya pensaba mandarlo.

–Y, escucha, si os queréis instalar aquí, algún arreglo encontraremos. Me da hasta vergüenza que os vayáis fuera teniendo vuestra casa, tan hermosa. Mamá se puede venir a vivir conmigo...

Me horroricé. Lola, su mujer, detestaba a tía Francisca, con alguna razón además. Entre las dos, caracteres de porquería, podían hacerle a Paquito la vida un infierno. Le aseguré que no hacía falta, no debía mortificarse tanto. El pobre se disculpaba:

–Es que es una fatiga. Oye, a mi madre puedo costearla yo y a tía Dolores... es que esos idiotas de sus hijos parece que no sirven para nada... pues entre todos... Me figuro que Ramón querrá contribuir, ya sabes que es muy generoso... y está macizo de dólares o de bolívares o de lo que sea.

Pude tranquilizarlo: Violeta quería irse, cambiar de paisajes. Siempre tuvo la ilusión de conocer mundo y ahora que los niños estaban ya criados como quien dice... Que la casa estuviera ocupada no cambiaba el asunto; por otra parte yo a mis tías no las iba a echar de allí nunca. Mientras vivieran, como hubiera querido mi padre. Lo que tendrían que hacer, aguantarse con nuestros muebles y nada más. Nada más en cuanto a lo que dejábamos. Las cosas que queríamos llevar eran un montón bastante abrumador. Los niños, sus bicicletas. Violeta algunos adornos, cuadros, pequeños muebles a los que les teníamos cariño y que habían de hacer «que nos sintiéramos en casa». Yo, desde luego, mis caballetes y arreos de pintar, y toda la familia sus libros favoritos y las mil menudas cosas de las que nadie deseaba separarse... el montón crecía. De pronto, antes de lo que esperábamos, llegó un camión; todo aquello salió rumbo a Cádiz para ser trasladado por barco. Daba una extraña nostalgia ver partir nuestros objetos queridos, costumbre de muchos años; la sensación de algo irremediable. Violeta y las niñas andaban por la casa esquilmada guardando ropas en maletas y baúles, apuntaban lo que se metía en cada uno. Los tenían numerados; las listas se perdían varias veces al día, venían a aparecer en lugares inverosímiles donde todos juraban que no las habían dejado, y los mellizos aprovechaban el lío general con alegría. A mí me echaban de todas las habitaciones. Pero el entusiasmo de Violeta enternecía, valía la pena tanta incomodidad. Aun así yo pasaba horas de dudas y desánimo; era todo muy trabajoso. Por aquellos días llegó a Madrid mi primo Ramón Abad para una visita corta, asuntos de negocios. Acababa de abrir otra galería con sala para antigüedades, traía además para mí un encargo firme: una exposición individual, no menos de dos docenas de cuadros. Para dentro de seis meses. Protesté: Con todo este jaleo y el viaje, ¿cómo quieres que pinte veinticuatro cuadros?

–Si pueden ser treinta, mejor; hemos ampliado la galería y ahora tenemos también la otra. Todo lo que mandaste a principio de año se ha vendido.

Repetí que era imposible; de todos modos, cuando estuviera instalado vería lo que podía hacer. Ramón, hombre de corazón bueno como un pan, había tenido mala suerte con su matrimonio. Se casó con una norteamericana que lo dejó al cabo de unos años. No tuvieron hijos; en Caracas llevaba una vida atareada y algo triste; mucho trabajo, algunos amigos y su soledad. No se quejaba, aparecía siempre alegre, deseoso de ayudar a todos, con mucho desprendimiento de su dinero. Mi familia, Violeta, los hijos y yo, lo adorábamos. Mis tías habían dado altos gritos, primero porque les mandaba los muebles, segundo porque nos fuéramos. ¡Estábamos locos, completamente chalados! Un capricho estúpido, con lo que costaban los viajes. Pero Ramón estuvo de acuerdo con Violeta. Viajar, sí. Tenía que ser fantástico para todos nosotros... y un español que no hubiera pasado unos años siquiera en América él no lo entendía. Aquello daba hasta otra dimensión al hecho de ser español, mayores anchuras. Violeta se alegraba; ella y Ramón parecieron inmediatamente cómplices, siempre se habían llevado muy bien. Mi primo pasó unos días en casa, saltando por encima de bultos y maletas con el mejor espíritu. Su visita nos animó mucho, comunicaba energías, ganas de todas las cosas. A partir de entonces, también yo empecé a ver la diversión de aquella aventura; sí que sería enriquecedora la experiencia, las novedades. Como Violeta decía, abrir las puertas a otras tierras, otros cielos. Por primera vez le encontré toda la razón;

ella en sus mapas y en los National Geographic Magazine que atesoraba, había encontrado tiempo, entre todos los líos de equipaje, para estudiar y, diría, adorar el país al que íbamos a trasladarnos. Ramón nunca había visitado Chile; tenía entendido que los paisajes eran muy hermosos.

–Por último –dijo– las líneas aéreas no van a cerrar, ¿verdad? Bueno, chico, si no os gusta volvéis y asunto concluido. No pasa nada.

–Pasa que esto cuesta bastante dinero, ¿sabes? –contesté–. Tú no te das cuenta porque eres uno solo. Para nosotros no estaría justificado volver enseguida, somos demasiados.

–¡Bueno está! Tú pinta, que de tu dinero me encargo yo.

–Y hemos alquilado esta casa. No; si nos vamos tendremos que aguantar dos o tres años, como mínimo.

Entonces se reía. ¡Dos o tres años se pasaban volando! Demasiado deprisa. Y yo con Violeta al lado y esos hijos, la familia tan bonita cumplida, ¿de qué podría quejarme? Donde estuviéramos juntos teníamos hogar, Patria, todo... Cuando Ramón hablaba así, me daba tristeza. Esas cosas él no las tenía, quizá las echara de menos; era tan familiar, disfrutando tanto con los chiquillos. Siempre pensando en sorpresas y regalos; a Gonzalo, su ahijado, le había dado un cheque en dólares.

–Cuando llegues allá, te compras un carro.

Los otros se alborozaban, ignorando cualquier envidia. ¿Un carro? Gonzalo se iba a meter a carretero, con tanto aires como se daba de intelectual.

–Majaderos, un carro es como le llaman en Caracas al coche. Padrino, ¿qué hago con el dinero hasta que tenga edad de conducir? Me faltan cinco meses...

Al final se lo devolvía, que Ramón se lo invirtiera en sus negocios. El padrino aprobaba.

–Bien visto, chico. Y vigila a tu padre, que no deje de pintar; ahora tienes una participación en la galería, los mismos intereses...

A lo que Gonzalo ni siquiera intentaba disimular su importancia, engrandecido.

Fuimos a Santa María a despedirnos Ramón, Gonzalo y yo. Mientras, Violeta y los demás adelantarían en el equipaje. Hasta el último instante, las tías trataron de quitarme ánimos: «Pero, ¿qué os ha entrado? ¿Es que no estáis a gusto en España? Si aquí se vive como en ninguna parte... Eso ha sido cosa de tu mujer, Rogelio, no digas que no.» Yo no decía que no, era cosa de Violeta efectivamente; no decía nada. Entonces, se pusieron las dos a una a pronosticar desgracias y males varios, todos los que se les pudieron ocurrir; como no contestaba, se crecían más y más. El que las calló fue Gonzalo, se había hartado de repente.

–¡Eso mismo digo yo, tía! –chillaba bastante; tía Dolores estaba muy sorda–. ¡Eso es lo que yo les digo a mis padres! ¡Nos tendríamos que venir a vivir aquí, en Santa María, que para eso es nuestra la casa!

Me azaré; Ramón se reía mucho. En el momento dejaron de poner dificultades al viaje, estaban agarradas a la casa como lapas a una roca. Ni con un cuchillo se despegaban. Lo que me recordaron, con severidad, que había una gotera; el tejado tenía que hacerlo revisar. Ramón se horrorizó. Pero, ¿cómo? ¿Yo pagaba los gastos de la casa, sin vivirla? Estaba indignado. Quise calmarlo; al fin y al cabo era lógico. El caserón siempre estaba necesitando arreglos y reparaciones... Las tías asentían, algo incómodas. Las dos querían visiblemente halagar a Ramón; siempre que iba a Santa María les hacía un buen regalo y tenía que soportar un ataque de celos de su madre, enfurecida de que diera la misma cantidad de dinero a las dos.

–Claro, hijo –dijo tía Francisca, aplacadora–, es suya la casa. No vamos nosotras a cargar... Si no podemos, hijo mío.

Nos fuimos a dar una vuelta por los olivos pardos del verano; el calor era demasiado. Los terrones duros, malos de caminar. Ramón, furioso: «Ese gandul de Juanpedrito, las dos niñas pavisosas que tienen colocación, ¿es que no pueden ayudar a tía Dolores? Dándose aires de grandeza como si fueran alguien, los imbéciles... pues grande sólo es el que trabaja, se llame como se llame. Y mi madre tampoco tiene disculpa... sus tierras le dan algo. Nosotros nunca vendimos nada, mi padre mandó suficiente para mantenernos.» Seguía echando cuentas. ¿Para qué quería el dinero? Entonces, en vez de darles el regalo de costumbre, lo que iba a hacer era arreglar los tejados, eso era. Por más que le rogué no cambió de opinión. Su decisión tomada, hablaba con su hermano que había acudido a despedirnos, daba las instrucciones. Sólo estuvimos un día; en el viaje de vuelta, Gonzalo dijo que lo mejor de marcharnos fuera era no tenerlas que ver en una temporada. Lo reprendí; no debía hablar así de las personas mayores, menos aún si eran de la familia. Además, podía tomar en cuenta que una de ellas era la madre del tío Ramón. Mi primo suspiró. Estaban muy pesadas las dos, dijo; era una lástima. Ah, con la edad nadie mejoraba. Entonces me extrañé de oír a Gonzalo una de las ideas queridas de Violeta: a lo largo del camino de la vida había quien iba a mejor y quien a peor; lo que nadie hacía era quedarse igual, en un mismo sitio. A veces, reconocer en los chicos frases de su madre era para mí como despertar en medio de un sueño; no me desagradaba, me daba un asombro. A Violeta, de algún modo, yo la consideraba solamente mía; de pronto tenía que pensar que pertenecía a sus hijos también.

Con la visita a Santa María fue como si hubiéramos dado otro paso adelante en nuestro proyectado viaje; despedirse era ya marcharse un poco, soltar amarras. Mientras abuela Clara vivió, casi todos los veranos hicimos alguna escapada; pasábamos unos días con ella, después dábamos una vuelta por algún otro lugar, por la facilidad y el gusto de dejarle a ella a los más pequeños. Dos veces fuimos a Suiza, otras dos a Bélgica y Holanda, una a Alemania y los últimos cinco veranos a Inglaterra donde nos alojábamos en pequeños hoteles de la costa suroeste, en Cornualles. A Violeta le encantaba; los niños aprendían inglés. Aquellos paisajes con su variación, recogidos, hechos más de rincones que de grandes anchuras. Con cualquier cosa, una taberna con el aire de otros tiempos, un anticuario pueblerino y modesto o un puertecito de pescadores cuajado de barcas rosadas, amarillas o de color añil, disfrutábamos.

Pero donde Violeta verdaderamente viajaba era en los mapas. El Atlas siempre en el cuarto de estar, abierto por algún lejano país, estudiado. En los áticos del edificio tenía mi taller, con buena luz de Norte. Al bajar, podía encontrarme con una petición llena de empeño: «Rogelio, prométeme que cuando puedas me llevarás a Aukland.» A lo que yo intentaba recordar dónde rayos estaba eso, pero Violeta me facilitaba las cosas, empezaba a ponderar los bosques de Nueva Zelanda, las coníferas, los pequeños lagartos tuatara que eran supervivientes de la prehistoria –yo intercalaba que también lo eran los camaleones y para verlos sólo teníamos que ir a las playas de Cádiz pero no me servía–, los verdes pastos, las montañas. Lo vivía, con un entusiasmo enternecedor y con nosotros al completo. Encendida de ilusión como un lámpara. Bajábamos hasta Wellington, pasábamos granjas y campos. Muchas ovejas. Las lluvias. Lo mismo visitaba las Cataratas del Niágara o del Iguazú, el Tibet misterioso o la pampa húmeda. Unos curiosos pinos de las Montañas Rocosas cuyas piñas apretadísimas sólo se abrían por el ardor de un fuego, recurso admirable de la Naturaleza para repoblar en caso de incendio, eran capaces de mantenerla, de hecho la habían mantenido, fascinada durante varias semanas. ¿Podía uno morirse sin haber conocido el mundo y sus anchos espacios?, preguntaba con un brillo en sus ojos grises. Y sí, podía uno. La vida no era tan larga ni tantas las posibilidades materiales. Ella alimentaba su esperanza, con sus libros de geografía siempre al alcance de las manos, mientras soñaba con montañas y ríos, volcanes y espesuras. Con aquello era feliz, sencillamente. Ahora, con una expedición real en puertas, su gozo anticipado se multiplicaba.

Los últimos días se pusieron a correr, daban como un vértigo. El momento final se nos venía encima. Yo andaba sonámbulo; mis arreos de pintar habiendo ido por delante, no encontraba ocupación. Estorbaba en todas partes, me sentía inhábil para hacer baúles. Pintar me hubiera tranquilizado, con un bloc de apuntes me tenía que conformar. Para colmo mi reloj, que había sido del abuelo de Violeta, empezó a retrasarse cinco, diez minutos diarios, extrañamente.

–Este reloj parece que no quiere que llegue el día de la partida –dije a mi mujer–. Nunca se había atrasado.

Le estaba dando cuerda, como de costumbre, antes de acostarme. La cuerda tenía un tacto firme y suave; me gustaba siempre aquella sensación de enroscar el resorte, corredero entre los dedos índice y pulgar, tan afinado. Redondo. Violeta sonrió. Ocurría que llevaba bastante tiempo sin repasar; justamente había pensado dejarlo en el relojero para que lo limpiase, antes de marcharnos.

–Lo llevaré mañana mismo –aseguró.

–¿Crees que estará a tiempo?

–Si lo hace en un rato... es ese señor mayor de la calle del Almirante, tan amable. Mañana tengo que ir al aeropuerto para hablar con los de carga aérea, temprano. A la vuelta me acercaré.

Se veía tan menuda y fresquita con su camisón de algodón azul; hacía aún calor. Había adelgazado. De pronto resultó conmovedora, joven, algo cansada. Todo lo estaba llevando adelante con poca ayuda, trabajaba de más. Sentí remordimientos: Mejor voy yo a esas cosas, mi vida; tienes cara de cansancio. Reconoció estar fatigada, sólo un poquitín, pero prefería ir ella, que yo quedara en casa con los niños. Además esperaba la visita del dueño de una galería para las once de la mañana; tenía que tratar con él asuntos de cuentas, lista de los cuadros que le dejaba... pesadeces. Y a las once quizá no pudiera estar de vuelta. Insistí, sin mucho empeño; ella era tanto más eficiente que yo para cualquier trámite que terminé cediendo. Faltaba una semana justa para el viaje.

–Sabes –dije al meterme en la cama– tengo prisa de que pasen estos días. Estoy irritado, como con mal humor. Ya que nos vamos, cuanto antes. Y los niños están latositos también.

–Todos notamos el cansancio de tanto recoger y guardar y apuntar cosas... Pero ya falta poco, cielo mío; no te agobies.

–No sé por qué estoy tan nervioso, soy un desastre. Tengo una sensación... como si fuera a pasar algo en el último momento que nos impidiera viajar. Desconfío de este viaje, sí, desconfío de que resulte bien. Como si después de todos estos trajines tuviéramos que quedarnos en tierra, sin piso, sin nuestras cosas que ya salieron... Hemos quemado casi todas las naves, ¿no?

Violeta dijo que no habíamos quemado nada, sólo que el desorden siempre me ponía nervioso; lo que tenía que prometerle que, pasara lo que pasara, cualquier cosa, el viaje no se iba a suspender.

–A mí también me ha entrado como un temor... pero el miedo que tengo es que digas que no nos vamos en el último instante, que te arrepientas. Prométeme...

Me disgustaba aquello. ¿Prometer qué? Era absurdo, no hacía sino darme mayor desasosiego. Violeta insistía: «Prométeme que este viaje seguirá adelante aunque pase lo que sea. Prométemelo, Rogelio.» Dije que bueno, que sí; entonces se vino hacia mi lado de la cama, se me abrazó. Nos dormimos temprano. Durante la noche, más bien tuvo que ser en la madrugada, tuve un sueño de angustias difícil de poner en palabras. Científicos norteamericanos, alemanes y rusos, los de toda importancia, se habían reunido en una especie de congreso; la reunión se celebraba en una sala parecida a la del Consejo de Seguridad de las Naciones Unidas: todos tenían la misma cara exactamente, un poco calvos, pálidos ojos detrás de gafas redondas. Vestían batas blancas idénticas del cuello hasta los pies. Entonces, lo que habían encontrado era un gran secreto, el Secreto de la Química del Mundo. Resultaba que nada era existente: ni fe ni amor ni sentimientos ni emociones ni el mundo físico tampoco... todo engañosas imágenes, como transparencias proyectadas. Sólo eran reflejo de la Química. Tampoco había Dios; la creación entera un espejismo... nada era verdad más que un pequeñísimo átomo contenido en la Química: el Secreto. Yo veía, desde fuera de la sala, asomado por un cubo de vidrio, veía con desesperación que estaban equivocados. Aquellos cristales dentro de los que me encontraba hecho un ovillo, fetal casi, empezaban a espesar sus paredes, se convertían en lupas; entonces veía más grande el error y no podía intervenir. Gritaba pero mi voz no se oía. Mientras tanto los científicos se disponían a terminar lo que habían llamado la Gran Farsa: nuestra ilusión de seres vivientes con fe y amor y porqués. El mundo. Había que acabar; allí mismo estaban haciendo los cálculos de la explosión en unas complicadas computadoras. El Big Bang para contrarrestar, anulándolo, el pasado Gran Principio que resultaba ser falso... se daban mucha prisa, los cálculos avanzaban rapidísimamente, miles de cifras corrían encadenadas por las pantallas de reflejos verdosos, ya estaban casi a punto, segundos sólo... Los tipos aquellos de cabezas redondas tecleaban como furias, llegaban, sólo fracción de segundo ya... Desperté. Sudando y lleno de terror; Violeta, a mi lado, me pasaba las manos por la cara, suavemente:

–Rogelio, despierta, ¿qué te pasa? ¿Qué congoja es ésa? No parabas de gemir.

–Ah, he tenido un sueño horrible. Un sueño de la Química, Violeta, aún me parece estar allí... qué cosa más estúpida. Era...

–Cariño, luego me lo contarás; ahora tengo mucha prisa. Voy para el aeropuerto.

Entraba en el cuarto de baño, oí correr la ducha. Desde allí me gritó que dejara el reloj sobre la mesilla de noche; iba a llevárselo. ¡Se marchaba en diez minutos! Volvía, envuelta en una toalla. «Tengo mucha prisa.» Se vestía con toda rapidez, se estaba yendo.

–Violeta, no te vayas así... Abrázame.

–Mi amor, alma de niño chico en un cuerpo tan grande...

4

Salimos una noche de principios de septiembre, los siete niños y yo. Mi corazón quedaba atrás; no quise que nadie nos acompañara al aeropuerto. El policía miró la pila de pasaportes que le había entregado por orden de edad y a los niños.

–A ver... Lorena, Gonzalo, Sebastián, Clara María, Marcos, Mateo y Paz... vaya, señor, parece que a usted no le gusta viajar solo.

–Así es –dije. Solo era como viajaba, ferozmente.

Un autobús nos llevó hasta el avión, Gonzalo dijo con desprecio que aquello era un atraso; ahora se entraba a los aviones directamente en todas partes. «Todas partes» debía de ser Heathrow; el verano anterior habíamos ido en avión a Londres. La luna aparecía cuarto creciente entre unas nubecitas; estrellas ninguna por la iluminación anaranjada y azul fuerte del aeropuerto. Las pistas de hormigón me dieron una desesperación repentina, como si quisieran aplastarme; los niños comentaban modelos de aviones y emblemas de líneas aéreas. Lorena callaba, con un airecito de angustia que daba pena ver. Cola para subir la escalerilla; en silencio me despedí de todo: a partir de entonces empezaba para mí una serie de años perdidos. Perdidos. Suspiré; ahora la aventura se había convertido en una especie de exilio, sin ilusión. Y bien, tenía que hacer ánimos por los niños, que no se dieran cuenta... Ellos se alegraban con el viaje, la variación, después de la pesadilla de los últimos días. Lo que hubiera querido, poder ver el cielo de la patria una vez más, mis conocidas estrellas... el giro acostumbrado...; no se veía.

A poco de despegar sirvieron una cena y después se durmieron los niños sin ver siquiera la película; estaban cansados. No levantaron las cabezas hasta que empezamos a bajar sobre Río de Janeiro. Las muchas horas sin amanecida, oscuridad muy larga. Viajábamos a lo largo de la noche, de espaldas siempre al sol; así me sentía yo también, hundido en un espacio negro sin confines. No dormí. En Río teníamos una escala larga; los mellizos entraron en actividad después de las horas quietas, aprovecharon para investigar el aeropuerto. Y para perderse. Pacita se había vuelto a dormir en brazos de Sebastián; Lorena y Gonzalo fueron a buscar a los niños por todas partes y Clara, a mi lado, lloró hasta que oímos vocear mi nombre en tres idiomas, mal pronunciado todas las veces. Visto que la r, la g y la z no son adecuadas para ninguna lengua extranjera. Pude ir a rescatar a Marcos y Mateo sin arrepentimiento, los dos encantados de su hazaña. Nosotros distinguimos perfectamente a los mellizos pero son muy iguales; los extraños se suelen confundir. El funcionario del aeropuerto los miró con atención mientras comprobaba los pasaportes que yo le había entregado, se demoraba. Entonces dijo, con un levantar de hombreos y falso desaliento: «siempre he dicho que todos los blancos me parecen iguales». Tuve que sonreír; el hombre era un carbón. Lo invitamos a una copa en el bar, si estaba permitido. Supuse que iba a contestar que no, muchas gracias. Pero se rió, todos los blancos dientes. Cómo no: podía. Hablaba un castellano mixto de brasilero y porteño, derramaba simpatía aquel hombre. En el bar los niños entablaron conocimiento con los jugos exóticos, se fascinaban. Charlamos un rato con el funcionario; no parecía tener ninguna prisa. Cuando anunciaron nuestro vuelo, teníamos que cambiar de avión, nos acompañó hasta la puerta, un mellizo de cada mano. «¿Todos suyos?», preguntó finalmente. Se veía que había estado dudando hasta el último momento. «Sí, sí, todos míos.» Los contamos y estaban. La pregunta debía de ser porque hay entre mis hijos dos modelos muy distintos, los menuditos castaños de ojos grises o verdosos y los grandes rubios con los ojos azules. Lorena, Gonzalo y Paz son del primer tipo, se parecen a

Violeta; los otros cuatro del segundo. El que se sale de lo corriente por su tamaño es Sebastián; pienso que a Gonzalo siempre le ha humillado un poco que su hermano menor le lleve diez centímetros, al menos, de estatura. Se afirma siendo algo superior y hablando con pedantería.

Habíamos dejado atrás un final de verano, tardes largas, el dorado calor; llegamos a una antesala de primavera, aún con frío. Dos taxis nos llevaron hasta el hotel Carrera, en el centro de la ciudad; Violeta había hecho las reservas por carta. El hotel era viejo pero bueno; el agua de la ducha corriendo sobre el cuerpo daba un alivio después de las horas de viaje. Terminada la ducha y cambio de ropa, telefoneé a la agencia, una tal señora Ocharrabía, para citarnos en la casa. La señora no estaba, me dijeron, había salido con unos clientes. Aquello no era oficina sino una casa particular, la que contestaba una criada lista. Que si éramos los señores españoles podíamos ir a la casa, la dirección que yo tenía; habría alguien esperándonos. Para darme ánimos releí el papel mientras los niños terminaban sus arreglos: zona residencial muy tranquila, excelente estado, salón con chimenea... garaje. Todo parecía tranquilizador.

No sabíamos cuáles eran los barrios residenciales, estábamos recién desembarcados; aquello nos pareció un feo suburbio. Cruzamos muchas calles; la ciudad no tenía aspecto de ciudad más que en el centro mismo. Lo demás, barrios desarticulados, escasos edificios de altura, muchas casas con jardín, algunas arboledas muy hermosas. Los niños preguntaban: ¿era la ciudad o una «urbanización»? Unas zonas con buenas casas y jardines grandes eran bonitas de ver; otras con casas más modernitas, los jardinillos recientes, feas. La nuestra no tenía belleza ninguna; el taxista nos dijo que no había metro ni autobús que se acercara a aquellos andurriales. Más adelante compraríamos un coche; por el momento estábamos a kilómetros de todo lugar decente. Los dos taxis se paraban delante del número; vacilé. ¡No podía ser aquélla! El papel decía «preciosa casa». Luego Gonzalo diría que era preciosa sólo por el precio. La casa era pequeña, de mala construcción, con un revoco que acusaba humedades por varios sitios, por fuera exactamente igual de insulsa que casi todas las de la calle, ambos lados. Edificaciones poscubistas sin idea de diseño ni argumento, quizá fuera hasta demasiado intentar clasificarlas según estilo. Feas. Nos miramos, abrumados.

Después íbamos a ver que si la casa no tenía ninguna personalidad, a las cañerías les sobraba. No eran cañerías corrientes con la sumisión normal para dejar pasar por ellas el agua; protestaban con toda clase de ruidos. Apenas se abría un grifo juntaban fuerzas, gruñidos tremendos, para sorprendernos con series de explosiones que nos hacían retemblar. Hasta el día que dejamos la casa tuvimos que luchar con ellas; casi nunca llevamos la mejor parte. Los armarios empotrados estaban todos en el pasillo, puertas correderas de contrachapado apresuradamente –y malévola también– pintadas de un blanco grisáceo. Costaba hacerlas correr. Dentro, un vacío, pared mal enrasada nada más, barras de metal. El comedor una especie de alacena donde no cabíamos los ocho ni a disgusto. Era verdad que el salón tenía chimenea, chica como todo lo de la casa. En aquella primera visita, desoladora, no nos acompañó nadie de la agencia ni la propietaria sino la criada de esta que nos entregó una tarjeta de su señora. Así al pronto nos pareció una vieja bastante mal encarada, desagradable: no habíamos conocido a las demás.

–¿La chimenea funcionará? –preguntó Lorena, un poco incrédula.

–¿Cómo dice? –Se llevó una mano a la oreja haciendo pantalla, para colmo era sorda.

–¡Que si tira la chimenea! –rugió Gonzalo.

–Ah, la chimenea. Sí, se puede prender.

–Pero tiene calefacción central la casa, ¿verdad? –pregunté a gritos. A lo que la vieja se encogió de hombros, claramente no quería comprometerse.

Los días siguientes pudimos comprobar que la chimenea tiraba. Lo que tiraba era todo el humo que podía echar afuera, hacia la sala, y además cenizas, ramitas, cualquier cosa. Teresita, a quien conocimos más adelante, hubiera dicho enseguida que estaba endemoniada. Por el momento, sólo Gonzalo reflexionó sobre lo admirable que era, en un país de volcanes, haber conseguido una miniatura funcionando tan bien. El jardín consistía en un húmedo pastizal con cuatro matojos mal conjuntados donde anidaban varias colonias de gusanos. Ellos, con la lentitud indiferente de su especie, avanzaban impávidos hacia las habitaciones, colándose por las rendijas de las puertas-ventanas. Una vez dentro, soportaban un visible disgusto; aquello no era lo que habían esperado, de ningún modo. A nosotros nos ocurría igual. El garaje, cuatro postes de cemento delante de la puerta supuestamente principal, con un tejadillo de plástico ondulado, verde pálido para escarnio mayor.

Yo no sabía qué hacer, sin Violeta allí para decírmelo. Lo cierto era que nos habían estafado; no quería ver a los niños pagando las consecuencias. Ellos necesitaban casa alegre, sol, una anchura; desde que pusieron el pie en la húmeda porquería aquella la aborrecieron con unanimidad poco frecuente. Pero no era cosa para decírsela a la criada sorda; además, aprovechando el momento en que llegaba la camioneta del aeropuerto con nuestros equipajes, se escurrió y se fue, supusimos, a informar al cuartel general de Alí Babá de nuestra toma de posesión. Nos dejaba un manojo de llaves que no sabíamos a qué cerraduras correspondían. Todos ayudamos a descargar la camioneta. Aparte del equipaje de mano, que estaba en el hotel, llevábamos treinta y tres bultos entre baúles, maletas y cosas parecidas que Lorena decía sucedáneos. Numeradas; Violeta había terminado la lista completa con todo detalle. No pudimos encontrarla. Amontonamos el equipaje en la sala, nos sentamos encima a deliberar. El envío que venía por barco no había llegado; lo urgente era comprar camas, colchones y unos cuantos enseres para instalarnos cuanto antes. No había animación en la familia, una dejadez de angustia, un desconcierto. Saqué papel y lápiz, empezamos la cuenta de los primeros auxilios. A ver, qué hacía falta además de camas y colchones. «Bombillas –dijo Clara, con un desfallecimiento en la voz–. No han dejado más que los alambres colgando.» Era verdad; ¡la dueña se había llevado hasta las bombillas! Un gran recibimiento. El desánimo se hizo más hondo: qué gente tan avara. Anoté: «bombillas».

–Ocho sillas y una butaca –dijo Gonzalo.

–¿Cómo una butaca?

–Para ti. Te va a hacer falta.

Lo que yo necesitaba era un par de aspirinas y un huisqui. Lorena seguía, intentando no flaquear:

–Cacerolas, sartén, cuchillos... cosas para la cocina.

–Frigorífico –sugirió Clara y Sebastián dijo que cualquier habitación serviría. La casa estaba helada, en verdad. Intenté tranquilizarlos; por la tarde encenderíamos la calefacción... si alguien nos explicaba la manera.

–Pero la cosa es que no hay tantas habitaciones. ¿No decía el papel cuatro dormitorios buenos? Yo no los veo por ninguna parte...

–Hijos, creo que entre lo que dice el papel y la realidad hay unas cuantas diferencias.

–¿Qué hacemos? –preguntó Clara a punto de llorar.

Prometí: lo arreglaríamos de algún modo. Sebastián propuso revisar los dormitorios otra vez para hacernos una idea del reparto de camas, lo que se aprobó enseguida; cualquier cosa antes de seguir ahí sentados en las maletas, tiritando. Dimos otra vuelta. En el dormitorio principal tendrían que dormir las tres niñas; las camas en fila cabían justas, lo malo iba a ser para hacerlas cada mañana. El siguiente se lo quedaban Gonzalo y Sebastián, el tercero los mellizos. Para mí no había más que un cuarto diminuto con entrada por el tendedero vía la cocina, habitación del servicio. Los niños protestaron pero no había remedio; el dormitorio de la criada, oliendo a cosas rancias inidentificables, tenía que ser para mí. Lo que yo necesitaba más que nada era estar solo. En aquel momento nos llevamos otro disgusto. Gonzalo sugirió que para comprar las camas y demás ahorraríamos tiempo preguntando a alguien. A lo que Lorena dijo que no conocíamos a nadie en la ciudad, ahora que los Silva estaban fuera. Gonzalo insistía: al conserje del hotel, por ejemplo, parecía muy amable. Nos podría recomendar seguramente un sitio. Me pareció buena idea; el número del hotel lo tenía en mi agenda, anotado.

–Pero, ¿dónde está el teléfono? –preguntó Clara–. Yo no recuerdo haberlo visto en ninguna parte.

–Tiene que estar. El papel lo dice muy claro.

Noté en los niños un desaliento. ¿Nos íbamos a seguir fiando del maldito papel? Se miraban como agrupando fuerzas y me vi obligado a insistir.

–Bueno, esto es algo concreto.

–¿Cómo concreto?

No era opinable. Se podía decir que un dormitorio era bueno... asunto de gusto, o que cuatro matas eran «un lindo jardín». O que la casa era preciosa. Pero con el teléfono, no. Lo había o no lo había, así de fácil.

Así de fácil: no lo había. Buscamos por todos los asquerosos rincones y nada. Me enfadé, era el colmo. ¿Nos habían tomado por idiotas? Y sí, nos habían tomado. Volvimos a caer sobre las maletas con un agotamiento, parecía imposible tanta dificultad. Lo que yo deseaba era estar muerto, no vivir. No vivir. Ni quería saber más de casa, de hijos, de nada. Volverme idiota de verdad, de los que no conocían a nadie, de los que babeaban en un mundo diferente, suyo, con media docena de conocimientos y señales... Idiota. No dije nada; Clarita ya estaba llorando. Como si por los dos; yo no podía, delante de los niños. Lorena la consolaba.

–No te pongas así, Clara. Ya lo solucionaremos todo cuando veamos a la dueña o a la corredora. La cuestión es ponernos a las cosas más necesarias, sin lamentaciones.

–¿Dónde está mi muñeca? –preguntó Pacita de pronto como si aquellas palabras le hubieran dado la idea. Hasta entonces no había dicho nada, saltaba a la pata coja entre los bultos con desinterés por toda la conversación. Sebastián la atendía:

–Cállate, guapita; ya saldrá. Ahora estamos hablando de cosas muy importantes. Y tú, Clara, no llores más.

Discutieron. Yo los oía como si estuviera en otra parte, no podía hablar siquiera. Sebastián quería trasladarse a la casa cuanto antes, él iría arreglando lo más preciso. En su maleta traía la caja de herramientas.

–Con razón no se podía ni levantar del suelo; el mozo rugió.

–¿Y qué? Ya me lo agradeceréis.

Siguieron con discusiones y planes; yo dimitido, en una estupefacción. Apenas recuerdo nada de aquella tarde. Sé que fuimos al centro, en algún lugar comimos, después me arrastraron a un almacén; el camarero les había dado la dirección. Allí, ellos eligieron las camas y otras cosas. Hubo un argumento: habían pedido bombillas. El dependiente preguntaba: ¿acaso éramos argentinos? Hablábamos muy lindo, no parecíamos. Resultó que las bombillas se llamaban ampolletas. Los oí discutir por la entrega; los chicos insistían en que fuera aquella misma tarde y el hombre protestaba, al final nos fuimos de allí habiendo comprado una multitud de cosas, pagué sin preguntar ni mirar. De nuevo en la casa los niños se pelearon un poco; Clara lloró, otra vez. Paz pedía su muñeca Felipa que no aparecía por ninguna parte. El dependiente vino en una camioneta, traía las compras, ayudó a montar las camas, preguntaba mucho. Parece que Lorena había recordado en qué baúles venía la ropa de casa; hicimos las camas. Yo colaboraba estando en otro lugar, fuera de mí. Sebastián vino a decir que la caldera de la calefacción tenía los cables colgando y no podía funcionar. Temprano volvimos al hotel.

Más tarde, hablando de aquella primera noche, los niños la habían de llamar la Noche Triste. Yo no la dormí. Nos acostamos en un silencio cansado. La luna del revés, la había visto un instante apartando los visillos de la ventana. Cambiadas las estrellas, noche otra. Desfilaron las horas largas, oscuras como una procesión de Viernes Santo. Me preguntaba cómo iba a manejarme solo con los siete hijos en tierra extraña. Mis últimas energías las concentré para pensar en Violeta.

Pasamos la noche siguiente ya en nuestra horrible casa alquilada y Paz tuvo pesadillas. Lloró. Que había visto Una Cosa, decía. No conseguíamos que nos aclarara qué cosa; era un poco peluda y un poco negra, se movía pegado a las paredes, por el rodapié. Aquel miedo angustioso le duró hasta que nos marchamos de la casa.

Tempranito, con un desconcierto del cambio de horario, despedimos el hotel. En dos taxis salimos rumbo a «La Asquerosa», nombre invención de Sebastián. Lorena había tomado el mando; al llegar a la casa pidió a los coches que esperasen. En uno envió a los dos mayores al supermercado más cercano; a mí me despachó a la Central de Aduanas en el otro, a ver qué averiguaba de nuestros equipajes. Volví al cabo de tres o cuatro horas. Mareado. No tengo habilidad para los papeleos; me habían hecho ir de un lado a otro sin que, al parecer, nadie tuviera idea de lo que estaba reclamando ni interés en saberlo tampoco. Al final un funcionario se apiadó de mí, no que me informara de dónde estaba la carga; lo que me dio fue un consejo:

–Mire, pues, señor, en este país hay tres palabras muy importantes. Paciencia, alambre y mañana, no se olvide. Siempre que tenga un problema, va a escuchar una de las tres; así somos acá, qué quiere. A la larga los problemas acaban solucionándose, la mayoría, pero, ah, los trámites son los trámites. No se impaciente, pues.

Se lo agradecí, era amistoso y realista por demás.

En la casa los chicos habían hecho un buen orden; en el cuarto de estar, dos baúles con un mantel encima tomaban apariencia de mesa. Almuerzo frío: pan, mantequilla, fiambres... Los bultos y cajas apilados junto a una pared, las maletas, alrededor de «la mesa», servían de asientos. Aquella instalación, con todo el esfuerzo y la voluntad de apoyo que llevaba, me dio deseos de llorar; sólo Clarita se permitía ese lujo. Me instalaron sobre un maletón que, recordé, había sido de mi madre, pesado de cuero con muchas etiquetas de tiempo antiguo; al momento empezaron a hablar todos a la vez. No entendía; finalmente deduje que nuestra propietaria nos había hecho una visita.

–La vieja más ridícula que puedas imaginarte.

–...y el pelo teñido. El vestido así, con frunces.

–Dijo que se llamaba señora Olivia Deza, tendrá como setenta años.

–Pero cursi, de lo más cursi...

–...que si tú no estabas, entonces...

–...rubio platino, melena rubio platino y tendrá por lo menos...

–Cursi, ¿sabes? Horriblemente.

Levanté una mano, pedí calma. Que hablara uno solo, por favor, no me estaba enterando.

–...una vieja espantosa, –terminó Sebastián, definitivo.

–Y no se habla así de ninguna señora.

–¿Señora? Pero si era una bruja. Disfrazada de jovencita, queriendo hacerse la simpática. Enseñaba unos dientes... hasta Paz tuvo miedo.

–He dicho que tengáis educación. Y no se os ocurra asustar a la niña.

–¿Era una bruja, papaíto?

–No, querida mía. Son bromas de tus hermanos.

Intenté averiguar. ¿Le habían dicho que no funcionaba el agua caliente? Ni la calefacción. ¿Había hablado Lorena con ella? Sí, había hablado. Que las cañerías hacían un ruido espantoso, que la caldera no se podía encender... La dueña dijo que no era posible: todo funcionaba perfectamente el día que ella dejó la casa. Aquello me dio pésima impresión. Pregunté por el teléfono.

–Del teléfono, que está hecha la instalación y lo único que hay que hacer es comprar un número. No lo hemos entendido; insistió en que hay teléfono porque la instalación es lo más importante.

Intervino Gonzalo:

–Parece que aquí no es como en otros sitios... ¿no quieres jamón? No está malo. Pues aquí el número se lo compran a la telefónica. Entonces, si se van a otra casa, se lo llevan. Lo que ha dejado son los alambres.

Repasé mi conciencia. ¿Había alquilado yo una casa con alambres? Volví a mirar el papel dichoso. Decía: teléfono. No «alambres de teléfono». Ya me estaba hartando con todos aquellos alambres, los que colgaban del techo sin una mala bombilla, los de la caldera arrancados de la instalación, los del maldito teléfono. «Paciencia, alambre y mañana», había dicho el funcionario de Aduanas. Sentí una irritación al pensar en los hilos como serpientes maléficas por toda la casa... y en lo que me quedaba por resolver. Los niños querían irse, buscar otra vivienda; que con aquella bruja no íbamos a entendernos les parecía claro. Argumento: una persona normal no se lleva las bombillas cuando está cobrando por adelantado tres meses y espera una familia con siete hijos, vuelo transoceánico, además. No podía ser. Aquella avaricia desmesurada. La casa no les gustaba, ni el barrio ni la dueña. Clarita, lastimera: «Encima de que estamos aquí solos...» A lo que Lorena, con sus buenos ánimos:

–¿Solos? ¿Ocho personas de la misma familia? No, Clara.

La comida terminada. Había que recoger la mesa, Lorena decía, a ver, entre todos. «Tú no, papá. Siéntate cómodo.»

–¿Dónde, hija mía?

–Es verdad. ¿Y si fueras a telefonear a la corredora? Otra bruja, que se cobró su buena comisión y...

Paz volvió a preguntar si de verdad eran brujas. Negué, con un cansancio: no hijita, ya te he dicho que no. En cuanto a llamar a la corredora, tuve que desilusionarlos; ya lo había hecho por la mañana. Se lamentó: estaba tan disgustada, no era posible que la casa no fuera de nuestro gusto... ella no podía hacer nada. No, nada. Y su amiga, la señora Olivia Deza, había sido tan amable dejándonos la casa a nosotros... a pesar de los siete niños. Oyendo esto, los chicos chillaron de indignación. Debería ir a la cárcel, eso era. Se estaban poniendo demasiado agresivos; me apresuré a decir que recogieran la mesa, andando, sin demora. Gonzalo sí se demoraba, solía esquivar los trabajos domésticos. Me pidió los papeles, descripción de la casa, modelo de contrato y demás. Se entretenía repasándolos. Estaba viendo un problema: nos habíamos comprometido a alquilar por dos años, el contrato se firmaría cuando llegáramos a la ciudad. Entonces, quizá quisieran obligarnos a pagar dos años enteros. Tanta desconfianza, ¿no era demasiada? Pero llegó la señora Olivia –y era cierto que parecía una bruja con disfraz– y habló en parecidos términos. Teníamos que estar allí dos años, firmar el contrato inmediatamente. Pedí a los niños que salieran de la habitación; se negaron; sólo conseguí que no intervinieran. Quedaban allí, sin moverse del sitio, con una terquedad. Sentía en mí sus miradas; maternales Lorena, sarcásticas Gonzalo, Clara, aprensiva; ceñudo Sebastián y francamente curiosos los mellizos. En Pacita, agarrada a su hermano, se podía ver algún temor.

La señora Olivia había avanzado sonriente, llevaba un sinnúmero de cadenas de un oro tan falso como el de sus rizos rubios. Intentó acariciar las cabezas de los mellizos, sin ningún éxito, empezó a decirme lo contenta que estaba de tener españoles en su casa, la suerte que habíamos tenido de haberla arrendado. Como un milagro. En confianza, había un ejecutivo norteamericano desesperado por conseguirla, hasta le había ofrecido más dinero. Ella, por supuesto, no tenía más que una palabra, se había comprometido con nosotros por dos años. Por lo tanto, hiciera yo el favor de firmar el contrato definitivo en seguida. ¡Como si la entrevista de la mañana no hubiera existido! Como si no tuviéramos ninguna reclamación. Sus modales demasiado afectados me distraían de las palabras. Hablaba con ímpetu, al escuchar entornaba los ojillos, con lo que me entraba un desasosiego. Era verdad que trataba de aparentar la mitad de sus años; parecía máscara de carnaval, tan repintadita. Una caroca. Ojalá, pensé, estuviera Violeta; ella sabría cómo tratar a aquel sucedáneo de mujer de mundo.

Dije: «Siento decírselo pero no estamos conformes con la casa. No tiene calefacción ni teléfono ni agua caliente...»

Se perdieron de golpe el rictus de la sonrisa, los modales para atraer, los gestos de amplitud. Las manos terminadas en garras pintadas de nácar se contrajeron. La señora me miró con cara de odio, fea, y Pacita se apretó contra Sebastián.

–Ah, no. No puedo creerlo, señor Díaz. Funcionaba todo perfectamente cuando yo me marché.

–No se lo discuto, pero ahora no funciona nada. Cada vez que abrimos un grifo, parece que se nos viene la casa encima.

–Eso puede arreglarse. Un poco de aire en las cañerías, seguramente.

–¡Un poco de...! –Me quedé cortado; Gonzalo murmuraba: alisios, contralisios... Lo miré para hacerlo callar. A lo que, con ostentación, abrió el periódico por la parte de la oferta inmobiliaria y bostezó.

La señora Olivia irritada parecía un poco menos costurera cursi de pueblo, un poco más vendedora de tomates en el Mercado Central. Todo tenía arreglo, con buena fe. El teléfono se compraba. Se compraban estufas de parafina: calentaban mucho. De la descripción ella no era responsable, asunto de la corredora. Entonces, yo tenía que pagarle dos años, no me podía ir así nomás. Seguía hablando y me callé. No sé qué cosas contaba de su familia. Que ellos eran gente tan gente que cuando la Unidad Popular habían tenido que exiliarse; habían marchado a París. ¡A París! ¿Me daba yo cuenta de lo que aquello significaba? Como no me daba cuenta, moví la cabeza negativo, de un lado para otro. Al final se marchó, imagen de las Furias, para volver al día siguiente con la corredora.

Volvieron. A las tres en punto. La señora Ocharrabía era bajita, renegrida; bastante sangre india de la clase que no aporta belleza ninguna, a nuestros ojos, le andaba por las venas. Pensé que, en aindiado, era modelo ideal para Velázquez, aquellas enanas feas. Tenía mirada pétrea oscura, voz de hombre con resaca de borrachera, voz que entonaba con nuestras cañerías. Al principio intentó ser amable con esfuerzos horrendos de ver; la sonrisa como mueca fijada en los dientes le achicaba los ojos. Ya me estaba cansando de tantas sonrisas-amargura. A las dos mujeres, ¿qué rayos les pasaba? No parecían normales. La enana encendió un cigarrillo con aires de hombre de negocios y empezó a establecer: allí no ocurría nada, ningún desagrado. Yo me iba a quedar en la casa dos años, no faltaba más. Cuando vio que con el apoyo moral de mis muchachos me mantenía firme, sacó un pañuelo, se sonó en trompeta, se restregó los ojos. Ella –dijo– era una pobre señora que se ganaba la vida honradamente; nunca había tenido problemas con su trabajo. Y ahora, ¿en qué situación la dejaba yo con la propietaria?

Habían equivocado los papeles; la que tenía que haber llorado era la otra teñidita de platino y voz trémula. Como no cedí se marcharon furiosas. Los niños estaban descontentos:

yo debería haber dicho esto y lo otro y lo de más allá. Mañana iban a hablar ellos. A lo que deseé que «mañana» no aparecieran; era cansador aquel tipo de lucha todas las tardes. «Me apuesto lo que quieras a que vuelven –dijo Gonzalo, seguro–. ¿Cuánto te apuestas tú?»

No aposté. Pero hubiera perdido.

5

Alguien había colado por debajo de la puerta principal una carta; Pacita la recogió en la entrada, me la trajo. Lorena preguntó si había venido el correo, con interés. Estaba preparando los desayunos. Y no. Era una carta entregada en mano, de la corredora. Con bastante insolencia dentro. Decía que estaba en su poder la mía comprometiéndome a formalizar el contrato a mi llegada; debía firmarlo inmediatamente o recurriría a los medios legales.

–Tía sinvergüenza, –comentó Gonzalo sin pasión–. Encima amenaza. Deberíamos averiguar si tiene licencia, seguro que no. Impertinente.

Nos fuimos al centro a buscar mesa de comedor, sillas, algunos muebles. Lo que ya no podíamos, seguir sentándonos en las maletas. Encontramos solamente fealdades, imitaciones bastas de muebles llamados de estilo; no sabíamos las buenas tiendas. Llegamos a almorzar cansados, de mal humor, con el desagrado de la carta recibida en la mañana y el agobio de volver a una casa desapacible y fea. A las tres en punto de la tarde apareció de nuevo nuestra propietaria, acompañada esta vez de su *pièce de résistance*. Su hija.

Cuando los habitantes de la Península Ibérica vieran avanzar sobre ellos a los vándalos, seguro sentirían una nostalgia por los tiempos de los suevos, bárbaros conocidos. Algo así nos ocurrió a nosotros. La señora Olivia era cursilita chirriante, denterosa como cuchillo contra el plato, aire remilgado de corsetera de barrio con ropas de domingo y una historia sucia, modestamente vergonzante en la trastienda. Pero inofensiva, en realidad. La señora Angélica Cisterna, su hija, era feroz, fundamental y definitivamente cursi. Ofendiendo de cursi. Ojos color de acero, una de esas bocas delgadas que suelen acompañar a narices puntiagudas en exceso, como leznas. Ostentaba un aire de superioridad, a mi modo de ver indocumentado; me recordaba a mi tía Dolores un poco. Sin parecerse en lo físico; quizá aquella señora Angélica era de las que se habían «casado bien» y viviera para lamentarlo. O acaso que odiara a todos los hombres; a mí me miró como si fuera un gusano asomando de su manzana recién mordida. Con asco. Planteó de inmediato su cuestión: la cosa era así. La vieja Ocharrabía, la corredora, era una imbécil, de acuerdo. Se había equivocado. Okey. Pero su mamá, la señora Olivia, era viuda. ¿Me daba yo cuenta? Entonces, convencida de buena fe de tener su casa alquilada por dos años, había tomado sus compromisos. Ella, Angélica, no estaba dispuesta a que su mamá pagara los platos rotos de nadie. Resumiendo: que si su mamá se moría de hambre iba a ser mía la culpa. A lo que, la hija siendo tan hiriente, empecé a tomarle algún cariño retrospectivo a la mamá. También, pobre mujer, haber echado al mundo a aquella garduña... Vacilé. Los niños me rodeaban con inquietud, salvo los mellizos que estaban mirando por la ventana. Lorena apuntó: «¿Y el teléfono?»

Resultaba otra majadería de la corredora; la mamá le había dicho bien claro que el teléfono se lo llevaba ella. Quedaban los alambres, desde luego. Lo que yo tenía que hacer, comprar otro número. Suspiré. Quizá debiera contemporizar, buscar algún arreglo. ¿Cuánto costaba un teléfono? La Angélica aquella hizo un gesto de amplitud con la mano... Poca cosa. Diez, quince mil dólares más o menos, dependiendo del mercado. Hice un cálculo aproximado, cuatro o seis cuadros; no me parecía tan poca cosa. La mujer me miraba con sonrisa que hacía correr un frío; seguí dudando. Después de todo, quizá la vieja Olivia no tuviera la culpa de aquel enredo, tal vez anduviera muy necesitada del dinero del alquiler. Hubo un momento de peligro, no sabía bien... Los mellizos junto a la ventana mantenían un murmullo de conversación entre ellos.

–No sé qué decirle... Por otra parte, he recibido esta mañana una carta de la corredora sumamente grosera.

Se miraron con incomodidad la madre y la hija; vi flotar como un desconcierto.

–¿Grosera? No puede ser.

–Muy insolente por lo menos, amenazándome... y sí, yo diría que hasta grosera. No se puede tratar así...

La Angélica se reponía antes que su madre.

–Bueno, no le haga caso, pues. Ya le dije que esa Ocharrabía es una imbécil; todo lo ha hecho mal.

–En rigor, debería buscarles a ustedes otros inquilinos y a mí otra casa, ya que ha cobrado su comisión.

Gonzalo intervino con frialdad: «Es para denunciarla. Convendría saber si tiene licencia.»

–No, no. En este país no se hacen así las cosas. Ustedes ya se darán cuenta... –se amansaban un poco, viéndome vacilar.– Piense en mi mamá, que es viuda, y en sus compromisos.

Los mellizos continuaban su diálogo, mirando por la ventana. No sé por qué les presté oído un momento:

–... pero es mejor el de la vieja cara–de–vinagre, –decía uno de los dos fanáticos del automóvil– porque es «Mercedes» último modelo.

–No es de la vieja, el suyo es de otra marca... y es blanco. Lo trajo ayer.

–Pues eso. Cara–de–vinagre es la hija, tonto.

Vieja no era, no tendría más de cuarenta y cinco años. Cara-de-vinagre, sí. Pensé: recordar que debía reñir a Marcos y Mateo cuando se fueran las dos mujeres. Eché un vistazo a la ventana, medio por ganar tiempo. El coche me decidió. Si la Angélica podía pagárselo, no tendría problemas para dar de comer a su madre. Con toda sobriedad les dije que no había nada que hacer. La casa no correspondía a lo que yo había alquilado; me iba a marchar en cuanto encontrara otra. Final del mensaje.

–Esto no quedará así –vaticinó con irritación la Angélica y en un lejano lugar de la Cordillera debieron redoblar los tambores de guerra de alguna oscura tribu.

No habían terminado de salir y ya los niños desataban uno de sus guirigayes; desde la verja las mujeres debieron de oír sus risas y comentarios. Los dejé desahogarse un poco; las últimas semanas no habían sido piadosas con nosotros, unas cuantas bromas no les harían mal. Me retiré a mi cubículo detrás de la cocina para poner orden en mí y en los papeles. Cayó la tarde, vinieron a reclamar paseo y cena de hamburguesas en un horrible lugar que habían descubierto el día antes. Música rock a todo volumen. Son curiosos los muchachos. Uno los puede trasladar al Polo Norte; si hay un sólo iglú en todo el Círculo Polar Ártico donde puedan escuchar sus discos preferidos, lo encontrarán sin perder un minuto. Como un instinto: van al ruido sin titubear, igual que la paloma mensajera que se remonta un poco, ladea su cabecita, se orienta y vuela derecha hasta donde está el individuo esperándola para sacarle el papelito de la pata. Hasta aquellos días mi trato con los niños había sido casi exclusivamente por intermedio de Violeta, no directo. Entonces, muchas cosas me llenaban de asombro, me sentía como gorrión con una camada de avestruces. Por ejemplo, cómo identificaban las cosas. Tenían que localizar la misma marca de salchichas, vaqueros o zapatillas de deporte. Ahí encontrándose a gusto, no eran forasteros en niguna parte. La afición por aquella clase de música, sonidos aplastantes, era lo que más me mortificaba; yo me había criado con Schumann y Bach, igual seguía viviendo y pintando, siempre.

Me conformé, iríamos a cenar a la cafetería del día anterior. Se comía muy mal. Antes, pedí la carta de la Ocharrabía; quería guardarla con toda la documentación del alquiler fatídico. Clara la había encontrado y me la trajo, miraba mucho.

–Papá... ésta no es la letra de la corredora. Es... ¿tienes la tarjeta de la bruja, la que te dio la criada sorda del primer día? Esta letra es picuda, ¿lo ves? La otra parece letra de hombre...

Comprobé: era verdad. ¡La carta la había escrito la propia dueña firmando con el nombre de la otra! A lo que los niños multiplicaban sus indignaciones. Chapuzas. ¿Yo decía que era una señora? ¿Entonces, las señoras con educación podían hacer una cosa así, firmar con el nombre de otra? Ah, no. Brujas y muy brujas. Tuve que darles la razón en parte; para no hablar más me los llevé a cenar a toda prisa.

La mañana congregó en la cocina a todo el clan en diversos grados de vestimenta, con una cosa en común: el mal humor. Paz había visto *La Cosa* por la noche, lloró repetidas veces. No podíamos averiguar qué era *La Cosa*, sólo algo negro que salía del rodapié de las paredes, avanzaba hacia ella llenándola de congoja. Los mellizos peleaban por calcetines, los bollos estaban duros; no quedaba café. Hacía frío. Lorena tenía una mirada de sombra, apartándose de todo, agrandando distancias. Clara se veía dispuesta a llorar en cualquier momento. Un aire de indecisión se establecía por encima de nosotros y de los pocos objetos que teníamos, planeaba. Había pensado dedicar la mañana al papeleo: consulado, Policía, departamento de extranjeros... asuntos de Bancos, también; por primera vez me veía obligado a disponer las cosas que Violeta había hecho siempre con su magia, como sin esfuerzo. Yo pasaba las mañanas haciendo colas delante de diversas ventanillas; la mayor parte de las veces, cuando me llegaba el turno, no era allí o faltaba un requisito que el de la ventanilla anterior había olvidado mencionar. Mi torpeza no siendo la única culpable; aquellas gentes tan metidas en sus rutinas, desinteresadas del público. Lentas, muy lentas. A veces se quedaban mirando un papel como si en vez de estar escrito en un español algo anticuado, estuviera en chino de una lejana provincia. En aquella maldita burocracia yo gastaba mi tiempo mientras la luz cambiaba cien veces en la mañana de primavera, jugaba en el aire alto viniendo de muy arriba y calles y jardines se llenaban de flores, tanto color llamándome. Sí, pintar. Lo único que me hubiera aligerado el alma.

Una mirada a mi familia a la hora de aquel desayuno–fracaso, me hizo dejar las colas para otro día; era demasiada pesadumbre. Caras cerradas, los pobrecillos. Una desolación. Me rompí la cabeza, pensando, ¿cómo los alegraba? Empecé a hablar sin saber qué haríamos luego: dentro de media hora todo el mundo vestido y con las camas hechas; inmediatamente salíamos. Afirmaba la voz, no se me notara la incertidumbre, bajito invocaba a Violeta. A ella se le hubiera ocurrido algo gracioso, con su rapidez. Vi a mi alrededor curiosidad, unas briznas de ilusión repentina.

–¿Por qué? ¿Adónde vamos?

Por principio protestaban; con media hora no tenían bastante, el agua salía tan despacio... y por los dos cuartos de baño a la vez, ni hablar. Repetí, por no saber qué más decirles; media hora o llegábamos tarde. Tomé el periódico que el repartidor nos traía cada mañana, di un vistazo rápido en busca de inspiración. ¿Parque de Atracciones, Museo? Por Dios, algo, de prisa. Ahí encontré el anuncio de una subasta. «Remate de todo el mobiliario y enseres de la espléndida mansión...» Eso tenía que ser; los niños nunca habían estado en una subasta, les divertiría y acaso encontráramos algo útil para la casa, menos feo y caro de lo que habíamos visto en la ciudad. Anoté la dirección; el barrio era bueno, de jardines grandes y casas antiguas, espaciosas. Fuera brillaba el sol. Venían llegando, repeinados los pelos húmedos de la ducha, esmerados al vestirse. Metí el talonario de cheques en la cartera; Lorena, con una inquietud, preguntó si íbamos a comprar algo. Los mellizos gritaron ¡un coche!, a lo que Gonzalo recordó que no teníamos los papeles todavía... como si yo no lo supiera.

–¿Estáis todos? Andando, en marcha.

Enseguida aparecieron dos taxis; la mañana nos hacía una sonrisa grande. Pronto enfilamos una ancha avenida; al fondo del esplendor de la Cordillera. Llevábamos varios días en la ciudad, aquélla fue la primera vez que tomábamos conciencia de los Andes, alturas tan hermosas. La majestad. Ojalá, pensé, Violeta estuviera con nosotros para verla así, ahora. Los niños también acusaban el golpe.

–Papá –pidió Clara– nuestra próxima casa, que tenga vista a las montañas, por favor. Tembló su voz, un poco, por la emoción de tanta grandeza. En aquel tipo de cosas, la sentía de pronto más cercana a mí que los demás. Clarita.

La subasta era en una gran casa buena de estilo francés fin de siglo. Remataban todos los muebles, habitación por habitación; los chicos se encantaban con cada cosa. Dimos una vuelta rápida, apuntamos lo que podía interesarnos. Algunos muebles subieron demasiado pero a mediodía teníamos una sólida mesa de comedor con doce sillas de encina, dos sofás largos de terciopelo gris pálido y dos mesitas de raíz de cerezo, un cuadro que se me agarró al corazón apenas lo vi, dos lámparas antiguas de pie, de bronce, y un enorme ropero de caoba que no sabíamos bien cómo íbamos a entrar en la casa pero fue empeño de Lorena. Además, los niños pujaron por un butacón vagamente inglés, de esos que parecen feos en un primer momento y después, cuando uno se acostumbra, resultan el mejor compañero. Se lo adjudicaron, para mí, con lo que estaban felices. Pagué, contratamos un transporte allí mismo, salimos a la calle con sensación de abundante riqueza. Para celebrar entramos en una pastelería vecina, con nombre sugestivo por lo francés, Avenue du Bois. Compramos dos bandejas de pasteles, caminamos un rato por aquel barrio, más cuidado y amplio que el nuestro, árboles de muchos años, casas con solera; cuando Pacita se empezó a cansar tomamos dos coches y a casa. El almuerzo, último sobre las maletas, fue muy distinto del desayuno: las compras, las montañas, los dulces, nos hacían ver el mundo con otros ojos. Esperanzados. Después de almorzar estaba llenando mi pipa, aparecida como por milagro en el fondo de algún bolso; sentí un desasosiego. Pregunté la hora como siempre, sin mi reloj, perdido; faltaban unos minutos para las tres. ¿Por qué? preguntaban los niños. ¿Tenía que ir a alguna parte? Y no. Sólo que hasta a lo desagradable se acostumbraba uno; me parecía como si cada tarde a las tres tuviera que aparecer la señora Olivia para las discusiones. Gonzalo pidió que recogiéramos de prisa, podíamos aprovechar para ver un par de casas por la tarde. «Pero si viene la bruja, déjame hablar a mí también; me he estudiado todos los papeles de la carpeta.» Por más que nos apresuramos, la dueña de la casa nos pilló la vez; con una fijación en la hora en punto, a las tres llamaba a la puerta. Esa tarde había echado el resto: cuatro personas avanzaron hacia nosotros en formación cerrada. La señora Olivia, su encantadora hija, la eficiente corredora de propiedades y un pobre señor elegantoso de pelo peinado con gomina; lo presentaron como «nuestro abogado». Así, hasta sin decir su nombre. El abogado parecía a disgusto con la situación, intentaba superar su desagrado a fuerza de palabras grandilocuentes. Hizo callar a las tres mujeres que ya lanzaban sobre mí sus baterías de argumentos. Yo esperando; el trabajo de conseguir silencio se lo dejaba a él. Sólo miré a los niños dando a enteder que no intervinieran. Al final el abogado conseguía hablar él solo, como suele ser el gusto de los de su profesión: me soltó un discurso que llevaba seguramente preparado. Quería ser una especie de lección o clase teórica, de cómo debía comportarse un caballero en su trato con frágiles viudas. Lo malo, que no me enteré mucho. Me recordaba a un cantante azucarado de los años sesenta, un arrope de hombre. ¿Cómo se llamaba el fulano aquel, por Dios, si tuvo tanta fama? El parecido era tan increíble, no me dejaba concentrarme en el sermón. Para mí, lo que estaba diciendo era:

No me abandones, mi bien, no.
No me abandones, que me muero por tu amor.

No me abandones, mi bien, no.
No me abandones, no, no, no, no,

la canción que lo había hecho famoso. Se oía por la calle, en los cafés; la tarareaban en la Escuela los futuros pintores y las encargadas de la limpieza. Otras épocas. Entonces las letras de las canciones no descendían a lo detallado como hacen ahora pero el oído inteligente al punto llegaba a la correcta conclusión, a saber, que el «chico» no quería que la «chica» lo abandonara. Era fácil, pero ¿cómo rayos se llamaba el cantante aquel? Quizá podrían ser parientes. En lo que los hijos se revolvían con alguna inquietud porque yo no contestaba nada y el abogado, feliz, seguía su perorata sin interrupción. Acaso fue aquella consideración mía lo que me valió su apoyo en el último momento. Cuando se le acabó el resuello, me decidí.

–Sí, sí. Comprendo todo lo que usted me dice –lo cual no era cierto ni mucho menos– pero póngase en mi lugar: yo creo ser el más perjudicado. Me traslado con siete niños y cuarenta bultos para encontrarme con que he sido engañado; la casa no tiene nada que ver con lo que alquilé. ¿Quiere leer la descripción y después se da una vuelta?

Desde luego, no quería. Sonrió, en un bello intento de resignación bondadosa; ellos preferían emplear la palabra malentendido. Nadie había tenido la intención de engañarme. Lo que puntuó la Ocharrabía sonándose con su ruido característico.

–¿Malentendido? –dije–. ¿Por qué no malexplicado? Mire usted, yo no voy a hacer hincapié en las palabras pero he pagado cuatro meses de alquiler y la comisión y...

–¡Dos meses! –interrumpió Angélica con la voz de una hiena en uno de sus días malos–. ¡Dos meses y dos de garantía! Se lo dijimos ayer y usted insiste.

El abogado, un parpadeo ligero y Gonzalo se acercó al grupo. Seguí:

–Bueno, señora. No voy a pelear por las palabras. He pagado dos meses y dos de garantía si usted lo prefiere así.

–¡Es que es así! –machacó otra vez y sentí lástima de su marido–. Hay que poner las cosas en su lugar.

–Muy bien. Pero tengo la descripción de la casa... y la carta de ayer también... Vi con cierta satisfacción que «la carta de ayer» alteraba a la hija y a la madre. Seguí, más afianzado. La descripción de la casa decía esto y lo otro; como no correspondía a la realidad, no nos quedábamos.

La discusión fue larga y, por parte de las señoras, ácida. Cada lado repitiendo lo que había dicho antes; los niños, sin colocar palabra, esperaban atentos. Para romper el punto muerto, el abogado intentó una maniobra: que nos quedáramos hasta que la señora Olivia encontrara otros arrendatarios. Entonces fue cuando intervino Gonzalo, con mucho aplomo:

–Eso, de ninguna manera. Echen un vistazo al *Mercurio;* anuncian como cincuenta casas en mejores condiciones que ésta. Si la señora Olivia quiere el precio que a nosotros nos cobra, podríamos pasar aquí cinco años viendo crecer los gusanos en el matorral.

El abogado puso cara de horrorizada repugnancia. ¿Gusanos? Y sí. Le explicamos que había. Muchos, blanquecinos o anaranjados. ¿Quería verlos? Declinó, con un escalofrío. Los niños empezaron a divertirse. Mediada la tarde llegamos a un armisticio: nos quedaríamos hasta final de mes y perderíamos el alquiler que habíamos adelantado, además de la comisión. Estuvieron de acuerdo, visto que no conseguían sacarnos nada más. En aquel momento volvió a hablar Gonzalo.

–Pero la garantía, no. El dinero de la garantía tienen que devolverlo terminado el arriendo. Eso dice la ley.

Ahí tuvimos el gusto de ver cómo empalidecían las tres iracundas mujeres. Angélica se mordió los labios sumidos, finos; la culpa había sido suya, su afán de diferenciar. El abogado dio la razón a Gonzalo.

–Por supuesto, la garantía se la devolverán. Ésa es la ley.

Creo que el hombre se había puesto en mi lugar. Sabía que yo llevaba razón y estaba secretamente irritado con sus coéforas clientes. Que, además, nos tenían de pie; se habían negado a sentarse encima de nuestras maletas lo que con toda probabilidad había agriado la discusión más de lo necesario. Así que sacamos papel, escribimos sobre el poyo de la cocina nuestro acuerdo en tres copias, firmamos y se fueron. Al final no le había preguntado al abogado si sería pariente de aquel cantante famoso. Los niños abrieron de par en par las ventanas, que entrara el aire.

6

No sé por qué cuando recuerdo aquellos días primeros me resulta como un acento de ironía, quizá porque, con los hijos, intentamos echar fuera tanto disgusto a fuerza de tomarlo a broma. Nos reímos, buscando el lado ridículo a cada situación, pero había mucho temblor de lágrimas escondido detrás de nuestras risas. Fueron, en verdad, días de tristeza. Yo gasté mucho tiempo y paciencia visitando a los señores de las ventanillas, en tanto que los niños recorrían la ciudad en busca de una casa. Para llegar al Metro tenían que andar cinco cuadras y tomar un autobús que los dejaba en la estación; aprendieron a manejarse muy de prisa. No se desorientaban. «Pero si la Cordillera es siempre el Este, papá.» Yo veía cerros por todos lados, como si la Cordillera fuese un monstruo galáctico que hubiera ido poniendo huevos rosados o verdosos a su paso. Sea como fuere, perdían demasiado tiempo con los transportes. Las cosas se pusieron peor cuando nos metimos en un temporal de lluvias de primavera. Las montañas se taparon de nieve; en la ciudad llovía sin parar. Se hinchó el río, por las calles bajaba un agua de barro sucio, pegajoso. Hubo un rebuscar frenético de impermeables y botas por los baúles; en la casa sin calefacción, la ropa no terminaba de secarse. Violeta habría encontrado manera de manejar todo el asunto pero no estaba y su falta abonaba y hacía crecer tantas pesadumbres como un bosque de helechos malditos gigantes. Lorena se esforzaba por mantener a la familia en orden y un cierto espíritu alzado, tenía mucho mérito.

Lo que no había modo era de ponerlos de acuerdo sobre nuestra futura casa: si una entusiasmaba a los mellizos no le gustaba a Lorena, la que elegía Clara era rechazada inmediatamente por Gonzalo... así pasaban los días cada vez con mayor incomodidad y desesperanza. La pobre Paz era quien no opinaba, iba de acá para allá como un monito chico paseado, niña–de–juguete en brazos de Sebastián, mientras los demás discutían, cada uno fijándose en cosas tan diferentes. Siempre me maravillaba ver a siete hermanos, misma madre y mismo padre, igual educación y sin parecerse en las maneras de ser y en sus gustos, daba un asombro. Vieron docenas de casas sin decidirse por ninguna, aquello no tenía perspectiva de llegar a un arreglo. Cada tarde volvían a nuestro campamento inhóspito más mojados y con menos ánimos para seguir. Días malos para todos nosotros, dureza de los principios, incertidumbres y una establecida sensación de desamparo; miro hacia atrás ahora y me pregunto de dónde sacamos fuerzas para sobrellevar la temporada.

Una sola distracción tuvieron los niños en esos días, no agradable ni siquiera correcta, entretenimiento que un educador serio riguroso hubiera prohibido pero yo los dejaba. No sé, en mi lugar, qué hubiera hecho Violeta. La que proporcionaba esta diversión era nuestra propietaria, la señora Olivia, sin darse cuenta seguramente. Nos espiaba: a cualquier hora que saliéramos veíamos su pequeño automóvil blanco en la cuestabajo, un poco alejado de la casa. Ella se quedaba dentro del coche; si alguno de nosotros pasaba cerca agachaba la cabeza, que no la viéramos, imitando la costumbre del avestruz. Una imitación bastante pobre, la veíamos todos. Los mellizos se asomaban a mirar por las ventanillas con alegría de sorprenderla, saludaban a voces, los buenosdías o las buenastardes, gritados. Supongo que debería sentir lo ridículo de su postura, parecía cosa de locos. En el mismo momento en que salíamos a la calle, y por una razón o por otra pasábamos casi todos los días fuera, se colaba dentro de la casa, curioseaba las habitaciones con pasión de insania. Revolvía en nuestras ropas y enseres, en los pocos muebles, no dejaba nada en su lugar. Al principio no nos dimos cuenta de que era ella, hubo alguna discusión, quién me ha cogido el chaleco azul, yo dejé aquí mis botas, qué hace mi chaqueta en tu cuarto, por qué me has cambiado las fotografías de sitio, te he dicho que yo no las he tocado, que quién ha sido entonces, que no, que sí... Hasta que caímos en la cuenta de que la señora Olivia tenía que haber conservado un juego de llaves; Lorena quería cambiar las cerraduras pero todas las puertas daban al mal llamado jardín, demasiado cambio para el poco tiempo que nos quedaba. Al terminar el mes teníamos que mudarnos, mientras tanto cada día encontrábamos nuestras cosas todas revueltas. Los bultos que dejábamos contra el muro, recogidos, los amontonaba en el centro de la habitación, debía de temer que mancharan la pintura de las paredes. La mesa de comedor la habíamos colocado en la sala, en el comedor no cabía, con sus doce sillas de mucho peso: nunca estaba como la dejamos al salir. Parecía mentira, vieja alfeñique, que pudiera moverlas. No entendíamos el porqué de aquella gimnasia ni que pusiera tanto empeño en colocar las cosas a su modo, Gonzalo creo que fue quien tuvo la idea más verosímil: la mujer aprovechaba nuestras ausencias para enseñar la casa a posibles futuros arrendatarios. Antes de que llegaran las hipotéticas víctimas, la arreglaba a su gusto. Podía ser. De todos modos, resultaba demasiado el trabajo. En aquellos días de lluvia, las niñas lavaban nuestras ropas menudas, lo pequeño que no se llevaba a la lavandería, la ponían a secar en el cuarto de baño. No resultaba artístico, pero por la necesidad. Cuando volvíamos por las tardes, la ropa mojada, reliada, dentro del armario, arrebujada con las cosas secas que las niñas habían planchado con tanto primor... Lorena se desesperaba. La veía cerca de perder los nervios y no sabía qué hacer, hubiera debido hablar con la señora Olivia; se me hacía imposible, demasiada violencia. Era más vieja que yo, mujer, y seguramente también estaba loca, no había cordura en lo que hacía. Me decidía a hablarle, echarle en cara tanto entrometimiento, la desconsideración, hasta ensayaba las palabras, después no me atrevía. Era difícil. Entonces empezó una guerra extraña entre la inventiva de los niños, las diversidades de cada uno, y las manías de nuestra propietaria. Abrió el fuego Sebastián, que según Gonzalo nació con un destornillador en cada mano, después de un disgusto especialmente sonado de las niñas con enfado fuerte de Lorena y acompañamiento de sollozos por parte de Clara. Sebastián conectó un cable con la cerradura; al abirse la puerta principal se ponía en marcha el aparato de radio a un volumen horrísono. Fue la primera prueba, funcionó a satisfacción de todos: en la entrada encontramos dos peinetas, por supuesto doradas, de las que la señora Olivia llevaba profusamente entre los bucles de su melena. Había huido a toda torta, dijo Sebastián guardando sus trofeos, se veía. Después de este éxito se animó una barbaridad, ideó muchos más inventos con pesas, contrapesas, cuerdas y cordeles, cables, enchufes múltiples y qué sé yo. Todo lo aprovechaba. Lo que nunca sabíamos, qué nos esperaría al abrir una puerta, podía ocurrir cualquier cosa. A veces se olvidaba de desarmar sus dispositivos, entonces sonaban timbres o radios, salía un juguete mecánico o se producía una detonación; hasta pólvora y petardos llegó a usar. Los mellizos empleaban medios más a su alcance, sosos, pero con el viejo sabor de lo clásico, sembraban de garbanzos o guisantes secos la entrada, colocaban baldes de agua o bolsas de harina encima de las puertas para que se volcaran sobre la señora Olivia al abrirlas. Se asombraban de los resultados; fíjate, la muy idiota ha barrido después, comentaban y era verdad: lo que le caía encima lo recogía con todo cuidado. Los mellizos y Sebastián gozaban mucho con las obras de su ingenio, en lo que las niñas quedaban indecisas, no sabiendo bien si debieran alegrarse. Gonzalo se explayaba a su modo dejando notas ofensivas por ahí, donde fuera seguro que las iba a encontrar. «Señora Olivia, quizá nuestro gusto no coincide con el de usted. Pero ocurre que la mesa ES NUESTRA; no sea descarada y no la cambie de sitio.» O acaso: «Señora Olivia: He perdido trescientos pesos. Cuando registre hoy, búsquelos y los deja encima de la chimenea.» Algunos más sencillos, más sentidos también: «Señora Olivia, no tiene usted educación ni vergüenza. P.S. Ni inteligencia.»

Los niños insistían en que yo hablara con ella; cuanto más adelantaban las hostilidades me resultaba más difícil. Una mañana volvíamos todos juntos del centro, nos la encontramos en la misma puerta en vez de estar en su escondite de costumbre acurrucada dentro del automóvil blanco. Le hice un saludo con la cabeza, qué remedio, lo más seco que pude para demostrar desaprobación y disgusto, queriendo pasar de largo. Me paró; debía de llevar bastante rato de pie sobre la losa de cemento del umbral, parecía contemplarla con mucha tristeza y señaló algo que había en el suelo. «Mire. Mire usted ahí. Llevo horas esperando para mostrarles... Mire, pues.»

Miré. Vi una plasta marrón de origen inconfundible. El color, el olor y la forma respondían con toda exactitud a la naturaleza del objeto, sólo el tamaño resultaba, ¿cómo diría yo?, casi inverosímil por lo excesivo. No hubiera querido hablar con ella pero, con el asombro, me volví, hasta se me olvidó lo que teníamos en su contra. Un desconcierto. «Perdone, señora, pero no imaginará usted que nosotros...»

–Claro que no, don Rogelio. Es una costumbre indígena; ¿no sabe lo que significa?

Intenté mantener mi seriedad, no ver ni oír a los niños. Sofocaban sus risas, se apoyaban unos en otros, cuchicheaban.

–No tengo la menor idea. ¿Es que significa algo?

–Por supuesto, significa. Todo el mundo lo sabe: significa que han intentado robar en la casa.

–No me diga.

Detrás de mí, Clara soltó un hipido.

–Sí señor. Los indios creen que cuando entran a robar y no lo consiguen tienen que hacer esto. Lo dejan a cambio ¿comprende?

Le aseguré que no, no comprendía. Es que no tenía lógica; si se llevaran algo, entonces dejar algo a cambio lo veía razonable. Ella se impacientaba.

–Sí, pues. Tienen que hacerlo; si no, sus dioses los castigan.

–¿Y si no tienen ganas? A mis espaldas Gonzalo que había relinchado suavemente con mi frase sobre la lógica, ahora murmuraba. Los demás gimieron de risa. Levanté la voz, un poco, que la señora no pudiera oírlos.

–Vaya con los dioses.

–¿Y sabe usted por qué no entraron? Porque estaba yo. ¡Yo! Puse en marcha la alarma.

–¡Había una alarma! –exclamó Sebastián con pena, considerando las oportunidades que había desperdiciado.

–Claro que hay una alarma... en un barrio tan alejado hace falta. Quiero decir, que el barrio es muy bueno, acá todas las casas tienen alarma. Pero, ¿cómo se les ocurre pasar todo el tiempo en la calle?

Me harté. Le pedí que nos dejara tranquilos; hacíamos lo que nos convenía, pero ella siguió hablando, a tiritones, se había quedado tiesa de frío, de plantón en la puerta.

–¡Y ni siquiera han tenido la consideración de tomar una niña! Si, pues, una empleada. Mi casa está abandonada a todas horas y tengo que venir a cuidarla yo.

Intervino Gonzalo. ¡Pero si lo que había en la casa era todo nuestro! Hasta las bombi... las ampolletas, ni eso había dejado ella dentro. Pero no la callaba.

–Da lo mismo, ¡es mía la casa! Tengo que estar acá todo el día porque ustedes se lo pasan fuera.

Aquello me pareció demasiado, me enfadé. Le expliqué que estábamos furiosos con su forma de comportarse. Era una falta de delicadeza eso de entrar en nuestra casa, que era nuestra mientras durase el alquiler. ¿Con qué derecho...? A ver, con qué derecho.

–Encima, usted revuelve nuestras cosas y las cambia de lugar. ¡Es inadmisible! ¿Es que no tiene ninguna educación? Usted tiene que estar loca, loca de remate.

Esta timidez mía: dije de más. Por el mismo esfuerzo que me estaba costando, me extralimité, acabé echándola de la losa de cemento, indignado. ¡Vamos! ¡Fuera de aquí, fuera! Después los niños me dijeron que le había hablado como si a un perro; no daba nunca con el tono justo. La señora se agitó como hoja en el viento, empezó a balbucir incoherencias. Lloraba, sacudía las manos llenas de pulseras y sortijas, hacía un hociquito. Ahí la dejamos, entramos en la casa y cerramos la puerta con un golpe. Desde aquel día los niños le cambiaron el nombre de la vieja o la bruja, como la llamaban, por el más pomposo de Guardiana de la Gran Caca. Todos disfrutaron con el cambio; creo que Gonzalo hasta le escribió alguno de sus mensajes bajo aquella advocación.

Resultaba urgente encontrar dónde meternos y dar fin a la pesadilla de la señora Olivia. Se acercaba el final de septiembre, apenas llevábamos tres semanas y nos parecía eterno el tiempo pasado en «La Asquerosa»; el último día del mes tendríamos que marcharnos de todos modos. Pocos días después parecieron haber llegado a una especie de acuerdo, seleccionaron dos casas. Una les gustaba a todos quitando a Lorena, la otra era menos divertida pero a la mayor le parecía ideal. Me llevaron una tarde a verlas para decidir; toda la mañana había estado lloviendo, ahora caían unos chubasquitos intermitentes. De la primera casa comprendí el atractivo, especie de castillo de final de siglo con dos torres y un parque abandonado romántico. Arboles muy añosos, estanque con nenúfares, paseítos invadidos de malezas, bancos de azulejos. La casa fea, inmensa y húmeda, con goteras en casi todas las habitaciones, olor a moho y un encanto indudable entre las altas paredes. Casa como de cuento, hadas y brujas y un enano escondido en alguna habitación, pasillos y recovecos, escaleritas que no se sabía adónde iban. Demasiado trabajo para nosotros, tuve que decir que no. Con pena pero definitivamente no. Desechada. Vi a Lorena dar un suspiro de alivio. La otra era una casita más modesta, recogida de linda, el pequeño jardín cuidadísimo. En un barrio muy alegre, todo recién pintado, limpiecito; la hubiera tomado sin vacilar, sólo que la dueña nos dijo que acababa de alquilarla, justamente el día antes. La malasuerte, Lorena se había entusiasmado con aquella casa. El jardín sonreía cuajado de jacintos azules, tapices diminutos de muscaris entre la rocalla, un magnolio del Japón empezando a dar la flor; las niñas hacían esfuerzos para no llorar. El cielo aclaró de repente como para darnos mayor desengaño, el sol brilló en aquellos momentos saliendo entre un cúmulo de nubes blancas sobre el fondo azul de mucha tersura... echamos a andar por las calles mojadas, nuestra comitiva triste. Goteaban los árboles sobre nosotros, la lluviecita de la mañana recogida en las manos delicadas de las hojas. Ibamos mirando si por los alrededores habría algún cartel de casa libre, desembocamos en un parque pequeño. Los niños quisieron sentarse a descansar en un banco de madera, sacaron su lista para ver otras posibilidades. Yo seguí caminando por un paseo de mimosas en flor, los aromos. De pronto tuve la sensación de que Violeta estaba allí, en alguna parte. Aquella certidumbre yo la conocía de otras veces, anduve hacia el fondo del jardín. Estaba. Delante de un aromo salpicado aún de minúsculas gotas como lámpara encendida en una iglesia. Violeta. No se acercaba, me miraba de lejos. Su gesto era un freno, que no me acercara yo tampoco... a aquellas lejanías no podía acostumbrarme. Me quedé en el sitio, clavado, con un pesar. Tenía que decirle tantas cosas, las que me repetía en mis noches sin sueño, guardándolas para cuando la viera. Melancolías. Con una cuchillada me dolió el corazón, el aliento cortado. No es justo, dije. Y ella, «hay justicia, hay justicia...» ¿Un día iba yo a entender la separación? Violeta: Sí. Oí la voz de Clara, me andaba buscando; di media vuelta. Violeta no quería que la vieran los niños. Clarita llegaba a mi encuentro, me tomaba la mano. «Mira cómo brillan con el sol los árboles mojados.» Y sí, brillaban mucho. Fuimos hasta donde estaban los otros. Ea, arriba los ánimos. Prometí: vamos a encontrar algo a gusto de todos. Y pronto, ya lo veréis. Los mandé para casa, quería hacer una visita. Elsa y Gerardo Silva tenían que estar de vuelta, aún no había ido a verlos. Un taxi me llevó hasta la calle Mar del Plata, lugar apacible sombreado de castaños grandes. El recibimiento, como lo esperaba por la costumbre de tantos años, brazos abiertos, compañeramente. ¿Por qué no había ido antes? Llevaban en Santiago unos días sin posibilidad de localizarme, esperando que apareciera por su casa. «Íbamos a poner ya un aviso en el *Mercurio*, perezoso.» Sólo me preguntaban por los niños, ¿se adaptaban bien? Nada más, con discreción. Me colocaron en una butaca cerca de la chimenea, me dieron un vaso de huisqui; ahí me dejaban a mi aire, hablar de lo que yo quisiera. Les conté nuestras dificultades. Miraba a Gerardo, cuadrado, moreno con muchos hilos grises en su cabeza inteligente; no había cambiado apenas desde la última vez, quizá la cara hinchada, un poco, y Elsa, ojos azules y el cutis de pálido albaricoque de las alemanas, estaba algo más estropeada pero con su encanto de siempre... se me ensanchó el espíritu al verme allí entre ellos. Charlamos mucho rato, sin esfuerzo ni bache de ausencias, como sucede con los amigos estables; me sentí revivir. Aquél era yo y no el de los últimos días, una especie de miserable ser caído en la desgracia que iba de cola en ventanilla abrumado de tristeza y preocupaciones materiales. Como si me encontrara a mí de nuevo: yo era el que podía sentarme en un sillón a conversar con amigos queridos, tomando unas copas sin angustias ni prisas. Aquel rato de compañía me estaba haciendo mucha falta, el primero de tranquilidad y conversación coherente desde hacía tiempo. Mientras hablábamos, Elsa se agarraba al teléfono, pasaba lista a parientes y conocidos preguntando por una casa para nosotros. No pude quedarme a cenar, los hijos estaban solos y no tenía manera de avisarles. Llegué pasada la hora de comer a casa, ya estaban preocupados pero les llevaba la buena noticia: una cita para el día siguiente. Una tía de Elsa tenía una casa libre, nos la alquilaba con la condición de que, si se le presentaba un comprador, la dejaríamos en un par de meses. El precio era muy razonable y el barrio, Providencia, antiguo y tranquilo. Según Gerardo, la casa no estaba mal.

Al otro día almorzamos temprano, habíamos quedado en encontrarnos a las dos de la tarde. Pasado el temporal, el sol encendía un cielo muy alto, luminoso. La Cordillera se levantaba en todo el Oriente, señora muy señora, establecida hermosura. Las nieves quietas, con un resplandor. La primavera austral había tomado posesión de la ciudad, las flores asomaban en los jardines como si hubieran nacido todas a la vez, un solo soplo de vida. Fuimos a buscar la calle con nombre de flor: las Hortensias. En dos taxis. Lo que había en las aceras eran ceibos llenos de capullos rojos: yo miraba el número anotado en un papel. Los niños comentaban cuántos jardines, qué bonitos se ven, por aquí era donde vinimos a la subasta, la pastelería aquella debe de quedar cerca. Llegando a las Hortensias, Clara decía: que no sea la primera ni la segunda ni la otra... que sea la que tiene la bunganvilla y el tejadito en punta... Era. A los chicos les gustó desde el primer momento; tenía dos pisos, tejados de pizarra puntiagudos con ventanas en mansarda... parecía un poco chalet suizo pero estaba bien. No demasiado grande, salón con chimenea, comedor corrido y dos dormitorios en el piso bajo. Cocina grande, despensa, habitación de servicio, cuarto de lavado y plancha; a Lorena le brillaron los ojos. «Es que las "tripas" de una casa son tan importantes.» Lo que más les gustó a todos fue el segundo piso, una gran buhardilla con ventanas a las cuatro fachadas, repartida en dos dormitorios, un cuarto de baño y un ropero donde cabían nuestras ropas y baúles con holgura. Todo estaba tapizado de madera, anchos tablones de arce rojo bien pulidos, despedían un olor de aserradero y cera de abejas. La dueña, una alemana sonrosada de pelo gris–amarillento recogido en un moño, poco expresiva pero dando confianza; debió de encontrarnos demasiado ruidosos por más que llevara muchos años en Chile, desde antes de la Segunda Guerra. Enseguida estuvimos de acuerdo, se ofreció a pilotarnos por el barrio y prestarnos ayuda para cualquier cosa. Por cariño a Elsa, que se lo había rogado. Dijo a los niños que debían llamarla tía Memé, con su acento duro que apoyaba en las bes y las erres, aquellas consonantes trabajosas germanas, y una tranquilidad amable. Decidimos cambiarnos sin esperar al último día del mes; Lorena le preguntó algunos detalles caseros y Paz se agarró de la mano de tía Memé como si la conociera de siempre. De vuelta en casa comprobamos la visita de la señora Olivia: las dos ratitas blancas compradas por los mellizos en el mercado, que habían quedado sueltas por la habitación con el único propósito de darle un susto, habían huido. La nota del día, redacción apresurada de Gonzalo, estaba en el cubo de la basura y la almohada de Sebastián puestecita en su sitio, cabecera de la cama, en vez de estar en la posición ingeniosa en que él la dejó para que le cayera encima a la dueña de la casa. Ya nada importaba, nos reímos con lo mismo que tantas veces nos había exasperado. Los niños hacían planes sobre la nueva casa, todos querían dormir en las buhardillas forradas de rica madera. Siendo habitaciones muy grandes, propusieron colocar sus camas arriba, las tres niñas en una y los cuatro chicos en la otra. Iba a parecer un colegio pero la idea les divirtió a todos, incluido Gonzalo. Yo tendría un buen dormitorio abajo, bien tranquilo, y el otro podría ser mi estudio. A lo que pedí el garaje para pintar, tenía condiciones; la habitación libre serviría de leonera a los chicos, sus músicas y trastos. Dejando abiertas las puertas de atrás del garaje, que daban a una cristalera sobre el jardín, tendría bastante luz. Y si hacía mucho frío compraría una estufa. Asintieron. «Puedes preguntarle dónde se compran a la Guardiana de la Mierda Grande...» Tuve que interrumpir; ya nos habíamos librado de la bruja, lo mejor era olvidarla. «Pero tiene que devolverte la garantía», eso Gonzalo no lo dejaba pasar, triunfo suyo, revancha sobre tantos disgustos como nos había dado. Inmediatamente fue a telefonear al transportista que nos había traído los muebles comprados en la subasta, lleno de actividad. Al día siguiente nos trasladamos, con un adiós sin nostalgias a «La Asquerosa».

En cuanto al dinero de la garantía, tardó la señora Olivia en devolvérnoslo pero lo devolvió descontando sumas abusivas por limpieza, agua, luz... hasta jardinero. Se inventó lo increíble para sacarnos el último centavo que pudo. Cuando llegó el cheque nos habíamos olvidado de ella, llevábamos en la casa de las Hortensias dos meses, estaba por entrar el verano y sus dulzuras. El dinero lo empleamos en marcharnos dos semanas al Sur.

7

Llegó un día y los papeleos habían dejado de ser la pesadilla de los principios. Más o menos estaba todo en orden; en la Aduana nos permitieron, por fin, retirar nuestras cosas. Lorena y Gonzalo se habían encargado de los últimos trámites demostrando mayor agilidad y manejo que yo. Salieron las sillitas isabelinas con tapicería de *petitpoint*, flores bordadas por Violeta en los primeros años de matrimonio, su tocador con el espejo sostenido por dos pequeños cisnes, los retratos que yo le había hecho, algunos cuadros que pertenecieron a mi padre, las soperas familia rosa, nuestras alfombras un poco viejas y queridas, Hamadan y Bokaras de colores que habían perdido viveza con el tiempo y ganado suavidades, mis recuerdos. Las niñas se ocuparon de la distribución, yo lo que tenía eran ansias de pintar. Desembalé mis aparejos; el olor de los óleos, reconfortante, se extendió por el garaje donde habíamos fregado a conciencia el suelo de cemento y en las paredes Sebastián había dado una mano de cal. Compramos una furgoneta. Durante varios días los mellizos habían soñado dormidos y despiertos con automóviles suntuosos, bólidos de carreras y fueradeseries. Intentaban convencerme de sus gustos, me hacían entrar a la fuerza en las tiendas de autos; por la calle interrogaban a los conductores de sus modelos preferidos. «Diga, señor ¿está contento con ese auto, le va bien?» Nunca oí a ninguno que no estuviera contento; todos tenían lo mejor. Entonces se volvían hacia mí: «¿Lo ves, papá? El señor está encantado.» Quien quedaba sin saber qué decir era yo, me horrorizaba que los niños interpelasen a desonocidos así, con tal desahogo. Nunca he tenido soltura ni para preguntar una dirección, hablar con extraños me bloquea por completo. A pesar de las fantasías de los mellizos, era evidente que necesitábamos un coche familiar, donde entráramos todos juntos; tuvieron que conformarse y nuestra furgoneta de color cereza con tres filas de asientos les pareció simpática. Faltaban meses para la entrada en los colegios, teníamos tiempo de hacer excursiones; con frecuencia nos íbamos unos cuantos días, a conocer el país. Los recorridos muy largos, los hoteles caros y malos o bien inexistentes. A veces nos encontrábamos en pueblecillos de mucha pobreza, entristecedores. Lo que nunca nos defraudó fue el paisaje, lugares tan diferentes y hermosos. La Cordillera. Esplendor continuando toda la línea del Oriente, Madre inmensa para dar a luz al sol cada mañana. Y a la luna, delicadamente, hija menor en los atardeceres. Las alturas, los muchos cerros cambiando de reflejos y luces al paso de las horas, dando la sensación de mayores distancias. La Cordillera, sí. Va produciendo amor cuanto más se la mira, tomando cuerpo en el corazón de uno, estableciéndose. Hacia el Norte, con su división tan graciosa en boca de las gentes, Norte Chico, Norte Grande, país tan excesivo de alargado que tiene dos nortes y lo mismo dos sures, el Sur, el Sur–Sur, hacia el Norte cruzamos primero tierras muy risueñas con riqueza de aguas, naranjales, campos en flor. Siguiendo, las sequías, llanuras pálidas, arenas amarillas y rosadas, bermellones y cadmios hasta los horizontes; a veces, extensiones muy blancas de salitre como conchas de nácar, madresperlas... El desierto con su noches enormes, estrellas muy redondas por lo seco del aire. Desmedidas; en aquellas soledades yo llevaba a Violeta conmigo, le hablaba mucho dentro de mí. Pensaba: en un desierto, ¿no habían nacido siempre las religiones? Acaso por la profundidad que toma el ánimo, recogido en el centro de tanta grandeza.

Para ir al Oeste atravesamos otra cadena de montañas menos majestuosa, Cordillera de la Costa. A la bajada, las playas largas, el océano palpitando con su fuerza, vivo. Algunas de esas playas eran de arenas claras, otras negrísimas, como polvo brillante de carbón. En una de ellas admiramos rocas de basaltos oscuros con formas muy caprichosas esculpidas por las fuerzas del agua. Una, que parecía monumental iglesia, hasta con arcos huecos y campanario, tenía en todo lo alto un curioso y enorme cactus pinchudo de extrañas flores de color de azafrán. Todas aquellas cosas las dibujaba o las almacenaba en la memoria. Y camino del Sur ríos innumerables, verdes o azules, lagos entre espesuras de bosques, árboles con toda la antigüedad escondida en sus anillos concéntricos, los pies sujetos en lo hondo de la tierra, muy abiertos los fuertes brazos verdes. Volcanes, contornos conos limpios, perfilados. Nuestra costumbre era Europa, empequeñecida por la mucha población, hasta agobiante en su falta de libres espacios... tanta naturaleza, ahora, nos exaltaba. No nos cansábamos de ir a mirar, salíamos en la furgoneta con un mapa y un rumbo, aventurándonos; en la maleta el cesto con provisiones. Nos instalábamos para el almuerzo en cualquier sitio, escoger era lo más difícil. Los chicos trepaban, buscaban plantas y piedras, a veces Sebastián y los mellizos pescaban o hablaban de pescar. Gonzalo casi siempre cargado de libros, más de los que leía, yo dibujaba incesantemente, tomaba muchos apuntes, hacía bosquejos escribiendo en los márgenes del papel la idea completa de lo que podía ser el futuro cuadro. Dormíamos en alguna fonda, alquilábamos si la había una cabaña. Hoteles decentes encontramos muy pocos, por suerte con una cama limpia y una ducha nos conformábamos. Por culpa del cuadro que había comprado en la subasta, barca de pescadores agresivamente grande y carmín en el puertecito de Angelmó, quise ir a Puerto Montt para conocer el lugar. Era muy al principio, estrenando el auto; después, con mejor organización, llegamos hasta Aisén, en el verdadero Sur–Sur. Entonces, salimos para Puerto Montt una mañana con más de mil kilómetros para recorrer por la carretera angosta, llena de baches. Cada poco trecho, sobre todo al principio cerca de la capital, había puestos de carabineros donde era obligatorio detenerse, enseñar los permisos; aquello nos retrasaba. No conseguíamos una velocidad media llevadera, en vez de contar kilómetros teníamos que calcular horas de camino. A unas diez horas, Elsa, que se había entusiasmado con el cuadro y aconsejó la excursión, nos había hablado de un hermoso lugar y un hombre que alquilaba cabañas a los viajeros poco después de la ciudad de

Temuco. Las diez horas convertidas en trece, llegamos, anochecido, a un pequeñísimo pueblo de casas de madera; estábamos cansados. Una de esas noches profundamente negras que viviendo en ciudades se acaban olvidando; tantas luminarias falsas desfiguran con reflejos borrosos la oscuridad verdadera, la tan completa y honda que hace desaparecer el mundo en todo alrededor. El lugar no tenía electricidad; entre aquellas tinieblas fuimos preguntando, a la débil luz de una linterna, por el señor que alquilaba las cabañas, un Florencio Navarro, a los pocos caminantes, figuras miedosas en la sombra. El pueblo, una sola calle sin asfaltar, parecía de alguna manera falso, plantado ahí momentáneamente sabría Dios con qué propósito. Donde estaba el llamado Florencio Navarro era en el mesón, especie de taberna mugrienta, la entrada una abertura con correas de plástico dejando pasar el resplandor tenue azulado de una lámpara de carburo. Hombre sin edad con aspecto de cualquier cosa, manta estilo indio, sombrero negro de fieltro. Con él hablamos, manteniendo abierta la portezuela del auto para tener alguna claridad; le faltaban casi todos los dientes, tenía un solo ojo oscuro, redondo como ojo de gallina, el otro tapado por una fea cicatriz diagonal. Al hablar lanzaba un tufo a vinazo medio agrio que alarmaba. Era muy tarde, no había un hotel en los alrededores; decidí que por lo menos veríamos la cabaña a pesar de que el dueño no daba tranquilidad ninguna. Los niños no querían, sentía su rechazo como un sordo rumor, pero fuimos, a unos cinco kilómetros del poblado hasta una espesura de bosque, con el auto en primera marcha detrás del hombre en su bicicleta. La cabaña estaba bien, muy limpia; tenía tres dormitorios con tres catres cada uno, las camas hechas. Comedor-cocina con chimenea y un diminuto hornillo de gas, cuartito de retrete y ducha. No había electricidad, por supuesto; una lámpara de petróleo se puso a sisear sobre la mesa. El hombre encendió la chimenea, explicó cómo funcionaba el gas licuado; una misma bombona, instalación muy casera, servía para hornillo y agua caliente, deseó las buenasnoches y se fue cerrando con cuidado la puerta; oímos alejarse la bicicleta con un chirrido ligero de los pedales. La cabaña simpática; parecía mentira dijo Clara, un hombre tan horrible teniendo una casita tan mona, y Gonzalo que las casas de troncos siempre tienen algo acogedor, algo que atrae con el recuerdo de los juegos de la infancia.

Como si él estuviera irremediablemente lejos. Frente a la chimenea sacamos la comida de la cesta, cenamos muy contentos a pesar del cansancio. Paz se acostó enseguida, sin acordarse de *La Cosa* ni pedir que se quedara alguien con ella como solía cuando le entraba uno de sus miedos. Se durmió con la dejadez de las criaturas, tan bonita. Los demás estábamos por hacer lo mismo, guardando el riguroso turno de las duchas de menor a mayor, cuando Lorena quiso ir al coche en busca de algo; volvió con cara de extrañeza y dijo bajito: no puedo abrir la puerta de la entrada. Fue con ella Sebastián, después Gonzalo, yo por último: inútil. Estábamos encerrados con llave. Y candado; lo comprobamos asomando la lámpara entre los barrotes de la ventana y retorciendo el cuello para mirar el lado de afuera de la puerta. Había rejas en todas las ventanas, delgadas pero suficientes para que fuera imposible salir. Nos volvimos a sentar en el comedor preocupados, hasta el silbido suave de la lámpara pareciendo ominoso. Intentábamos darnos ánimos; el encierro no se entendía. Los chicos hacían conjeturas acerca de lo que pudiera pasar; según Gonzalo aquel extraño ser pensaba venir a cortarnos el pescuezo en mitad de la noche, con la colaboración de sus parientes más cercanos. Pero Sebastián discutía, que no era razón para echarnos el cerrojo. Clara, por descontado, lloraba. Lorena queriendo consolarla aseguraba que el hombre sólo tenía miedo de que nos fuéramos sin pagar. Y «papá, ¿tú qué dices?»

¿Qué podía decir? No estaba tranquilo; la cabaña toda de madera, la chimenea soltando luminarias y chispas de la leña de pino, resinosa. Aquello estaba listo para salir ardiendo al menor descuido. Gonzalo sacaba los cuchillos de la cesta de pic–nic, distribuía con aire siniestro. Para papá el de cortar salchichón..., el más afilado. Quizá no hubiera debido tomarlo, lo cogí y lo puse debajo del colchón duro, de crin. Los niños amontonaron las sillas de mimbre frente a la puerta, se estaban divirtiendo, en el fondo. Aventureros. Sebastián armó uno de sus dispositivos de alarma, a base de un cordel y las perchas del armario. Apagué el fuego, aprensivo, nos metimos en los catres debajo de las sábanas frías y ásperas. Los nervios no los teníamos muy firmes, cualquier crujido de las maderas nos hacía tender el oído. Una lechuza malévola nos congregó a todos en la sala tropezando unos con otros y con el invento de Sebastián en medio de la oscuridad.

Amaneció una aurora teñida de verde por encima de los árboles altos. Miré por la ventana; en verdad el lugar era de mucha belleza, convidaba a la contemplación. Entonces sonó un chasquidito en la cerradura, al parecer nos soltaban. Sorteé con rapidez las sillas de mimbre, abrí la puerta y me encaré indignado con Florencio Navarro, pidiendo explicación. A la luz de la mañana el dueño del refugio no tenía mejor aspecto que la noche anterior pero traía una cántara de leche para el desayuno de los niños. La cosa era sencilla: días antes unos turistas argentinos se habían «arrancado» sin pagarle. Así, se fueron al amanecer calladamente; no estaba dispuesto a que el asunto se repitiera. «Yo vivo de esto, patrón, acá está todo mi capital.» Pedía disculpas, sí, no pensó que nos asustaríamos. Pero, hombre de Dios, pregunté, ¿no sería mejor que cobrara por adelantado? ¿Y si se producía un fuego en la cabaña, la gente encerrada dentro qué salida tenía? A lo que Florencio Navarro se rascó la barba con pesadumbre. «No se enoje, pues, señor. ¿Cómo piensa que le iba a cobrar por adelantado? Parecería que andaba desconfiando de ustedes...» Los razonamientos. No discutí, ya nos íbamos; el camino del Sur era muy largo.

Otras veces volvimos a pasar por aquellos mismos pagos; de día el pueblo resultaba de lo más inofensivo. Cuando la vieja Olivia Deza devolvió el traído y llevado dinero de la garantía viajamos a Villarrica, a pasar unos días junto al lago y volcán del mismo nombre. El lugar, más poblado de lo que suele estar el Sur, tenía hasta una docena de hoteles tolerables. Corría Noviembre, primavera del hemisferio, mesdemayo que se cantaba en las iglesias con flores a María; la temporada de vacaciones no había empezado. Llegamos a un hotel, llamado con mucha originalidad Mirador del Lago, buena casa de familia de tres pisos convertida en albergue, vacío. Sólo un matrimonio mayor sentado en la terraza, en efecto asomada sobre el lago, a todas horas. Quietos, tan puestecitos, contemplando aquella masa como cristal oscuro verde, sin cruzar palabra. Después Gonzalo contó que los viejecitos habían perdido a su hija en una avioneta que años atrás cayó al agua. Sería o no sería; Gonzalo era capaz de imaginarse cosas. Pero los señores miraban fijamente en una inmovilidad atenta como si vieran o esperasen ver allí adentro algo –alguien– muy querido.

En la recepción, un conserje con uniforme anticuado, largoso, de mayores medidas, y gorra extrañamente de patrón de yate, nos inscribió con trabajo, todos nuestros ocho nombres. «Dejen el equipaje ahí, nomás, ahora se lo van a subir.» Él mismo nos acompañó a ver las habitaciones, camas de hierro antiguas, cortinas de lienzo crudo, muy limpio todo, de mucha sencillez. Por las ventanas se veía el volcán torneado de nieve en la cima como escultura, terrón de azúcar blanca. Nuestro equipaje era poco. «Ahora se lo van a subir», el hombre se había empeñado; igual lo hubiéramos subido nosotros mismos. Lo curioso, que vimos llegar al propio conserje con nuestros sacos de viaje; se había quitado la chaqueta de botones dorados, llevaba chaleco a rayas y su gorra. Dudamos, ¿era el mismo o no era? Con la mano en el bolsillo buscando la propina lo miré atento. Sí era. Quedamos barruntando, vaya idea rara. Sebastián opinó que podían ser mellizos y los nuestros protestaron, que ellos distinguían a todos los mellizos por la costumbre. Cuando bajamos al comedor a la hora de la cena, apareció para servirnos, chaquetilla blanca de camarero. Hombre multiplicado; las veces siguientes lo fuimos viendo en distintos oficios: subió a arreglar el televisor en uno de los dormitorios, vendía bebidas en el bar; siempre se cambiaba de ropa, llevando la adecuada para el desempeño de cada momento como gente de teatro. Lo que nunca se quitaba, su gorra de patrón de yate. En los días que estuvimos allí nos acostumbramos a verlo en sus variados atuendos, entramos en el juego, además. Fingíamos creer que era personas diferentes. «Por favor, ¿podría usted decirle al conserje...?» O también: ¿Querría hacer el favor de llamar al camarero?» Estaba encantado con nosotros, sirviéndonos en todas sus facetas con especial interés. Aurora nos contó: el dueño del hotel en un principio había contratado personal para todos los menesteres, cada cual con su uniforme. Lo malo, que pagaba poco; se fueron yendo y éste de ahora Luis Muñoz era el último que ya quedaba. Tenía el arraigo de la casa, había trabajado para los anteriores dueños, señores de Talca, criadores de vino desde muy antiguamente, antes de que el patrón actual la comprara. En la temporada alta, cuando venía tanta gente, dos sobrinos jóvenes le ayudaban en el trabajo pero con sus propias ropas, que Luis Muñoz el vestuario no lo prestaba a nadie. Aurora era la única sirvienta del hotel. Edad más que mediana, unos cincuenta años, pelo negro muy limpiamente recogido en un moño, su persona siempre de toda pulcritud; almidonaba hasta los delantales de faena que crujían a su paso con chasquidos de hojas de papel. Los niños se encariñaron con ella sobre todo después del percance y la enfermedad de Pacita, y acabó viniéndose a vivir a casa, tiempo después.

El hotel estaba bien y simpático, lo que no tenía era ninguna distracción por no haber llegado aún los veraneantes. Gente joven o niña no se veía, las clases no habían terminado. Dimos lindos paseos; los alrededores boscosos, enormes arboledas, invitaban. Pero los niños querían más diversión, se empeñaban en conseguir una barca para navegar en el lago. Después de muchas averiguaciones y consultas a Luis Muñoz en su papel de conserje, pudimos alquilar una barca de remos. Gonzalo miró a los hermanos con cara de desprecio, dijo que con él no contaran para estupideces. Se instaló en la terraza con sus lecturas, pareciendo tan maduro, al abrigo de la casa por el aire fresco, como la pareja de viejecitos escudriñadores de la superficie. Yo acompañé a los navegantes en la primera salida por saber qué tal se manejaban, me senté a popa como pasajero sin tomar parte en maniobras. A ver. El contorno del lago, laderas de árboles altos, y en las mismas orillas juncos, lirios, belloritas, orquídeas silvestres tan delicadas que daban ganas de acariciarlas. El volcán reflejado en el agua verde intenso, doblemente. Los niños estaban algo desencontrados, los remeros, no acabando de llevar sus paladas a una. Marcos y Sebastián en primer turno tratando de acompasarse; el segundo lo iban a tomar Mateo y Lorena. Mal que bien nos adentrábamos, el impulso de los remos empezaba a producir una marcha seguida, mientras los demás miraban con ojos críticos, daban consejos. Yo dispuesto a gozar del paseo, vi de repente algo que me llamó la atención. El volcán. Minutos antes, segundos quizá, se veía tan nítido perfilado, silueta perfecta contra el cielo limpio: ahora echaba humo. Un chorro desliándose hacia la altura, blanquecino como vapor de leche, así, sin avisar. Creo que de lo que pasó después tuve yo la culpa; grité. ¡Mirad, mirad ahí, el volcán! ¡Está echando humo! A lo que todos se movieron a la vez, asustados, se volvían a verlo. Naufragamos. Al agua tripulación y pasajeros, la barca del revés como lomo de algún extraño pez gigante. Dios mío, el frío tan intenso paralizaba. ¡Calma, calma, no os asustéis, no pasa nada!, intenté tranquilizarlos, a buenas horas. Sebastián, el más rápido, había agarrado a Pacita que boqueaba y uno de los remos. Apenas podíamos nadar por la helazón que nos entumecía. Agua de nieve, profundidades grandes; por suerte no estábamos lejos de la orilla. Los mellizos pataleaban concienzudamente, agarrados los dos al otro remo; Lorena y yo empujamos la barca, boca abajo era difícil. Clara nadaba a braza con pausada elegancia y fuerte castañeo de dientes. Salimos del lago ateridos, Pacita que no sabía nadar azuleaba; Sebastián corrió al hotel con ella encima de los hombros, se la entregó a Aurora. Los demás tuvimos que poner otra vez la lancha en su posición correcta, llevarla hasta el embarcadero, y el volcán despedía un humito inocente con toda tranquilidad, como una pequeña diversión suya. Subimos a nuestras habitaciones para cambiarnos de ropa un poco cohibidos, no teníamos buen aspecto. Aurora había ya preparado para todos vasos de leche hirviendo con un buen chorreón de pisco; nos alegramos enseguida. ¡Los de la terraza no se habían enterado de nada! Gonzalo y los viejitos ni siquiera parecieron oír nuestro ruido, que alguno armamos. Clara salió llena de excitación a contarle a su hermano el accidente; él no se interesaba. ¿Que se habían caído al agua? Eso era de esperar.

–Nos asustamos todos, nos volvimos a la vez. Fue por el volcán, míralo, Gonzalo.

–Ya lo he visto.

–¡Es que está echando humo! ¿Te das cuenta? ¡Echa humo!

–No grites. Es un volcán, ¿no? ¿Qué se supone que debería echar, bellotas?

–¡Bruto! ¡Imbécil! Pacita casi se ahoga y tú ahí sin importarte nada.

Entonces, los dos viejitos habían vuelto de pronto la cabeza, miraban a Clara fijamente. La pobrecilla se horrorizó; aquello de la hija ahogada, ¿sería verdad? Vino a refugiarse en mi dormitorio llorando profusamente. Allí estaban los tres chicos, un contraste. Reían muy alto, hablaban todos a la vez con agitación, reaccionaban después del frío y el susto. Percances que, después de superados, dan para mucha broma y charla animada. Gonzalo entró detrás agarrado a su libro, nos miró con censura.

–Yo en tu lugar no acostumbraría a los niños a tomar alcohol. Es peligroso.

¿Acostumbrarlos al alcohol? ¿Qué tontería estaba diciendo?

–Oléis todos a pisco a diez metros de distancia, es bochornoso. Y mira a los mellizos, qué espectáculo.

Marcos y Mateo se abrazaban de la risa. Y sí, parecían un poquito borrachos; Gonzalo en parte llevaba razón. Estaba en uno de sus días de altivez, de mirarnos a los demás como si fuéramos niños o tontos. Suspiré: Hijo, tanto como lees a los filósofos y que no te vuelvas un poco más humano... No se suavizaba.

–Por lo menos, soy sobrio. ¿Dónde está Pacita? Espero que esa mujer no le haya dado alcohol también a ella.

Lo tranquilicé; Aurora la había acostado después de frotarla con una toalla, le había hecho una tisana bien caliente. Pasamos a su habitación; estaba en la cama, muy rojita, con los ojos cerrados. Gonzalo preguntó de qué era la tisana; yo no sabía.

–¿Qué le ha dado a la niña, Aurora?

–Una agüita, don Rogelio, muy buena para estas cosas. Una hoja de palto, dos de cardenal blanco, una ortiga del campo...

–¡Está en verso! –dijo Gonzalo con asombro–. No me digas que hemos caído de pleno en el conjuro, el ensalmo, la brujería...

Temí que Aurora se enfadara pero no; lo que hizo, callar a Gonzalo. Nunca lo hubiera creído.

–Usted no entiende estas cuestiones, hijo mío, no tome a broma los saberes de la gente grande, nuestros remedios. Acá entendemos de plantas, de sanar a las personas; usted, calladito nomás.

Pero por la noche la niña tenía un calenturón. Empecé a pedir un médico, volví medio loco a Lucho Muñoz en su centralita; no encontraba ninguno. Aquello era desesperante, sensación de impotencia y de estar demasiado lejos de cualquier ciudad. En mi imaginación, el paisaje crecía, se hinchaba haciendo las distancias inmensas; alrededor del hotel sentí proliferar los montes y ahondarse los valles. Los obstáculos se hicieron insalvables de pronto. Los mellizos intentaron bromear, que iba a subir don Lucho con bata blanca y maletín de médico; nadie estaba en condiciones de reírles la gracia. Aurora se empeñaba en querer tranquilizarme: era un frío nomás, el frío traicionero del lago, aguas muy afiladas de finas. En la garganta de Paz no había manchas blancas, así que no debíamos asustarnos. Ella la cuidaría: «No se preocupe, pues.» Tuve que enfadarme para que los niños se fueran a acostar; todos querían cuidar de su hermana. Al fin me quedé solo con ella, tan solo. Violeta, ¿dónde estaba? ¿Cómo me dejaba así con los niños hijos suyos? La llamaba... Una tarde, tiempo atrás, Gonzalo pequeñito llorando por una caída. La niñera había regañado: que los hombres no lloran. Y Violeta, que sí; los hombres deben llorar también, no faltaría más. Ahora, frente a la cama de Paz, yo estaba llorando, no tenía por qué avergonzarme; Violeta comprendería mi temor. La niña deliraba, llamaba a mamá; llegaba Aurora con más tisana y una aspirina partida por la mitad, la hacía tomarla, cuidadosa. Después de beber bastante quedaba más tranquila. La buena mujer hablaba con voz muy dulce, cantada un poco. Cuando terminara de recoger en la cocina, traía sus sábanas y hacía la cama al lado de Pacita. Las dos niñas grandes se habían trasladado, por suerte en el hotel sobraban habitaciones. «No tenga preocupación, don Rogelio, yo no dejaré de cuidarla.»

–No es su trabajo velar enfermos, Aurora. Bastante hace durante el día.

–Ningún problema, yo soy fuerte. Me gustan los chiquillos, además. Yo tuve una niñita, ¿sabe? Se me murió.

Lo lamenté, la mujer parecía tan maternal. No sabía que fuera casada, dije torpemente, los niños me habían dicho...

–Nunca estuve casada, no. Tuve a la niña siendo soltera, engaños de la juventud. Pues la pobrecita se me murió en el hospital, la Aurorita chica, que era muy linda. Delicadita como flor–de–San–José. Quién sabe, si la hubiera cuidado yo sola...

Aurora se volvía a la cocina, hasta más tarde. Entraba en la habitación Gonzalo con un montón de libros, su costumbre. Quería relevarme; después de todo yo me había caído al lago y a mi edad... Se mordió los labios con mortificación: «¿Ves tú? Ya he dicho otra tontería. Tengo un día pésimo... no debería ni abrir la boca cuando me siento idiota, así como hoy...»

Crecer es muy difícil, lleva su trabajo y sus pasos contados. Me fui para darle una importancia a aquel arrepentimiento, lo dejé con Paz hasta que volviera Aurora.

A los dos días la niña, bien abrigadita, jugaba por todo el hotel y la terraza, limpia de fiebre. Aurora la cuidó mucho, le contaba historias, la llevaba detrás a todos sus quehaceres como un perrito. Los niños volvieron al lago, remaron muchas horas, Gonzalo siguió con sus lecturas y los altibajos de humor. Yo me dediqué a los solitarios paseos, hice muchos apuntes; como siempre, pensaba en Violeta. Una primavera demorada, con mucho más retraso que en la capital, se esparcía por el campo. Cuando nos marchamos, los niños abrazaron a Aurora prometiendo volver y, mientras, escribir; le habían tomado real cariño. La buena mujer casi lloraba, recomendaba a Lorena que cuidara de Paz. Los viejitos no se movieron de sus butacas de mimbre ni levantaron la vista del agua verde; no nos atrevimos a decirles adiós. Pero Lucho Muñoz al despedirnos nos dio una muestra suprema de deferencia: en un saludo grande, ceremonioso, se quitó su gorra de patrón de yate.

8

La señora Olivia había llevado razón en una cosa; no teníamos empleada y una casa con un padre bastante inútil y siete niños sin ayuda doméstica no podía ser. Ella lo había interpretado como desconsideración; la verdad, que no sabíamos adónde dirigirnos para encontrar una. Ya instalados en la calle de las Hortensias, telefoneamos a una agencia de colocaciones que se anunciaba en el periódico; una mujer con voz de hastío prometió ocuparse de nuestro caso como quien hace un favor especial, colgó el teléfono y me figuro que no volvió a pensar en el asunto. Nunca llamó. Pedimos ayuda a Elsa y a la tía Memé; al final fue el frutero quien nos mandó a una horrible mujer con informes más verídicos que ilusionantes: no era ninguna maravilla pero no robaba. Con aquello nos tuvimos que conformar. Era gorda y alta y más antipática que las dos cosas juntas. Se pasaba el día haciendo valer sus derechos, poniendo los puntos sobre las íes, reivindicativa, no sabíamos por qué. Desaliñada en su persona, sucia para el trabajo, tenía una extraña enfermedad que le cubría la piel de manchas pardas, amoratadas, como si estuviera salpicada de un repugnante fango, a parches. No que haya sido nunca muy aprensivo pero, con siete niños en la casa, me creí en la obligación de preguntarle si «aquello» no sería contagioso. Contestó que no y me miró con aire de tal desafío que la vi dispuesta a establecer su derecho a llevar la piel del color que le diera la gana; me retiré con toda prudencia. A poco de empezar a trabajar en casa, aportó con ella a su hija de tres o cuatro años, algo menor que Paz, pobre criatura bastante repulsiva de feos enormes ojos bordeados por pestañas como crines que le daban aire de insecto. Ojos de bicho y la boca perpetuamente cerrada en un gesto de hosquedad y desagrado. Lo único bueno, que era taciturna, nunca hablaba, y pude ver que no tenía manchas, eso me dio alguna tranquilidad. Desde aquella vez ya nunca dejó de traerla; la inmensa mujer, por nombre Verónica, con su apéndice, se personaba en casa a las nueve de la mañana: barría, fregaba, lavaba bajo la dirección de Lorena que no acababa de maravillarse de lo desordenada y sucia que podía ser. Los niños no la soportaban y ella los aborrecía con imparcialidad. Después nos enteramos de que su marido la había abandonado, lo que causaba lástima pero no extrañeza. Aquello no parecía mujer sino pedernal, hasta a su hija le hablaba con tono de enconado odio. La niña se supone que estaba acostumbrada a sus modos, no se despegaba de ella, la miraba fijo todo el tiempo con los ojos duros de araña; Clara decía que con admiración. Para Sebastián era una mirada de completo asombro; según Gonzalo maduraba venganzas para el futuro, la estaba aprendiendo bien de memoria para cuando le llegara su momento. La Verónica y la Verito: no se podía censurar al pobre hombre por haberse dado a la fuga.

La casa entró en una especie de rutina; aunque aún no estábamos exactamente a gusto, sentíamos un descanso. Después de tanto ajetreo, tranquilizaba encontrar la camisa o los calcetines, cosas que proporcionan alguna paz. Lorena era quien se ocupaba de todo, primorosa y ordenada, con mucha dedicación. Se proponía dejar correr al menos un año antes de empezar la Universidad, no estaba muy segura de sus gustos ni tenía marcadas preferencias; con un poco de cobardía estuve conforme. La verdad, no sé qué habríamos hecho sin ella. Disponía la casa, nos organizaba; a los hermanos los gobernaba con más soltura que yo. Clara se resentía un poco de este dominio, a veces venía a mí con quejas. La pobre no tenía las cualidades de su hermana, su activa disposición, aunque tenía otras, suyas; más adelante íbamos a comprobarlas. Lorena había decidido que los chicos debían arreglar el jardín; les sobraba tiempo por lo menos hasta que empezaran las clases.

Gonzalo se libraba; todo lo suyo era excepción, punto y aparte. Los otros tres se hartaban de podar, regar, picar la tierra alrededor de las matas de flores. El jardín, un pastito verde, macizos de begonias y caléndulas, hortensias muy azules; al fondo algunos árboles grandes. En lo que Gonzalo colaboraba era en dar consejos, su carácter siendo más para teorías que para cosas prácticas. Mateo y Marcos se compraron de sus dinerillos ahorrados una collera de conejos, dos angoras, blanco uno y negro el otro. Los mayores se reían diciendo que las crías iban a salir a cuadros o listadas; ellos mantenían mucho interés en sus animalitos. La idea era que se comieran la hierba; así no necesitarían segar, lo más latoso. Los conejos demostraron rápidamente su predilección por las flores; despreciando el simple gramal se zamparon el macizo de caléndulas el primer día y quedaron ahí, satisfechos, agradeciendo el banquete con casisonrisas de placer, a pesar de lo cual los mellizos no perdían las esperanzas de adiestrarlos, empleando en eso muchas horas. En el jardín de atrás, lindando con la tapia del vecino, había un níspero seco de bastante tamaño; la tía Memé había dicho que podíamos dejarlo allá o sacarlo, como quisiéramos. Lorena pedía que lo cortaran y que hicieran leña para la chimenea del salón, sobrevalorando las posibilidades de sus hermanos. Marcos y Mateo habían dado unos cuantos golpes de hacha sin ningún éxito, demasiado árbol para sus fuerzas. Hubiéramos debido llamar a un jardinero pero una tarde Gonzalo tuvo un arranque, dijo que él podía solucionar el asunto si los hermanos se ponían a trabajar a sus órdenes. Justamente yo tenía que hacer una visita, iba a casa de Galvarino Torres, hombrecito artesano que me preparaba los lienzos y amigo mío. Salí dejando tranquilidad completa, todos muy hacendosos cada cual en lo suyo; Lorena enseñaba a Clara a ordenar armarios en el piso de arriba, la Verónica planchaba entre suspiros hipados y exabruptos a la Verito, su hija. A Paz la habían invitado sus amigos grandes y los cuatro muchachos se oían hablando en el jardín con voces sosegadas. Me asomé a la puerta-ventana para recomendar a los leñadores prudencia con el hacha, una azuela en realidad, pequeña. Así fue mi partida; creo que no llegaría a estar fuera ni dos horas. A mi vuelta la casa no parecía la misma. En la cocina la Verónica gritaba como si la estuvieran despellejando; los chillidos se oían desde la calle. Entré con precipitación; al verme aulló levantando aún más el tono, parecía imposible. La Verito se había acurrucado debajo de la mesa como bicho con miedo. Con aquellos gritos no conseguí entender palabra de lo que decía, lo intenté sin éxito ninguno. Pasé al jardín de atrás alarmado por un extraño olor: de golpe me dio una bocanada acre y húmeda muy pegajosa. Vi: a Clara con señales de haber llorado, el pelo rubio colgando en chupones con manchas alargadas como estrías, mojada y ennegrecida hasta los pies. A Gonzalo igualmente chorreando y lleno de tizne. A Sebastián en las mismas condiciones. Los mellizos, ídem. Había cenizas y charquitos de agua por el suelo y un aire general de zafarrancho de combate. A la que no veía allí era a Lorena; me dijeron que había ido a la casa de al lado.

–¿Qué ha pasado aquí? ¿Qué hace Lorena en la casa de al lado? Son unos señores a los que no conocemos.

Silencio. Por fin Mateo: «Es que al señor le ha dado una cosa así como en el corazón...»

No me parecía motivo para que Lorena se hubiera marchado; Gonzalo dijo que ella era muy responsable.

–¿Responsable? –pregunté–. ¿Del señor de al lado? Me parece que eso es pasarse. Y ¿queréis decirme de una vez qué habéis hecho en este jardín?

Al pronto no había mirado hacia el final, a la tapia. Sólo a los niños y ninguno decía nada. En lo que los mellizos se declararon de acuerdo, que Lorena extremaba las cosas. ¡No tenía por qué haber ido a tranquilizar a aquel señor! Miedo habían pasado todos.

–Más susto nos dio él a nosotros, papaíto. Fíjate, cuando apareció por encima de la tapia entre aquellas llamazas tan tremendas, ¡nos creímos que era el demonio!

¿Miedo? ¿Llamazas? ¿Qué rayos habían hecho allí? ¿Habían prendido fuego? Pregunté, enfadado. Se miraban con una incomodidad; Clarita parecía con ganas de contarlo, no se atrevía. Gonzalo ponía cara de mortificación. Me volví hacia él, exigiendo que se explicara. Muy bien, estaba dispuesto a explicarlo, todo era muy sencillo en realidad, me rogaba que no hiciera aspavientos. La cosa no tenía mayor importancia. El árbol níspero del fondo, ¿ya?, bueno, pues era demasiado grande para derribarlo con el hacha. ¡Era un juguete aquella porquería, no servía de nada! ¿Cómo pretendíamos que con una herramienta así...? Entonces, lo natural, prender fuego al árbol, ¿no? Lo más fácil. Entonces, no había por qué ponerse en plan de interrogatorio.

–¿Habéis prendido fuego al jardín? –no acababa de creerlo. Y sí, habían. Con exasperación pregunté si era lógico que yo no pudiera marcharme dos horas de la casa sin que ocurriera una catástrofe. La Verónica seguía dando voces dentro. La contestación de Gonzalo, «papá, por favor, no exageres», me asombró más aún. ¿Exageraba yo? Gonzalo parecía hasta dolido. Todo, dijo, había estado bajo control, ningún peligro en absoluto. Los mellizos, cada uno con una manguera de riego en las manos; Sebastián tenía dispuesta la pala grande. Él, sólo él, era quien había manejado la parafina.

Casi sentí un vahído. «¿Parafina? ¿Has echado parafina y después la has prendido? ¿Te has vuelto loco?»

Suspiró, aire de mucha paciencia. Parafina, claro. Era lo más lógico si se quería hacer fuego, ¿o no? Todo había ido perfectamente hasta que se encendieron las ramillas de arriba, la copa. Era más ancha de lo que pensaron en un principio, no parecía. Entonces asomó el señor de al lado por encima de la tapia dando gritos, se había tenido que subir en una escalera porque si no... Los mellizos se llevaron un susto de muerte; parecía el diablo, de verdad. El níspero debía de haber sido hermoso, en tiempos; la copa daba mucha anchura. Pero el viejo escandaloso, métomentodo, había armado aquel lío. ¡No era para tanto!

–Cuando llegaron los bomberos, ya lo habíamos apagado nosotros.

–¡Los bomberos! ¡Dios mío, si no me puedo ir de casa!

La cara de Gonzalo era la de un mártir en la época de Diocleciano.

–Nosotros no llamamos a los bomberos, papá; ya te he dicho que no hacía ninguna falta. Lo teníamos perfectamente controlado. Fue el idiota del vecino quien llamó; entre sus alaridos y los de la Verónica no había manera de entenderse. ¡Qué gente más paleta! Ahora, los bomberos funcionan muy bien, llegaron en un momento. Son voluntarios, ¿sabes? El jefe me dio una nota para ti, una reprimenda. Dijo que lo sentía mucho pero tenía que hacerlo. Una persona bastante agradable; le di mi palabra de honor de que no volvería a suceder y se fueron...

Ahora que se había soltado a hablar, no callaba, se afirmaba en sus propias palabras, se daba la razón. La culpa era del señor de al lado, que había armado todo el cisco sin motivo ninguno... en verdad yo debería pedirle una explicación, qué se había creído el viejo aquel.

–¿Pedirle una explicación? Lo que tendré que pedir serán disculpas. Y tú también, cuando estés duchado y con ropa limpia.

Con lo que se disgustó mucho, hizo una retirada llena de dignidad hacia el cuarto de baño; ahora parecía Diocleciano en persona, un emperador. Aunque su estatura no es mucha, Gonzalo sabe demostrar altanería. Yo, con la cabeza más agachada que él, llamé a la puerta de nuestro vecino, dispuesto a tragarme lo que me dijera; pobre señor, llevaba más razón que un santo. Por suerte Lorena lo había calmado bastante; la cosa no fue tan difícil como había esperado. La visita muy corta, enseguida nos despedimos con muchas reverencias hasta la verja misma. La que me dio más trabajo fue la Verónica; le había tomado el gusto a aquello de seguir gritando. Lorena al punto se cansó, fue a sacar ropa limpia para los mellizos. Entonces se me ocurrió una idea: saqué de la cartera mil pesos, se los di a la mujer. Bufó, como un gato, dijo que no se compraban los sentimientos ni las personas tampoco: ¿qué me había imaginado yo, humillarla a ella como si no fuera ser humano igual que nosotros, es que el susto se pagaba con un billete? Igual se guardó el billete en el escote, lo que me dio un repelús como una basca, y consintió en quedarse, rezongando mucho con desprecio. Fui en busca de Lorena bastante satisfecho de cómo había manejado el asunto; me desilusionó.

–Papá, si yo prefiero que se vaya. Es una mujer horrible.

Y sí, lo era. Pero mal que bien hacía el trabajo; si se iba, ¿quién acabaría haciéndolo todo? Ella misma, Lorena. Ocho personas, casa, jardín... era mucho. Lorena no se convencía.

–Encontraríamos otra, ya conocemos un poco más el barrio. ¿Tú te has fijado en lo manchada que tiene la piel? Si da hasta aprensión...

Cómo no fijarse, ojalá. La cosa era que ya estaba hecha y mal; ahora no podía echarla después de haberle dado una propina para que se quedara. Lo que decidimos, tomarle la palabra la primera vez que se despidiera; solía hacerlo cada cierto tiempo por pura forma, para demostrar su independencia. Fui a recoger a Pacita, tuve que decirle a la tía Memé del amago de incendio. La buena señora no se alteraba, ella mandaría un jardinero para arreglar los destrozos. Pacita se interesó enseguida: ¿Su muñeca Felipa se había quemado? ¿Y los conejos? La tranquilizamos; no había vuelto a tener pesadillas, *La Cosa* no la angustiaba más, pero siempre estábamos con la preocupación. El jardín quedó reconstruido al día siguiente, los conejos desaparecieron a la vez que el jardinero se marchaba y la casa volvió a su paz relativa.

Con nuestros muebles habían llegado las bicicletas; los mayores paseaban o hacían recados, los mellizos no tenían permiso para salir de las calles adyacentes a la casa, ahí se pasaban casi todo el día con otros niños del barrio. Lugar muy tranquilo con muchos jardines y escasos automóviles, no parecía ofrecer ningún peligro. Todo resultaba establecido más o menos, rodaba. Yo encontraba por fin tiempo para pintar, la imaginación me venía acuciando, tantas cosas pensadas para ponerlas sobre el lienzo. Entré en una de esas temporadas en que de todo se saca motivo y argumento: no quería parar. Furia por hacer cuadros y cuadros, por más que estuviera alimentado una tristeza. Pero con la estación en avance, las luces llamándome con sus brillos y la novedad de los diferentes paisajes... había días en que empezaba a manchar tres y cuatro telas a la vez. Después seguía trabajando, metiéndome en las horas altas de la noche; entraba en la casa a oscuras con todos los niños dormidos y caía en la cama, muchas noches hasta vestido, me hundía un rato en el peso de un sueño inevitable... a los primeros albores volvía a mi estudio. El garaje había quedado útil con la colaboración de Sebastián y su caja de herramientas. Colocó varios focos movibles, unos estantes de madera y cantidad de clavos para ir colgando los cuadros. Aprovechó los cajones de embalaje para instalar una cafetera eléctrica y mi tocadiscos; siempre he pintado oyendo música lo mismo que dibujaba álbumes enteros, niño chico, mientras mi madre tocaba un Schumann soñador y melancólico con estilo que recordaba a Clara Haskil. Ahora lo que más escuchaba era Chopin, tristezas sin remedio. Pintaba en el garaje o sacaba al jardín el caballete, jardín de atrás recogido por su tapia alta donde cantaban pájaros. Mi primo Ramón escribió desde Caracas confirmando la fecha de la exposición, faltaban pocos meses y tenía que mandar dos docenas de cuadros como mínimo, tres mejor; yo me sentía capaz de pintar cien. Emprendí una serie: pinté a Violeta, mi nostalgia, Violeta siempre, no retrato sino idea fija. Figura de mujer más o menos clara, a veces en primer término, otras al fondo o perdiéndose en una lejanía. Vestida de gris en paisaje de lluvia, de blanco detrás de una mimosa como la había visto aquella tarde en el parque cuando buscábamos casa. En un portal pequeño encuadrada en el marco de la puerta, al fondo de un camino de araucarias gigantes como inmensas sombrillas desplegadas, de espaldas en una ventana que daba al mar. La pinté en el crucero de una iglesia colonial, contra el retablo barroco; no sabía bien si venía o se adentraba. Pinté a Violeta sombra en el desierto, y a lo lejos las dunas, en la playa frente a un océano violeta, pequeña en un paisaje de álamos altos, arrodillada en un recodo de río. La pinté en un jardín bajo un arco de rosas, recordando... Uno de sus deseos incumplidos había sido entrar a su casa debajo de un portal de rosas. En Madrid vivíamos en un piso, no pudo ser, pero teníamos siempre la idea de plantarlo en Santa María más adelante.

No que nunca la hubiera pintado hasta entonces; en mi habitación tengo tres retratos: maternidad con Lorena en los brazos, sentada en el patio de Santa María, blusa de percal azul y falda de campo, y de pie frente a un espejo como una vez leí que Apeles había pintado a Campaspe. Ahora no eran retratos; me extrañaría, pensé, que alguien la reconociera, en lo que me equivocaba. Sólo mujer–mujer, lo esencial perpetuamente femenino.

Ella había visto muy claro: yo debía salir. Irme de mi país, enfrentar otros horizontes, tomar anchuras. Cambiar, sí. Todo lo que me había dicho, ahora lo comprobaba pero sin ella. Entonces pintaba y pintaba sin parar, hilvanando recuerdos y pesares, con la ausencia de Violeta tan fuerte que era más real y viva que cualquier presencia. Pintaba, aprovechaba los apuntes de todos los paseos, las ideas todas, seguía... sin analizar, sin hacerme crítica ni preguntarme qué era lo que estaba haciendo, arrastrado. Aquella urgencia naciendo en mí, fuente de río... Hasta que no tuve una veintena de lienzos colgados no empecé a pensar que había abierto una puerta hacia otras dimensiones, el mundo. Entonces, entre los muros mal blanqueados de aquel garaje, acaso por primera vez en mi vida, me pensé pintor. Sí, me dije, soy un pintor. Rogelio, esto no está nada mal, parece mentira que lo hayas hecho tú, compañero de fatigas. Y Violeta no estaba para compartir conmigo mis iluminaciones. Sonreí imaginando su respuesta, «pero, mi amor, yo siempre lo supe»; sonrisa triste. Entonces, ¿era que en la vida todo llegaba tarde y roto? Aquellas certezas, ¿para qué me servían ahora? Lo que aprendí de golpe en esos días; si antes pensaba que no quería vivir sin pintar, ahora estaba seguro de que no quería morir sin haber pintado. La diferencia, pareciendo pequeña a primera vista, era muy grande; significaba que estaba empezando a vislumbrarme como nunca antes me había visto, como ser humano con un destino. Más adelante crucé otras fronteras, pasé otros pasos; por el momento, con aquellos lienzos en la pared colgados me principiaba una felicidad, como meterme en un mundo de encantamiento, pero felicidad que no abarcaba mi sentir ni mi vida sino otra parte de mí, camino no recorrido hasta entonces. Y con aquel gozo, a la vez, se me hacía más hiriente el dolor de Violeta; ¿se podían mantener las dos cosas, convividas? Un tironeo hacia todos los extremos de sentimientos contrarios, casi una guerra. Entonces, pintaba.

Gerardo y Elsa asomaban por casa de vez en cuando, también solían invitarme pero yo encontraba poco tiempo para salir sino cuando buscaba inspiración, una luz, fijar una idea, algo. Ahí paseaba, solo para no hablar con nadie, barajando mis cosas. Siempre ellos habían pasado al salón, directos; todos estábamos un poco inocentemente orgullosos de lo bien que había quedado con los sofás de terciopelo gris y las pequeñas alfombras. Una tarde en las cercanías de Navidad vinieron a invitarnos para la cena de Nochebuena, se encontraron a los mellizos en sus bicicletas delante de la casa; ellos los hicieron entrar por el garaje. Yo daba los últimos toques a un cuadro, esas pinceladas temerosas por la facilidad con que se pasa la mano y el cuadro empeora; era un huerto de cerezos al pie de la montaña. Unas semanas atrás me había fascinado con su geometría, árboles en fila, rectamente, tan iguales. Hasta con las mismas flores; al fondo un cerro alto. El cercado estaba hecho de varas hincadas de rosal silvestre; habían florecido, sencillas, con una humildad. Detrás de aquel cerco de diminutas estrellas pálidas, Violeta en una esquina.

Gerardo tiene mayor generosidad con la pintura de los amigos que con la propia; de sí mismo se queja y a los demás no escatima alabanzas. Se quedó mirando las paredes, los caballetes, el suelo donde se amontonaban los lienzos, dio un silbido largo. ¿Todo aquello lo había hecho en un par de meses? No parecía posible.

–Pues sí, todo. Elsa, me alegro tanto de veros a los dos. Pasamos al salón, si os parece. ¿Qué puedo ofreceros, té o una copa?

–Copa, desde luego, –dijo Gerardo–. Pero espera un momento, espera... esto tengo que verlo yo más despacio... Oye, es algo distinto de lo que habías hecho hasta ahora; ¿te fijas, Elsa?

–Sí, –contestó Elsa–. Es distinto y, en el fondo, es igual.

Gerardo descolgaba los cuadros, los iba colocando en el caballete, remiraba con un runrún entredientes. Maldita sea, dijo al cabo de un rato, no me gusta usar la palabra inspiración, la encuentro siútica, cursi como se dice en tu tierra, pero eso es lo que más ha cambiado... Está muy bien... muy bien.

–Violeta me dijo una vez que llevaba cinco años pintando la misma gallina y tenía que cambiar. –No sé por qué dije aquello de repente, me había venido a la memoria. Elsa sonrió y Gerardo dijo: Yo tengo una gallina de esas. En verdad son dos picoteando en un patio y un canasto de paja; ¿lo recuerdas?

Yo lo que recordaba era haberle regalado un paisaje, creo que un trozo de olivar y el pueblo de Fuentes a lo lejos. Asintió: claro que tenía mi paisaje. Pero las gallinas las había comprado él en Madrid, las tenía en el estudio. Entonces pensé que no me había hecho entrar en su estudio nunca, ninguna de las veces que estuve en la casa de la calle Mar del Plata; la razón no la supe hasta más tarde, de labios de Elsa; no estaba pintando. Llevaba muchos meses sin poder tomar ni un lápiz en su mano, bloqueado; entrar en su taller lo deprimía profundamente. Siguió un buen rato quitando y poniendo cuadros, interesado. Ojalá, dijo, consiguiéramos una exposición en Santiago, aunque se encontraba todo muy muerto, nadie estaba comprando pintura.

–Esto va todo para Caracas –expliqué– y falta todavía. La última noticia, que me piden treinta y seis cuadros: es una sala muy grande.

Se alegró; allá se vendería sin duda. ¡Sobraba plata! Ésos eran los buenos contactos. Asombrosa, la cantidad de cuadros en tan poco tiempo y en tan mala época para mí, parecía imposible. Ellos no se imaginaban siquiera que estuviera pintando seguido. A lo que contesté que siempre había tenido facilidad, eso no era mérito mío.

–Y siempre pintaste como te dio la gana, –dijo Gerardo– no caíste en el abstracto ni en ningún ismo ni te preocupaste por buscar formas diferentes.

–Pintura académica... así lo llama Pep Sarriá. El camino más fácil.

–Académica, una mierda. Pintura buena; a la mitad de nosotros, por lo menos, nos ha podrido el esnobismo, el afán de modernidad. Tú tenías razón.

De pronto parecía de mal humor, como con un cansancio; no supe a qué achacarlo. Elsa me miraba mucho, con fijeza. En el salón las niñas sirvieron bebidas, hablamos de unas cosas y otras. Acudían los chicos a saludar a sus «tíos», se planeaba la cena de Nochebuena y me vi obligado a aceptar la invitación de los Silva. Elsa en un aparte murmuró algo como que me iba a costar separarme de aquellos cuadros, había identificado a Violeta aunque no lo decía abiertamente, lo daba a entender con discreción. También los niños se habían dado cuenta y callaban. Ellos habían de alguna manera apartado de su mente algo que yo no podía ni quería apartar. Me rodeaba de tristezas, criaba capullo de gusano de seda a mi alrededor. Yo comía y bebía pesadumbre, recogido en mí mismo; no quería otro alimento.

9

En aquel primer tiempo me hice con un amigo melancólico y extraño: Galvarino Torres. Su oficio era preparar bastidores y lienzos; hasta entonces no había dado con ningún artesano que lo hiciera a mi gusto, conociendo sólo las tiendas de los alrededores de Providencia donde el material era de serie y caro además. Fue Gerardo quien me habló de él. «Un hombrecito que vive en la parte baja de la ciudad, un tipo extraño pero lo hace divinamente; sólo tienes que decirle lo que quieres. Lo llamaré yo, si no capaz que ni te atienda. Una especie de misántropo, sabes, con una mujer que es como una diosa griega, un verdadero monumento...» Lo agradecí; yo no tenía tiempo de preparar bastidores. Gerardo me dio la dirección de Galvarino y una mañana fui en su busca hasta muy abajo de la Avenida Libertador, con el plano de la ciudad apoyado en el volante del auto. Aún no me manejaba bien por las calles, me desorientaba mucho; aquellos barrios eran complicados. Crucé varias avenidas, alguna dedicada a la venta de automóviles y repuestos, pedazos de hierro y chapa de todos los tamaños y formas, grandes ferreterías. Después una calle curiosamente internacional con tiendas de discos y almacenes de importaciones coreanas, japonesas o chinas, puestos de hamburguesas y perritos calientes, mundo extraño con músicas fuertes sonando en casi todas las puertas. Y luego, por callecitas transversales, me encontré en un siglo diecinueve inesperado y pobretón. Casas pequeñas, a lo más con dos plantas, fachaditas de escayola, construcciones muy modestas. Pintadas de ocres y tierras rosas o blancas con puertas y ventanas muy azules, añil brillante que ellos llaman azul colonial. Pero la casa de Galvarino era de un gris plomizo toda ella; la puerta estaba abierta que daba a un zaguán con suelo de baldosa gris. Abajo tenía taller y tienda; el matrimonio vivía en el primer piso. Todo pequeñito, con poca luz, recogidamente. El hombre estaba sentado detrás de un mostrador de madera oscura en un cuartito a la izquierda del zaguán, leía un periódico. No levantó la cabeza al oírme. Menudo, muy moreno, con nariz un poco como buitre y gafitas alargadas de présbita, de edad mediana, difícil de calcular. Para mí era agonía hablar con cualquier extraño, más aún si no me miraba. Empecé a explicarle con titubeos que era pintor, venía de parte de Gerardo Silva. ¿Quizá él lo habría llamado por teléfono? Me había dicho que lo haría pero tal vez... Asintió con la cabeza, leía la sección de anuncios del *Mercurio* con mucha atención; supuse que buscaría algo urgente. Con más vacilaciones, sin saber si me escuchaba o no, seguí, consciente de lo desairado de mi postura, hablando al vacío; quién me había de decir que después íbamos a ser reales amigos él y yo. Ya me callaba, incapaz de seguir el monólogo, me preguntaba si no debería marcharme de allí cuanto antes –tenía que estar mal de la cabeza el tipo aquel sin duda–, cuando de pronto suspiró, levantó la mirada por encima de sus gafas y me enfocó por primera vez: dijo que bueno, que lo haría.

–Tendrá usted mucho apuro, como todos.

–Pues... depende de lo que se entienda por mucho apuro. Algo de prisa sí me corre pero, en fin, usted dirá...

En aquel momento por una puerta del fondo entraba su mujer, alta, rubia y llena. Saludé, buenosdías, seguí con lo que estaba: «...usted dirá lo que puede hacer, lo que va a tardar; yo tendré que adaptarme». La mujer deambulaba detrás del mostrador, miraba unas facturas en la estantería, venía hacia nosotros.

–Galvarino, presénteme al señor.

El hombre dudaba; con alguna extrañeza me decidí: «Mi nombre es Rogelio Díaz.»

–Es mi señora –dijo Galvarino con poca gana–, Olga. Yoyita para los amigos.

–Encantado, señora –me volví al artesano–. Verá, si pudiera prepararme un par de ellos relativamente deprisa, que son los que más necesito, los otros ya...

–¿No querrían un tecito? –preguntó Olga.

Negué con la cabeza, muchas gracias pero yo no...

Lo que quería, acabar cuanto antes. Aunque hacía una buena mañana de primavera, aquella planta baja daba un frío. Sí, tráigase un tecito nomás, dijo Galvarino de repente. Entonces fue cuando me preguntó si no me gustaría sentarme y que lo conversáramos. Tomé una silla con asiento de anea, saqué el bloc donde tenía anotadas las medidas. Gente más extraña, pero Gerardo había dicho que el hombre sabía su oficio como nadie. Ahora me miraba con fijeza desde su lado del mesón, parecía querer adivinarme el pensamiento.

–Sé lo que está pensando –dijo por fin–, que cómo una mujer como ella puede estar casada conmigo.

Me desconcerté. «Perdone, pero yo...»

–No se disculpe; todo el mundo lo piensa.

–Pues... lo... lo siento pero estaba pensando en mis lienzos, la verdad. Perdóneme, estoy preocupado con el asunto, tengo una exposición.

–¿Es que no la encuentra hermosa?

–Sí, sí, claro. Seguramente. No me he fijado mucho, lo siento. No lo tome como descortesía; es muy guapa desde luego.

–¿No desea pintarla?

–Ah, no. Hago pocos retratos y nunca por encargo, lo siento.

No podía entender, parecíamos enredados en una conversación irreal, completamente estúpida. Me desconcertaba la insistencia de Galvarino Torres; esas mujeres tremendas no me dicen nada pero quizá debería demostrar algún entusiasmo aun sin entender por qué. ¿Estaba quedando mal? Inesperadamente el hombrecito sonrió con alguna ironía.

–Bueno, pues, caballero, ¿me va a decir que usted no es como los demás?

–Óigame, no estoy entendiendo nada. Yo he venido a encargarle unos bastidores y unos lienzos, no a buscar modelo. Por lo demás no hago retratos, sólo pinto a mi mujer y a mis hijos.

Ahí se disculpó, humildemente. Tenía entendido que yo era

viudo, pensaba que quizá... Reuní firmeza, la que pude. Mire, –dije–, mi mujer no se encuentra conmigo en estos momentos; eso no es asunto de nadie. Siguió disculpándose. La verdad, todos los pintores se encaprichaban con la Yoyita y... bueno, casi todos. De Gerardo Silva no tenía queja, creía que no. Pero los españoles, con su fama de conquistadores... sin ánimo de insultar ni mucho menos, una linda fama para un hombre, guapa de veras... La vida era muy, muy complicada. Volvía la dicha Yoyita con una bandeja y tres tazas de té; la miré un poco más. Una estatua griega, había dicho Gerardo. Corregí, en mi interior: griega, no. Una copia romana en todo caso. Tardía, además, voluptosa de formas y decadente, sin espíritu, muerta... Bella sí pero de alguna manera sin belleza. Sonreía con insinuación demasiado abierta. «¿Azúcar?» Con decir azúcar parecía estar sugiriendo sábanas blancas, almohadones de plumas, salivas perfumadas..., qué sé yo. Seguro que toda la culpa no la tenían los pintores.

–No, muchas gracias. Lo tomaré solo.

Qué mujer, no se desanimaba. Sonrió, dientes muy perfectos.

–A mí me gusta fuerte, ¿y a usted?

¿Hablaba del té, de verdad? Se sentaba derecha, estudiada, adelantando un hombro, colocaba la cabeza alta; quizá le habían explicado bien la mejor postura. Desde luego en aquella casa y junto a Galvarino, desentonaba. El cuello lo tenía demasiado ancho; pobre Galvarino, pensé, debía de llevar una vida de perros. Esos cuellos fuertes nunca anuncian tranquilidades. El té estaba inesperadamente bueno. Ella dijo que Rogelio era un lindo nombre –curioso cómo las mujeres de cierto tipo decían las mismas cosas–, a lo que contesté que siempre lo había llevado como una carga y, pareciéndome que cuanto antes introdujera en la conversación a mi familia numerosa, mejor, añadí que a ninguno de mis siete hijos había querido afligirlo con él. Parpadeó, admirativa. ¿Siete hijos? Lanzaba un mensaje tipo «qué hombre tan hombre tienes que ser». Era tan evidente, parecía mentira que engañara a alguien. O tal vez no se trataba de engaño sino de ponerse de acuerdo con rapidez. Galvarino ponía cara de tristeza: «Lo felicito... Ésa es mucha bendición, sí señor. El ser humano ve la fuerza de la creación en sus hijos. Yo no tengo ninguno.» Apoyaba en el «yo», hacía el hincapié . ¿Acaso ella, por su lado...? Me despedí lo antes posible.

A los tres días Galvarino me llamaba, tenía dos telas listas. No las esperaba tan pronto; le agradecí la premura. «Es por amistad, sí señor –me dijo–; usted conmigo ha sido muy caballero. Puede venir a buscarlos esta tarde; sobre las cinco.» ¿Muy caballero? Pobre hombre. Lo único que yo había hecho, no lanzarle miradas lujuriosas a su Olga. Fui aquella tarde; estaba leyendo los anuncios por palabras del periódico. Con un lápiz hizo una raya por donde iba, cuidadoso. «Momentito, perdone... Es para no volver a leer los que ya he leído...» Los lienzos estaban perfectos. Volvió a sorprenderme preguntando si iba a querer factura. «Porque si no quiere factura, no le cobraré el IVA, le sale más barato... No se lo diga a don Gerardo... ni a nadie.» Me aseguró que aquello no lo hacía nunca, no era legal, nada más conmigo. «Por amistad, porque usted es muy, muy caballero. ¿No quiere sentarse?» Me senté en la silla de paja del lado de afuera del mostrador, saqué mi pipa, hablamos un rato de preparados y colas. Entraron dos muchachos, seguro estudiantes de Bellas Artes, con la ropa descuidada y los pelos largos al uso entre sus equivalentes europeos de unos años atrás. Curiosa pervivencia de una modernidad pasada de moda. Querían dos lienzos pequeños, de serie, miraban alrededor. ¿No estaría la señora Yoyita?, preguntaron. No, no estaba; Galvarino los despachó de prisa, prácticamente los ponía en la calle con modos muy severos. Meneaba la cabeza: juventud descriteriada. Nadie tenía criterio hoy día. Yo cavilaba la manera de tenerle alguna amabilidad, me daba lástima el hombre. Lo único que se me ocurrió, preguntarle si le gustaría venir alguna vez por casa, así conocería a mis hijos y el estudio. «El estudio donde lo tengo es en el garaje... muy modestamente.» Cuando se alegraba se le ponía cara de mayor tristeza; pareció presa de un dolor insoportable.

–Cómo no, sería para mí un honor conocer a su distinguida familia, un gran honor... Esta misma tarde, si usted gusta.

–¿Esta misma tarde? Pero, ¿y la tienda?

–La cierro por hoy, nomás. Ah, no; yo no dependo de nadie. Soy mi propio patrón.

Pagué sin el impuesto; entre los dos cargamos los lienzos en la furgoneta. Galvarino cerraba su puerta, se metía en el bolsillo un manojo de llaves, pesado. En la calle me di cuenta de lo bajito que era, diminuto; dentro de su casa pequeña se veía más a escala, no chocaba tanto. Cuando abrimos la verja de la casa en la calle de las Hortensias, llevaba un aire solemne y a la vez cómico por las gafitas que sólo necesitaba para ver de cerca y no se las quitaba, como si fueran parte de su fisonomía. Lo que hacía era mirar por encima, levantando las cejas con gesto que le llenaba de arrugas la frente, y abultando los ojos. Se detuvo, un momento. «Don Rogelio, dijo, yo me honro con su amistad. Y que la mía no la doy fácilmente, conste.» No supe qué decir, pensé que Galvarino recelaba de todos los hombres, veía un rival en cada uno con alguna razón. Con las mujeres tenía que ser tímido, las trataba con mucha ceremonia. Por suerte los mellizos acudían a la puerta, me evitaban contestar. Aquella tarde creo que Galvarino disfrutó a su manera melancólica que no descartaba un sentido del humor un poco amargo; alabó mucho con pomposas palabras a los niños mientras la expresión de angustia no se le iba de la cara un momento. A los varones los llamó «caballero español» uno por uno y de Clara y Lorena dijo que eran dos damitas dignas representantes de la Madre Patria. Pensé que se azararían pero lo acogieron con toda naturalidad, como con mucha costumbre de recibir visitas y escuchar tales frases. Lo malo que Paz entendió mal el nombre, se empeñó en llamarlo don Garbancito y no hubo manera de que cambiara. En el estudio entró Galvarino como si en un santuario, casi diría que se santiguó a las puertas del garaje; con unción pronunció que mis cuadros eran los mejores que había visto en su vida, a lo que pensé que no debía de haber visto muchos. Nos sentamos después en el salón, las niñas y Verónica sirvieron una merienda-cena, que aquí llaman onces comidas, ellos sabrán por qué. Los pequeños ya se habían ido a la cama cuando se despidió con muchas protestas de que no lo acompañara. «En Tobalaba tomo el subterráneo.» Hacía una noche primaveral y fría, aún quedaba en los Andes mucha nieve. Quise llevarlo en el coche que estaba en la calle por lo menos hasta el metro, igual tenía que ponerlo en marcha para guardarlo en el jardín; no consintió. Se fue, con repetidas muchas gracias. Ahí empezó una amistad algo insólita; pienso y no resuelvo qué era lo que teníamos en común, quizá la cortedad de genio. Galvarino Torres era muy reservado; yo supe de los muchos líos y acuestes de la Yoyita por Gerardo, eran cosa conocida de todos los pintores por ser el gremio entre el que ella tenía su principal clientela. Él no hablaba de cualquier asunto y de su mujer una sola vez me habló, más tarde, cuando ella lo dejó definitivamente; su sentido del decoro era exagerado. Un día, nos habíamos visitado varias veces, se me ocurrió que deberíamos tutearnos. Me miró por encima de las gafas, azorado. «Ah, no. No me pida eso, don Rogelio. No sería capaz de tutear a caballero de tanta altura, estando tan por encima de mí por su cuna y por su arte.» Protesté pero me guardé de insistirle, se veía violento; nos seguimos dando el don y el usted hasta el final.

Siempre que llegaba a su tienda lo encontraba leyendo cuidadosamente el periódico pero sólo la sección de anuncios por palabras; él lo llamaba los clasificados. Sobre lo que al final me decidí a preguntarle; confesó ser una manía suya particular, casi una pasión inevitable: miraba las casas y los pisos en venta. ¿Es que estaba pensando en comprarse una casa, quizá? No, no. Ni tenía plata para eso, a no ser vendiendo la suya y si surgiera una gran oportunidad y aun así... Sólo que le fascinaba imaginar todas aquellas casas vacías, tantas posibilidades. Esperaba que yo no lo encontrara una ocupación estúpida, impropia de su edad... Lo tranquilicé. Le dije que Violeta solía viajar en los Atlas y que por qué no, a quién le podía importar aquello, a la vez que recordaba lo que habíamos padecido nosotros con los malditos anuncios de casas que nunca respondían a la realidad. Galvarino con aquellas descripciones se lanzaba a soñar que vivía en lugares hermosos, con la mucha amplitud... escaleras de mármol, jardines, terrazas al Norte–Mediodía, barandillas de piedra, balaustradas y estanques...; pensé que con lo que soñaba era con ser otra persona diferente. Me admiraba cómo el mismo ejercicio –mirar las viviendas anunciadas en un diario, el mismo diario además–, daba para sentimientos tan diversos, nuestra desesperación y su deleite. Una vez que me hubo confiado aquel secreto con algún embarazo, me tomó como partícipe de sus sueños. Me contagiaba, también, porque para alquilar o comprar había que empezar a leer desconfiando del anuncio –ya será menos, vete tú a saber–, mientras que para imaginar se aceptaba todo, hasta se adornaba la descripción por cuenta propia.

–Mire usted, don Rogelio, mire ésta... palacete de estilo francés... tiene que ser muy lindo, ¿no? Tres salones corridos, figúrese. En la calle Dieciocho... pues eso no cae muy lejos de acá, no tanto como el barrio alto.

Entonces surgía una delicada mujer, tres niñas con tirabuzones por descontado rubios..., ¿una institutriz francesa, –intercalaba yo– Mademoiselle Amèlie? Y sí, nada era demasiado para las niñitas; aceptaba enseguida con agradecimiento. Jarrones de piedra en el jardín, copas altas con petunias en mucha simetría, la vida como antaño, como se leía en las novelas. «Ah, usted debería pintar esa casa, don Rogelio, cuando todas las petunias estén en flor.» Y yo que sí, quién sabía, quizás alguna vez la pintara, aunque ni la habíamos visto ni figuraba en el anuncio que tuviera hermoso jardín ni jarrones. O encontraba un departamento moderno, planta once, en la calle Lota. «Aire acondicionado, fíjese, frío y calor al gusto, qué adelantos.» Yo le decía que en el piso de Madrid tenía aire acondicionado, no era tan agradable, hasta dolía la cabeza a veces, pero no me escuchaba, seguía con su sueño. Todo funcional, él un ejecutivo de mucho ajetreo con trabajo en un Banco. Banco norteamericano mejor; porque no tenía nada contra los gringos, gente muy seria para trabajar con ellos. Una vez había preparado lienzos para un gringo, tipo simpático, bien amistoso pero tomador, es decir borracho. Entonces, piso once en la calle Lota, y caía cerca de las Hortensias, una mujer delgada, morena con pelo corto, vestida de traje sastre... él decía terno. La señora siendo abogado también, empleada en una firma importante, mujer muy dinámica y alegre... de ésas que todo lo hacían bien y de prisa. No en plan apurete con agobios, no, con eficacia, esas simpáticas desenvolturas. ¿Yo no iba nunca al teatro? Salían mujeres así, en las películas; eran muy dijes.

–¿Qué le parece, don Rogelio, eh?

–Hombre, no sé qué decirle. Una planta once en este país con tantos temblores de tierra... no lo sé. No creo que me gustara mucho.

Galvarino descartaba los terremotos con un gesto airoso de sus manos pequeñas, siempre dañadas por el aguarrás y los disolventes; en su sueño no cabían catástrofes. Continuaba sin flaquear por mis reparos. Los niños, dos muchachitos, vamos a ver, desde la calle Lota... sí. En el Colegio de San Ignacio, los jesuitas de la Avenida del Bosque, con sus uniformes tan planchaditos. Uno casi creía verlos, morenos y menudos, de chaqueta azul marino con el escudo y corbata.

Pero donde su fantasía tomaba más altos vuelos era en los avisos, raros, de casas coloniales. Existían muy pocas, seguramente por la frecuencia y la gravedad de los temblores. Ahí yo podía seguirlo mejor; las únicas edificaciones interesantes que habíamos visto eran restos de arquitectura colonial. Curiosamente, había sido Clara quien más nos llamó la atención sobre este hecho; su frase, «éste es un país sin arquitectos», se la tendríamos que recordar más tarde. Si Galvarino encontraba una casa de ese estilo, verdadero o falso, en los anuncios del periódico, no esperaba a que yo pasara por su tienda, tranquilamente; venía de inmediato a la calle de las Hortensias con el recorte en la mano, lleno de emoción. «Fíjese, don Rogelio, qué maravilla lo que viene en los clasificados hoy. Me he permitido venir a visitarlo sin telefonear siquiera porque quizá mañana ya sea tarde; se venden al tiro, para que digan que no hay plata en este país. Mire, pues. ¡Una casa colonial allá arriba, pasado las Condes, por el Cerro del Águila! ¡En todo lo alto! ¿Qué le parece? Ah, las vistas desde allá tienen que ser fantásticas.» También lo eran las invenciones que él se fabricaba a partir del pedacito de papel. Ahí Galvarino Torres, casado con una condesa española –me miraba sobre las gafitas con algún aire de disculpa– arruinada, vivía hasta trabajando con sus manos, todo su empeño puesto en conservar aquella sagrada herencia: LA CASA. Mantenida en la familia desde tiempo remoto de lejano, cuando circulaban monedas con la cara del Rey. Llevaban los dos una existencia ardiente hecha de austeridades y elevados conceptos; en las tardes paseaban vestidos de negro por los largos corredores de columnas, con gravedad muy señorial y antigua. Los pájaros dormían en los árboles centenarios del parque, la luna extendía sus rayos sobre el césped regado por Galvarino, que él llamaba el pasto: no podían pagar a un jardinero pero él le hacía a todo, matándose en el trabajo si fuera necesario, porque cuando había un ideal nada pesaba. A lo que yo, inspirándome con sus figuraciones, proponía paseos enarenados, redondeles de boj, un estanque. En las cuadras, por qué no, los purasangres relinchaban y en una cama enorme con dosel dormían sus primogénitos –agárrese al problema, don Galvarino, pensaba mientras le daba la idea–, dos mellizos para mayor complicación de la historia. Hasta los bautizábamos, a tanto no solíamos llegar con las casas corrientes, Pelayo y Rodrigo, nombres de mucha raigambre española que Galvarino aceptaba no sin una nostalgia de Pedro por el Valdivia. Aquello de los mellizos lo ponía a cavilar, como yo esperaba y para eso lo había dicho, dudaba en hacerme la pregunta, se decidía. «Entonces, si fueran mellizos, don Rogelio, ¿cuál es el que sería el conde? El día de mañana, claro.» Y con toda seriedad le contestaba que el segundo nacido, por suponerse que había sido concebido el primero. Pero con aquella solución sencilla el enredo se le hacía poco, como que no le hubiera dado tiempo a tomarle el gusto. Quedaba pensativo, un instante, intercalaba más problemas; que siendo tan idénticos de pequeñitos, nadie sabía ya cuál había nacido primero, y yo le proponía un hijo mayor, Pedro, para simplificar las cosas. A lo que la idea de aquel duelo dinástico habiendo prendido ya en él, no aceptaba tal primogénito, le daba al asunto mil y mil vueltas. A su tiempo la empleada entraba con la bandeja del té; Galvarino se callaba discretamente hasta que hubiera vuelto a salir del cuarto. Después describía a la condesa, su porte regio, sus ideales y virtudes, su sentido del honor y del sacrificio. Ahí se explayaba: «Una Reina, don Rogelio, una Santa. Viniéndole tantas cualidades de su alto linaje. Ah, por una señora así, todo trabajo, todo sacrificio serían chica cosa.» Con esto, ya no era una mujer de novela, como la de la casa de estilo francés, o de película como la abogada del piso once: ahora entraba firmemente en la Historia con mayúscula. «Esas familias de tanta antigüedad, que escribieron la Historia.» Así era la condesa. Su cara demostraba más tristeza que nunca; debía de estar pasándolo en grande. Al entrar los niños al salón los acogía con saludos de mucha dignidad, casi episcopales, como si repartiendo bendiciones. Despidiéndose tenía una media-sonrisa avergonzada. «Ya ve usted, don Rogelio, en qué naditas somos capaces de ocuparnos el tiempo los adultos, juegos como de niños, las cosas. Pero igual me gustaría ir a ver esa casa allá arriba, la colonial. Y quizás voy alguna de estas tardes, cierro la tienda y voy, sí señor.» Se marchaba dentro de su ropa deshechurada demasiado grande, un vago olor a trementina flotando en torno, a tomar el Metro de la estación Tobalaba, a soñar mecido con el traqueteo de los vagones tan ruidoso.

No era exactamente juego, no que no lo era, sino su escape

para vivir otras vidas mientras la suya propia se le hacía intolerable. De la misma manera que unos pintan y otros escriben o componen, él imaginaba casas. Una forma de arte, si bien se considera. Entretanto la Yoyita andaba por ahí de cama en cama, entre pintores y estudiantes de arte, creyéndose una especie de Musa, y Galvarino le seguía la pista melancólicamente repartido entre un amor y un odio igual de irremediables.

10

Llegaron los días de Navidad y con ellos el verano del hemisferio; en Castilla estaría helando sobre los campos rasos y en mi Sur natal daría el sol bien entrada la mañana en un azul de frío. Aquí la luz se volvió más intensa, más pronunciadas las sombras. La Cordillera vino a perder la mayor parte de su nieve, afiló sus contornos, se endureció a la vista. Asomaba la tierra, hermosamente.

Por las noches sacábamos unas sillas al jardín de atrás, disfrutábamos del fresco; las alturas mandaban un airecito aliviador. Mirábamos el cielo también, de estrellas esparcidas muy grandes. Estrellas otras; en lo perdidizo de aquellos caminos no me encontraba. Así seguía mi vida, sin Violeta, en tierra extraña bajo formas de cielos que no me recordaban ninguna cosa.

Elsa y Gerardo Silva nos habían invitado a cenar la noche del 24 de diciembre, en su casa. A lo primero vacilé; estábamos desorientados con aquella Nochebuena veraniega, no sabíamos bien colocarnos en situación. Paz agravó de pronto el desconcierto preguntando si el Niño Jesús iba a venir otra vez igual este año; ¿no podría ser Niña? A lo que Gonzalo declaró que, si íbamos a criar una feminista, mejor la ahogábamos cuanto antes. Sebastián y Clara lo mandaron callar con indignación, lo llamaron machista y bestia, cosa que no era, y Lorena quiso amigar a todos diciendo que no le daba asombro que la pobrecita Paz estuviera así, confundida, este año siendo todo tan diferente. Yo no deseaba ir a casa de Gerardo y Elsa; aquellas celebraciones eran para lo recogido íntimo de cada familia. Nosotros no pertenecíamos, temía molestar... y presentarme con siete niños en cualquier parte era contrario a mi cortedad de genio. Pero justamente los niños insistieron en ir, de modo que tuve que decir que sí, al final.

Pocos días antes de la cena estaba en el jardín por la tarde pintando un emparrado; lo había visto delante de una casita a pocas cuadras de la nuestra. Tanto llamó mi atención que allí mismo empecé a dibujarlo junto a la verja de la casa; salió la dueña y me invitó a pasar, mitad y mitad curiosa y amable. Mientras yo hacía el esbozo habló sin parar de una cuñada suya que pintaba también pero flores tan sólo, arreglos muy lindos, no cosas callejeras. Me sentí pintor callejero, perro sin licencia ni collar ni amo un poco, por la forma en que lo decía, casi un vagabundo; a la vez me hacía cantidad de preguntas: de dónde venía, cómo me llamaba, qué estaba haciendo en Santiago y hasta si aquel auto en la esquina era mío. Que no era. Aquella señora quería saberlo todo; le fui contando mientras dibujaba a la mayor velocidad, me parecía de justicia satisfacer el interrogatorio. Ahora estaba ya casi terminado el cuadro; el emparrado, un túnel de manchas verdes y amarillas, la luz jugaba con las hojas. Debajo, en un sillón de mimbre, Violeta pensativa, un libro azul pequeño entre las manos.

Pintaba con aplicación; a través de la cristalera abierta de la sala me llegaban las voces de los dos mayores conversando. Casi siempre andaban juntos, se comentaban todas las cosas encontrando mucho apoyo el uno en el otro pese a las diferencias de carácter. Distintos y unidos, pensé con vaguedad, la quilla y la vela. Sebastián tenía un amor exagerado por Paz y ella lo tomaba como si fuera lo natural de la vida disponer de aquel hermano grande a todas horas. Los mellizos, por descontado, siempre fueron unidad autosuficiente, todo lo cual dejaba a Clarita un poco solitaria entre los hermanos que, además, se reían de ella y de su estilo «señorita sentimental». Entonces, Gonzalo y Lorena hablaban; al cabo de un rato caí en la cuenta de que el argumento era la comida de Nochebuena en casa de Silva. Lorena, al parecer, no tenía vestido adecuado; ¿le dejaría yo ponerse uno de mamá? Gonzalo creía que no. En todo caso, decían, sería un alivio salir fuera esa noche, cualquier arreglo antes que cenar en casa.

–Yo estaba temblando de que papá dijera que no; en realidad pensé que prefería quedarse... ya sabes...

–Claro que lo prefiere, si hasta empezó a decirlo y tuvimos que darnos prisa... seguro se habría empeñado en poner en la mesa el sitio de ella...

Me detuve. Hasta ahí oía porque estaba oyendo sin querer. Entonces escuchaba.

–¿Tú crees que de verdad piensa que puede venir? ¿Se lo cree? O se empeña en seguir fingiendo...

–No lo sé, hija mía, no sé nada. No entiendo que no se resigne, que siga hablando de mamá, que la pinte en cada cuadro que pinta..., que se empeñe en ese juego de que va a volver y en que juguemos nosotros. Es un disparate, es...

Solté la paleta, fui a cerrar la puerta de cristales; no quería saber más. Me sentía extraño en la referencia de sus palabras, en la imagen que daban de mí no me reconocía. Como mirarse en un espejo y ver otra figura... No tuve tiempo de pensarlo, de pronto vi a Clara que había estado detrás de mí, silenciosa, sin que me diera cuenta, apoyada en el muro. También tenía que haber oído la conversación; lloraba calladamente, la espalda contra la pared, los ojos cerrados. La abracé, pobrecita, aquella congoja.

–Vamos chiquita mía, mi niñita. Ya basta, ya pasó. ¿Qué estabas haciendo aquí, tan calladita? –Le limpié la cara con mi pañuelo; quedó un chafarrinón amarillo, cadmio claro.

–Nada, no estaba haciendo nada, no tengo nada que hacer. Me quiero morir, papá, de veras. Me quiero morir.

–Bueno, bueno. No digas tonterías. Una penita que pasó... y ya está.

No encontraba consuelo que darle, sentí una timidez. El dolor tan verdadero solitario imponía un respeto; de repente tuve una inspiración.

–Mira, había pensado... como estás de vacaciones, pero no llores, ¿ya?, había pensado si te gustaría tomar clases de dibujo conmigo. ¿Qué te parece? Tú siempre te fijas en las cosas a tu alrededor más que los otros, aprecias... ¡Quién sabe! Quizá un día seas pintora. Una pintora buena, buena; mucho mejor que yo.

Había dado en el clavo y, Dios me perdone, por pura casualidad. Se le agrandaban los ojos de mirarme, fascinada; quería sonreír. Sorbía las lágrimas un poco. «Mejor que tú, no.»

–¿Por qué no? Claro que puedes ser mejor. Entonces, ¿te gustaría empezar?

Ella, por empezar, en aquel mismo momento. Si de verdad yo quería darle clase... y tenía muchos dibujos; ¿me los enseñaba? No estaban muy bien, los primeros eran los que le habían quedado peor. ¿De verdad no me importaba perder el tiempo en aquello?

–No es perder el tiempo, hija mía. Anda a buscar tus dibujos; les echaré un vistazo. Mientras tanto, voy a prepararte el material; ¡y tú prepárate a trabajar duro! Anda, ve.

Desde aquel día –hasta el día de hoy– Clara no dejó nunca de tomar su lección de pintura. Tiene condición, un instinto seguro y empeño para lograr lo que ella quiere sin desánimo ni cansancio. Resulte lo que resulte, su paleta va a ser suya, conseguirá un estilo propio. Lo que desde un principio nos dio a los dos muchas satisfacciones; ella sentía un orgullo inocente por ser, entre todos los hermanos, la que había «salido a papá». Se afirmaba. Hasta fue olvidándose de llorar, pero esa cura le tomó todavía algún tiempo, con recaídas.

Víspera de Nochebuena salimos todos juntos a buscar los regalos. Lo había estado demorando qué sé yo con qué vaga esperanza; tuve que decidirme. A Lorena un vestido de fiesta, para Clara óleos y pinceles; ella misma me había hecho la lista de colores y Gonzalo otra de libros. Sebastián pidió dinero para distintas «cosas que le hacían falta», los mellizos se entusiasmaron con unos radioteléfonos. La que nos dio mayor trabajo fue Pacita; quería un piano. Fuimos a una tienda grande de juguetes en Providencia; ninguno le gustaba. La vendedora le enseñó los que tenía, con pilas, sin pilas, grandes y pequeños, nada. Decía que no, movía la cabeza mientras le seguían ofreciendo organitos, xilófonos, flautas... nada. En otras dos tiendas nos pasó la misma historia; los hermanos se impacientaban, los dependientes no estaban de buen humor por el atosigamiento de las fechas. El calor pesaba también. Sebastián se desolaba de que Paz no tuviera regalo. ¿Cómo era el piano que quería, cómo? La niña contestaba: corriente.

–Pero, ¿cómo es corriente, preciosa?

–Corriente. Como el de la tía Memé.

¡Quería un piano de verdad! Tuvimos que explicarle que no

era posible por el momento. Entonces no quería nada. Muñeca ya tenía una, su Felipa. Volvimos a reemprender la batalla de las compras: regalos para la tía Memé, Elsa y Gerardo, las dos Verónicas... Yo entré en una tienda de flores, elegí una azalea rosada. ¿Para quién era?, preguntaron cuando la metía en la furgoneta. «Es el regalo de mamá.» Un silencio y enseguida rompieron a hablar todos a la vez. Me apenaba. Comprendía que mi insistencia les daba un desasosiego; no la podía evitar. No podía. Sebastián con Paz sobre sus rodillas sentado en el coche le hablaba bajito, de pronto dijo que lo que la niña necesitaba era un perro. ¿Dónde se compraban los perros? No habíamos visto tiendas de animales. Un anuncio en el diario nos mandó quince kilómetros hacia el Sur, carretera Panamericana. Los chicos recordaban: sí, en algún viaje habían visto carteles de un criadero grande por allí. La discusión acerca de la raza más apropiada empezó en aquel mismo momento; Pacita se veía encantada de que su regalo fuera de tanto interés para todos. Los mellizos querían un setter, Clara un galgo afgano. Lorena protestó, que esos perros eran estúpidos y daban mucho trabajo con los pelos tan largos; lo mejor, un caniche. El setter era más divertido, corría una barbaridad. Los caniches eran muy inteligentes, los boxer cariñosos. Ah, no. Babeaban siempre. ¿El cocker? Simpatiquísimo. Todos opinaban. Y, bueno, Paz debería decir algo también. «¿Cómo lo quieres tú, bonita?»

–Como el de la tía Memé.

–Entonces ya lo sabemos, corriente. –Dijo Gonzalo, con un resentimiento por el rato pasado en las jugueterías.

–Es un pastor alemán, –dijo Marcos– sólo que es negro. Nosotros lo hemos visto; se llama Max.

–Como tú.

–Como él, nada. –Mateo protestó enseguida–. Es un nombre alemán.

Gonzalo apuntó que seguro que el piano también era alemán; tuvimos que hacerlo callar. Paz no se molestaba, iba llena de ilusión por su «primer perro». Así dijo: como era primer perro, cualquier raza estaría bien. A lo que Sebastián le alabó su modestia.

Elegir un perro es muy difícil; lo más frecuente, que sea el animal quien acabe eligiéndolo a uno. En el criadero tenían docenas, una alegría de cachorritos saliendo de sus jaulas por todas partes. Disfrutamos. Paz no se decidía; los hermanos le aconsejaban éste o aquél, los acariciaban a todos. En esto una cosita blanca despeluchada avanzó hacia nosotros sobre unas patas indecisas, torpes, se sentó con aire desafiante, las orejitas levantadas. Luego, intentó ladrar. Le salía un ruido tan absurdo; nos echamos a reír. Nos observaba con su pequeña insolencia, como tomándonos medidas; seguro de que Paz era la protagonista de aquella reunión, se fue hacia ella, la mordisqueó. El rabo tiesecito lo movía con emoción. ¿Eso qué raza era?, preguntamos. Parecía un perro-de-la-calle. El encargado dijo que era un terrier inglés, west-highland. Muy bueno, sí señor. Pedigree y de todo, faltaría más. Paz lo había tomado; el animal le mordía la nariz, el pelo, la barbilla. Suavecito, por cariño de juego. De pronto se hizo un ovillo en sus brazos, se durmió instantáneamente.

Claro, sólo nos quedaba pagar y marcharnos; el terrier había decidido por nosotros. La vuelta a casa fue un himno de triunfo: todos los regalos eran fantásticos y el mejor el Kim. Hasta le habían encontrado nombre; no sé cuál de ellos estaba leyendo la novela de Kipling y, cosa rara, estuvieron de acuerdo. Así llegamos a la calle de las Hortensias, cansados y con buena disposición; nos encontramos con un problema al entrar en la casa. No habíamos esperado que la Verónica recibiera al perro con una sonrisa, no estaba en su estilo, pero tampoco que al instante nos presentara el dilema: o el perro o ella. No le gustaban los animales y a su Verito menos todavía. A ella le pagaban, y era poco dinero, para atender a las personas; nadie la iba a obligar a cuidar de un bicho, no. Paz la miraba con desesperación; Lorena y yo a la vez dijimos que entre el perro y ella, el perro, y los niños estuvieron de acuerdo, todos a una. Nos miró con odio; tal vez esperaba otra propina como el día del incendio, seguramente pensó que un hombre solo con los siete niños no iba a prescindir de la empleada. Lo que nos entró fue una extraña alegría de pensar que se iba, como borrachera. Al día siguiente tendríamos que barrer y fregar; esa tarde exultábamos. El Kim hizo pipí y hubo una carrera de ocho personas en busca de una bayeta, nos reíamos de la gracia del animal. Pero habría que educarlo; Sebastián se comprometió, lo haría científicamente. Mañana mismo iba a comprar un libro. Cenamos en el jardín mientras el Kim investigaba cada mata y ganaba una pelea feroz contra las begonias; estuvimos de acuerdo en que el día había sido bueno. Habíamos conseguido un perro –y a aquellas horas era ya el más simpático del mundo, que hasta empezaba a atender por su nombre– y nos habíamos sacado de encima a las dos horribles Verónicas. En resumen, un éxito.

El día de Nochebuena lo pasé alimentando un único deseo: ver a Violeta. Sus flores estaban en el salón por si llegaba; yo la esperaba siempre. Cayendo la tarde, antes de vestirme para cenar, salí a dar vueltas por ahí, buscándola. Aquellos desasosiegos me empujaban a echarme a la calle, a caminar, mirando para todos lados, ¿cómo un pobre loco? Quizá sí. Un pobre loco, con todo este amor y mi amargura... Lo que yo no podía era cambiar, hacer las cosas de modo diferente. Ni darme por vencido. Volví un poco tarde; los niños estaban listos, con la ropa mejor, algo asustados por mi tardanza. Miraban, miraban, con una incomodidad en los ojos, compartiendo entre ellos un secreto triste. Conmiserativos. Fue Lorena quien habló, en su voz una dulzura: «Papá, tienes que vestirte deprisa... tu ropa está sacada.» Madremente. El vestido blanco, ligero, y una cinta amarilla. «Estás preciosa, Lorena.»

–Apúrate un poco, papá.

Apúrate. Tomaban el habla del lugar, los giros diferentes, se amoldaban. Revivir. Los chicos querían; la rémora era yo, su padre. Al irme a afeitar vi que tenía los ojos enrojecidos, lágrimas por la cara. ¿Revivir? Nos tendríamos que conformar con seguir adelante; la vida era tristezas y alegrías, el conjunto. Un paquete; se lo daban a uno el día del nacimiento, atado. Toma: lo tuyo. Había que tomar. Me vestí muy rápido; Lorena me había sacado una corbata azul con rayas rojas.

La fiesta de Elsa muy bien organizada, a estilo de su gente, alemanes establecidos desde tiempo en el Sur. Dejamos nuestros regalos en el árbol, lo que habían hecho todos; sólo después de la cena se abrirían. La comida, a pesar de la estación diferente, tradicional: ganso con grosellas y puré de castañas, sopa de leche, arenques con cerezas, las cosas de ellos. «Mientras no falte mi apio con palta, el ají verde, lo que yo comía de chico y el buen vino chileno, que haga lo que ella quiera» –dijo Gerardo. Chileno cien-por-cien en sus gustos, medio vegetariano, además. Lo que no perdonaba era el vino. La comida de Elsa era excelente; un tocadiscos hacía oír los viejos villancicos, el Acebo y el Muérdago o Noche Santa; parecíamos encontrarnos en el corazón mismo de la lejana y vieja Europa... salvo por la temperatura. Hacía un calor de solsticio de verano. Estaban dos hermanos de Gerardo con sus hijos, algún amigo pintor, parientes de Elsa, niños, gente joven; se veía que ella se había preocupado sobre todo de dar una fiesta para mis hijos. Lo agradecí, no pude decirle nada. Después de la cena llegaron la tía Memé y su marido con dos sobrinos; uno de ellos miraba mucho a Lorena, silencioso, demasiado tímido para darle conversación. Alguna señora se sentó al piano; romanzas de Schumann, valses de Brahms... me recordaron a mi madre aunque ninguna se le aproximaba. Entonces la tía Memé colocó a Paz sobre sus rodillas, tocó una piececita de Mozart, arreglo de la Pequeña Serenata Nocturna en la que la niña, con terrible aplicación, daba unas notas. Se equivocó pero mantuvo bien su tiempo. Era un «secreto» que tenía con la tía Memé; lo habían ensayado durante semanas. A las doce se abrieron los paquetes, todo el mundo se abrazaba, agradecía sus regalos con muchas risas. La tía Memé daba unas palmadas; ahora la gente joven debía sacar el tocadiscos a la terraza para bailar fuera. Alguien había llevado discos de música moderna, con lo que empezó un jaleo de buscar cables y alargadores; Sebastián se ofrecía a hacer la instalación. Allá iban todos y yo sentí un terror; la boca se me secaba. Elsa me traía una taza de café. «¿Qué te pasa, Rogelio?»

–¡Ellos no saben bailar! –gemí–. ¡Mis hijos, no! Se van a sentir muy mal, desplazados y torpes. Mejor nos vamos a casa; los chicos pueden sufrir mucho por cosas así.

–Tonteras –dijo Elsa–. Todos los muchachos saben bailar. Y, si no, aprenden; estamos en familia.

Me obligué a no mirar hacia la terraza, se oían risas y voces, el ruido de la música de ahora, tan terrible. Intentaba seguir la conversación de Gerardo sin mucho éxito, estaba preocupado. La gente joven era muy vulnerable, les horrorizaba el ridículo. Por suerte Paz estaba dentro, jugaba a un juego de fichas con otra niña de su edad, al menos ella a salvo de aquella prueba. Gerardo se llenaba la copa demasiadas veces, me fijé; hablaba con otros invitados de acciones de bolsa y cosas de las que yo no entendía nada. Elsa venía hasta mi butaca, conversaba muy amistosa; de vez en cuando daba una vuelta entre la gente pero sin abandonarme nunca del todo. En una de estas veces se apoyó en mi respaldo: «Conque no sabían bailar. Asómate a verlos... por la ventana del comedor. No te lo pierdas.» Había hablado en un susurro; me precipité. ¡Los seis estaban bailando! No había ningún problema en aquello. Las niñas lindamente, con mucha gracia; Gonzalo muy bien. El que resultaba un poco altiricón, demasiado de piernas y brazos era Sebastián; igual se veía que lo estaba gozando. Pero la palma se la llevaban los mellizos: dos contorsionistas desmelenados, felices, con dos chicas mucho mayores que ellos. Se me abría la boca, el puro asombro; ¿cuándo habían aprendido tales movimientos? Calculé, siempre tenía que echar la cuenta. Iban a cumplir doce años. ¡Doce años! Señor, cómo corría el mundo. Allí estuve un rato largo hasta que la tía Memé vino a decirme que Paz se había quedado dormida encima de la alfombra.

11

Después de Navidad, la tía Memé consiguió mandarnos una antigua cocinera suya, mujer ya mayor muy simpática que cocinaba bien a estilo popular. Su especialidad eran las ensaladas; agarraba el cuchillo más grande y picaba finamente a increíble velocidad lechugas, tomates, cebollas, chaguales, pimientos, apio y cuanta cosa, mientras despotricaba contra la nuera relatando sus muchas maldades. Como si la quisiera cortar en un millón de pedazos igual que hacía con las verduras. Al final, con mucho santiguarse y echando a su alrededor ojeadas temerosas, confesó que su nuera, la Magdalena, «tenía pacto». Claro, a su hijo era con malas artes como lo amarraba; no por el cariño, no. Por cosas de brujerías. Era la hora del almuerzo cuando nos dio aquella inquietante noticia; Pacita abría mucho los ojos. ¿Es bruja?, preguntó con horror, la pobre debía de pensar que estábamos en el país de todas las brujas. «Sí, mi linda, contestó sin vacilar la Teresita. Más mala que bruja, pues. Mucho pior.» Los niños de inmediato se interesaron; Clara preguntó qué era tener pacto. ¿Pacto con quién?

–Trato con el Malo, con el Demonio. ¡Esa mujer es una Quintrala!

La cara se le encendía de odio y amargura; quise cambiar la conversación pero, salvo Gonzalo que miraba un poco despreciativo, los demás no soltaban el tema así, fácilmente. ¿Había gente que pactaba con el diablo, de verdad? ¿Cómo podía saberse cuando habían pactado?

–¿Tú los conoces, Teresita, lo sabes seguro?

Ah, sí. La vieja Teresita sabía. Y cualquiera; ¡era lo sencillo! No había más que hacer una prueba, nunca fallaba. La prueba era poner unas tijeras abiertas debajo de la silla, o de la cama, donde la persona sospechosa estuviera sentada. Las tijeras abiertas del todo, sin que se diera cuenta. Si pasaba el rato y no mostraba disgusto, ningún nerviosismo, seguía conversando igual como antes, era que no se entendía con el Malo. Pero como la persona tuviera pacto, ah, entonces no resistía mucho. Le entraba una inquietud hasta que terminaba levantándose con precipitación como si el asiento le pinchara, no podía aguantar. En su pueblo todos sabían esas cosas. Que ella era de Pomaire, lugar donde la gente toda era alfarera. Olleros; ollas de barro tan lindas como las de Pomaire en ningún lado se hacían, al menos esa era la fama en el mundo entero, según le habían dicho. A los niños el asunto de las tijeras les impresionaba más que las ollas. Gonzalo cavilaba una explicación; las tijeras abiertas formaban una cruz, eso tenía que ser.

–¿Y no hay más formas de saberlo, Teresita?

Y sí, como haber otras maneras, las había, sólo que eran de mayor peligro. Pasarle a la persona una cruz, por ejemplo. Envuelta en un pañuelo o en algo, que no viera lo que tomaba. Ahí la persona con pacto daba un grito terrible, bramaba tan fuerte que espantaba. Pero como una vez que había tomado la cruz se daba cuenta de que se la habían pasado a traición, entonces uno podía esperar las peores venganzas. Uno podía quedarse muerto de repente o sabía Dios qué cosas. ¡A los que tenían pacto todo les iba bien en este mundo! Ni siquiera se enfermaban, ni tenían remordimiento por ningunas maldades, corazones secos hasta para sufrir, desangrados. Y la plata no les faltaba nunca; no había caso de que pasaran necesidad. Lo que ocurría, que quienes vivían con personas así siempre eran desgraciados, mucho. ¡La maldad quitaba el sueño, la salud, todo lo bueno lo trastornaba! Y costaba reaccionar, deshacerse de la persona con pacto; ella sujetaba a la gente con sus artes malas. Como a su hijo, pobrecito, ciego con aquella Magdalena de porquería, sabría Dios lo que estaría pasando, cegado por completo con la mujer. Que, a fuerza de ser mala, ni había querido dar a sus hijitos el alimento de su leche siquiera, no les dio teta, no señor, fíjese usted.

Vi la cara de asco profundo de Gonzalo con la explicación, apartaba su plato como si no pudiera continuar comiendo; me hizo gracia. Los demás seguían fascinados el relato de la Teresita. ¿Y cómo se criaron?, preguntó Lorena con interés.

–Yo los crié con mamadera, m'hija. Yo... y ahora les doy la comía. Que la niñita, sí, esa es nuestra, pero el hombrecito me parece a mí que... es una idea que yo tengo...

Intervine, para apartar las posibles preguntas y contestaciones. «¿Así que usted le hizo la prueba de las tijeras, Teresita?»

–Se la hice, sí señor, para más seguridad. Que no hacía falta; yo, por saber, ya lo sabía... ¡Tenía que ser! Mujeres que traen muchas desgracias a las casas, peleas entre la misma familia, cosas del diablo, don Rogelio.

Los niños preguntaban si ella se lo había contado a su hijo y sí, claro que se lo había dicho. Pero igual la Magdalena lo tenía bien agarrado, ¡no lo soltaba! Nada que hacer. Esperar, no más, hasta el día de su muerte que viniera el Malo a llevársela, como era la costumbre. Todo muy bien mientras les duraba la vida pero a la hora del qué hubo no había escapatoria. Ah, la hora de la verdad era entonces. Que ella, Teresita, no viviría para verla pero a su nuera la muerte le llegaría, claro que sí. Tanto que había rezado para que se muriera lueguito luego, cuanto antes.

–Mire usted, hasta al pobrecito San Roque lo tengo patas arriba, ya por hacer más fuerza.

Ahí tuvimos que aguantarnos la risa; los niños no podían apenas. ¿San Roque patas arriba? Nos explicó; era lo más corriente. Cuando el Santo no hacía el favor pedido, había que ponerlo cabeza abajo, las patas para arriba, que se apurase... Lo normal.

–¿Han terminado ya? ¿Le traigo su cafecito, don Rogelio?

Todos le ayudaban a retirar los platos, no querían que acabara la conversación. Si yo les contara esas mismas cosas –pensé– no me las creerían. Aparecía el frutero y, para mí, la bandejita con la cafetera, el filtro puesto goteando despacio.

–¿Sabes más historias de esas, Teresita? Siéntate y nos cuentas, mientras tomamos el postre.

No se sentaba, se apoyaba en la silla de Paz, el respaldo; seguía hablando sin hacerse rogar. Historias sabía muchas:

–«Había en mi pueblo un don Alfredo que también tenía pacto. Yo lo conocí: un caballero pareciendo muy caballero pero en verdad malo remalo. No era nacido en Pomaire, vino del Sur cuando jovencito. Buenmozo, el señor. Trabajó harto, hay que reconocer; fue quedándose, de a poco, con las tierras de todo el mundo, las mejores de la zona. Tenía hasta un vagón de tren con su nombre; lo veíamos parado en la estación que era adonde íbamos de paseo por las tardes. Ahí estaba, con las letras tan pintaditas, siempre limpio, lavado. Compraba las ollas de barro, pagaba poco a la gente, después las cargaba en su vagón y las mandaba a Santiago y hasta fuera del país a venderlas; tenía muchos negocios. Era tan malo que la señora se le volvió loca y después los hijos también, uno por uno. ¡Qué le importaba, mientras siguiera amontonando plata! Aquel don Alfredo perecía por el dinero, exagerado. Tenía un genio terrible; contaban que nadie le podía contrariar la voluntad. Por diversión echaba maldeojo a las criaturitas, los niños más petisitos del pueblo. A un hermano mío chico, dos veces lo tuvimos que llevar a santiguar a la parroquia por culpa de don Alfredo, pobrecito. Que el malojo, si no es santiguando con un cura padre, no tiene arreglo. Entonces, todo el mundo hablaba de don Alfredo y su pacto; unos se lo creían y otros no. Pero llegó el día de su muerte y después, al otro día, fue el entierro en una carroza, como la gente rica, con seis caballos. Los caballos no eran del pueblo, los potros nuestros claros tan mansitos, de corral. Eran seis bichos negros grandes y muy fogosos, de esos que respiran mucho hinchando el cuerpo, después echan hasta humo por las narices abiertas y relinchan fuerte... y con su permiso, don Rogelio, me voy a llevar las guindas o se nos van a enfermar los mellizos.»

Corría como un suspiro por la mesa; todos estaban pendientes de la historia. Los mellizos parecían estar viendo aquellos caballos terribles, hasta respiraban hondo como para relinchar... sin dejar por eso de comer buena cantidad de cerezas del frutero; Lorena les quitó los platos. «Sigue, Teresita, no te vayas ahora.»

–Si ya estoy acabando, m'hija. Pues llegó la carroza y el cochero era el mismo demonio en persona; todo el mundo pudo verlo llevándose al finado. Dicen que iba vestido de negro con sombrero, hasta con guantes negros; muchos lo reconocieron, sí señor, así como se lo cuento. Y cualquiera de mi pueblo se lo puede contar igual.

Igual difícilmente; Teresita contaba bien. Cocinaba bien y tenía agrado a pesar de sus pesimismos, pero desde el principio nos había dicho: «sigan buscando; me quedaré hasta que ustedes encuentren a alguien, por atención a la señora Memé, pero donde yo tengo que estar es en mi casa vigilando a mi yerna, no vaya a hacer alguna maldad de las suyas». Vivían todos juntos; imaginábamos lo amena que tenía que resultar la convivencia. Sebastián le había consejado unos hisopazos de agua bendita encima de la Magdalena, a ver si chisporroteaba o salía humo o algo, cuando menos un olor de azufre; le rogué que no enzarzara más las cosas. Los ánimos debían de estar envenenados por demás, sin necesidad de agravarlos con duchas intempestivas.

Y a finales de enero llegó una carta de Aurora. Era la camarera del hotel de Villarrica que cuidó de Paz después de nuestro ensayo de naufragio en el lago. Se había encariñado con los niños, un par de veces se cruzaron cartas. Ahora escribía que en febrero pensaba venir a la capital y ¿querríamos tomarla de empleada? Le encantaría trabajar para nosotros. Lorena le contestó a vuelta de correo: por supuesto, la esperábamos. Todos colaboraron para arreglarle la habitación de servicio; Clara colgó de la pared una de sus primeras obras que ya tenía gracia a pesar de los desdibujos. A la vieja Teresita se le conocía el alivio en la cara oscura de muchas arrugas, la pobre mujer no vivía pensando en las maldiciones de su casa.

A recoger a Aurora en la estación de autobuses fuimos todos cuando llegó el día. Traía un poncho para Paz bellamente tejido a mano, de colores alegres. La niña se empeñaba en ponérselo en seguida; hacía aún calor. «Ahora no, mi linda, es para los friítos del otoño.» Después de una semana en la casa, ya parecía que hubiera estado con nosotros desde siempre; no se ha movido más de nuestro lado.

Los cuadros para Caracas estaban mandados dentro de sus cuidadosos embalajes. No quedé de vacío, seguí trabajando sin descansar un solo día, como que no pudiera pararme; rachas que hay que aprovechar. Dicen que trabajando se olvidan las penas... la gente no sabe. Mi pena era no tener a Violeta conmigo; cuanto más trabajaba se me multiplicaba más. Pena que crecía como un árbol de muchas ramas, daba flor. Daba frutos. No enterré mi pesar, lo revivía momento a momento, posado frente a mí, inexorable como el futuro. Dolor con su razón de ser, la forma de expresarse y un destino; tal vez, después de todo, aquel fuera el camino del Arte. No era tiempo de conformarme ni me conformé.

Llovió: llegó el otoño. Amarillearon los árboles. La nieve volvió a los altos de la Cordillera como bandada espesa de pájaros migratorios, blancos. Funciones de la vida siguiendo, naturalezas; en todas las cosas yo buscaba una razón y un signo. La fragilidad de las hojas se veía a los trasluces, nervaduras. Aquellos nervios tenían la misma forma de las venas del cuerpo que era la de los ríos con sus afluentes, la de la oscuridad de los metales fundidos bajo tierra. Alas de insectos, corales, hilos de medusa, algas, raíces, esqueletos de árboles. Comparaba. ¿Lo que tendía a dar su forma a las cosas era una ley constante? ¿Toda energía en el mundo se establecía según una estructura óptima, por eso las formas resultaban igualadas? Pensé en los rayos cruzando un cielo de tormenta, exacto dibujo también. Aquel pensamiento de las mismas formas me hacía cavilar. ¿El universo entero tenía la misma estructura de un átomo? Quizás en los átomos se encontraran los agujeros negros mismos del cielo un día, sabíamos tan poco de todas las cosas. Mi ignorancia me pesaba; el peso del vacío. Yo me extrañaba tanto de mi vida que sentía deseos de entender el mundo, darle una interpretación. Y el Arte, quería comprender cuál era su lugar y su significado exacto dentro del concierto de las cosas. La idea de las mismas-formas tenía que ser válida para la pintura también y la escultura. Era lícito, como hacían los abstractos, no imitar a la Naturaleza pero no, en cambio, escapar a sus leyes porque entonces lo creado no tendría coherencia ni belleza posible. Embebido en mis pensamientos no me enteraba mucho de lo que pasaba en la casa; todo parecía rodar sin ningún escalón, suavemente.

Un día llegó carta de mi primo Ramón, traía dentro dos recortes de periódico. Eran críticas a mi exposición; supuse que la galería habría movilizado a los periodistas, sólo las leí porque Gonzalo me insistía. No me gustaron. «El nuevo figurativismo» y «Nueva fórmula de la pintura figurativa». Para mí que nada era nuevo, y mi pintura menos aún, ni existían fórmulas sino una manera más o menos adecuada de conectar con el propio tiempo; aquello me desanimaba más que alegrarme. Se multiplicaban los ismos como correhuela, los autores habían cavilado lo suyo buscando similitudes, influencias y tendencias. Había, al parecer, un pintor norteamericano en cuya escuela me encontraba; no lo conocía ni de nombre. Gonzalo se reía de mi disgusto: «¿Por qué te incomoda que te definan?» No lo podía explicar pero sí, me sentía incómodo. Acudió Lorena llamada por su hermano. «Mira, Lorena, fíjate; dicen cosas estupendas de papá. ¿Te lo leo?» Lo corté, que no leyera en alto, me ponía nervioso. Lorena preguntó cómo no me alegraba de tener buenas críticas, sería lo natural.

–¿Son buenas? Pero si no se entera uno de lo que dicen. No quiero tener que pensar sobre la pintura, me complicaría mucho.

No supe por qué aquello les hacía gracia. Me marché a la calle para dar un paseo, estaba entumecido de trabajar muchas horas. Una desesperación repentina se me posó en el pecho, rebosaba. ¿Qué era lo que yo perseguía? Estaba teniendo éxito, mucho, y dinero; todos los cuadros, decía Ramón, se habían vendido o estaban apalabrados. Los críticos me ponían por las nubes. ¿Y...? No quería todo aquello; dinero para vivir modestamente como teníamos costumbre nunca nos había faltado. ¿Gloria? Recordé a Machado: «nunca perseguí la gloria...» Ahora me encontraba con él, uno no hacía las cosas por dinero ni éxito, ni para que cuatro críticos, o mil, lo pusieran a uno por las nubes; la razón era otra. La vida era otra, también, sólo la felicidad tenía real importancia. Los años sin felicidad eran años perdidos, no entraban en cuenta. Una mano en mi mano, Violeta, el mar al frente y saber... saber que para ella yo ocupaba el primer lugar. Que no necesitábamos ni hablar siquiera. Saber. Los recuerdos compartidos y los pensamientos, ese camino secreto andable sólo por nosotros dos. A veces, a la hora de irnos a dormir, nos costaba la idea de que cada uno se fuera a deslizar por un sueño diferente, sin comunicación; queríamos ponernos de acuerdo: «piensa en la plaza de Brujas, la casita chica que nos gustaba... piensa en el pueblecito de las vacaciones, en Cornualles... piensa en...» Para soñar lo mismo, inseparablemente. Entonces, ¿cómo podía yo vivir sin Violeta, día tras otro día, noche tras noche? Ahora, lo que me quedaba era empeñarme en soñar con ella, a veces lo conseguía. Una sensación me quedaba en las mañanas extendida en el ánimo, confusa. ¿Violeta no estaba para que yo llegara a algo? ¿Mi destino era en la soledad donde tenía que cumplirse? Me devanaba buscándole una justificación a su ausencia. El amor se encontraba en lo callado, fuera de las batallas y la gloria del mundo. ¿El amor era un hijo único que absorbe todos los cuidados y los pensamientos? Nadie lo reunía todo en sí; el paquete cerrado no podía contener tantas cosas. Ni nos daban a elegir; había que aceptar solamente. Caminé. Dando vuelta a la esquina de la casa pensé, con vaguedad, que Lorena no parecía alegre como antes; su risa había sonado... no sabría decir... poco espontánea. Pasaba algo y yo, metido en mis cavilaciones, no me enteraba. La calle era estrecha con árboles grandes, arces y ceibos de flor roja; hacía una cuestecita, al final una curva y venía a desembocar en un canal lindado por una avenida ancha, avenida Tobalaba. Entonces vi a Violeta como otras veces la había visto, rondando las cercanías de la casa que nunca entraba. Las primeras veces se lo había dicho a los niños, «mirad, está muy bien, tan linda como siempre, no ha cambiado»; se quedaban con los ojos abiertos muy fijos, las bocas apretadas, callaban mucho. Después aquellos encuentros los guardaba para mí; ellos preferían no saber. La vi un momento y enseguida se fue sin darme tiempo ni a hablarle; me quedé ahí, parado debajo de un árbol con el corazón dando golpes como de tambor, redoblados. De pronto eché a correr, aún sabiendo que era inútil seguirla. No podía ser. Subí la calle, en la revuelta me detuve, miré a mi alrededor: no se veía. Llegué a la avenida llena de gente, amas de casa que volvían con las compras, sus atareos, fui sorteando entre las personas, creo que debí de empujar a alguien. Oí algún comentario, «pero adónde irá así ese señor», seguí la búsqueda. Miraba a todas las mujeres con silueta parecida a la de la mía; una o dos veces la creí entrever a lo lejos. Corrí para alcanzarla, cuando llegaba cerca era que estaba equivocado. Sé que lloré; quería razonarme que aquello era locura demostrada, no debía ceder a mis impulsos, pero algo dentro de mí me obligaba, no sé el qué; yo nada más obedecía. A lo que todas las mujeres se habían vuelto fantasmas sin rostro, debajo de los pelos un hueco, el vacío; no había más que una sola cara en el mundo, la que no conseguía encontrar. Lo demás eran sombras, inexistencias. Volví a casa aplastado por el peso terrible de la nada.

Después de aquello empecé a observar a Lorena; en verdad algo tenía que pasarle. No era la misma de los primeros meses, con todos los ánimos; ahora estaba seria, un poco ausente. Lo que me dolía era adivinar en ella una resignación, como aceptando las cosas sin ninguna esperanza. No sé disimular; pronto se dio cuenta de que la seguía con la vista más que de costumbre. «¿Por qué me miras tanto?» Le rogué que me dijera si le ocurría algo; negó. «No me pasa nada, papá, no te preocupes.» Me preocupaba. Daba vueltas a posibles explicaciones. Tal vez Aurora había asumido el gobierno de la casa demasiado y Lorena se sintiera disminuida. ¿Tendría alguna enfermedad? Finalmente me decidí a hablar con Gonzalo; si algo había él tenía que ser el primero en saberlo. Me miró con su aire superior: ¿quería decir que hasta ahora no me había dado cuenta? Hacía ya tiempo que Lorena estaba así. Pregunté cuánto tiempo.

–Pues... un par de meses lo menos, quizá más. Curioso, que no lo hubieras notado.

–¿No será que se siente menos dueña de casa desde que Aurora...?

–No, por Dios. Lorena quiere mucho a Aurora; además, antes tenía demasiado trabajo. No. Es por Adrián.

Me asombré: ¿quien diablos era Adrián? Gonzalo, levantando las cejas, dijo que no podía creer que no supiera quién era Adrián.

–Hijo, no tengo la menor idea. ¿Debería saberlo?

–Es su novio. Mejor dicho, su ex-novio. Su ci-devant.

–¿Qué tonterías estás diciendo?

–Ci-devant –dijo, doctoral– es como llamaban en la Revolución Francesa...

Tuve que interrumpir. Lo que no sabía, que Lorena tuviera ningún novio, aquello sí que me pillaba desprevenido. Gonzalo dijo que hacía mucho tiempo y protesté. ¿Cómo que mucho tiempo? Si tenía diecinueve años. Muy asegurado, me explicó que eso era lo de menos; llevaban saliendo casi dos años cuando nos vinimos. Pensaban casarse, más adelante. ¿Mamá? Lo sabía, claro; le dijo a Lorena que no debía tener miedo; si Adrián la quería vendría a buscarla hasta Santiago, o más lejos aún. Si no venía era que no merecía la pena. Entonces, al principio, eran cartas diarias siempre hablando de venirse cuando terminara la carrera... que estaba en el último año. Económicas o empresariales, una lata de ésas.

–Sigo sin entender que no te dieras cuenta de cómo esperaba al cartero los primeros meses. ¡Y los paseos hasta la oficina de Correos! ¿Sabías que aquí no funcionan los buzones?

Tampoco lo sabía, qué desastre. Soy tan desorientado para esas cosas... Sólo le escribía a Ramón; los chicos se habían ocupado siempre de echarme las cartas. Bueno, pero en definitiva, ¿qué había pasado?

–No lo sé exactamente. Quizá otra niña... o cansancio por las buenas de esperar algo tan lejano... tan difícil ahora que mamá no está. Le escribió diciendo que mejor lo dejaban y eso es todo lo que puedo contarte. Que, por cierto, a Lorena no le va a hacer ninguna gracia.

Aquella complicación era lo que menos podía imaginar. Lorena, una niña chica. No podía tener importancia; yo no quería que la tuviera. Pero el primer desengaño pesaba mucho, dolía. Y en la situación de Lorena, más aún. A veces un primer amor no se olvidaba nunca; no supe qué hacer, hablarle me costaba. Y seguíamos viviendo, a pesar. Los niños iban al colegio, todos juntos, menos Lorena que había terminado. Intenté que siguiera algún curso de algo; se negó. Lo que quería, estar con nosotros. No necesitaba estudiar ni salir ni ver gente de su edad. La dejé tranquila, ¿cómo hubiera podido obligarla?

De Caracas, Ramón me pedía otra serie de cuadros: «una exposición al año, por lo menos», conque tenía tarea por delante. Nos hundimos en el invierno. Los chicos empezaban a tener amigos, compañeros de clase; salían invitados alguna tarde o traían a otros muchachos a casa. Yo acudía a muy pocos sitios, casi únicamente a casa de los Silva. Galvarino Torres venía a verme de vez en cuando, tomábamos té en la sala o me acompañaba, silencioso, en mi refugio de la cochera mirándome pintar; no me estorbaba nunca. Fue un invierno muy frío, la estufa de parafina olía, un poco, y Aurora colocaba en la chapa una ollita con agua y eucaliptos, verbena o alguna otra hierba para mitigar. A veces, sencillamente una manzana en un platillo; perfumaba. Por las noches encendíamos la chimenea, los niños hacían sus deberes y yo revisión de dibujos. Aquellos ratos de estar reunidos eran como obligación; Aurora venía también con su canasto de costura, repasaba calcetines y ropa blanca; ¡los mellizos perdían a la vez los mismos botones! Si no venía Aurora, la llamaban, «ven, Aurita, siéntate aquí con nosotros». Al principio solía defenderse: «Acá con el patrón, m'hijita, no tengo costumbre. No tengo costumbre...» Después se hizo a la idea, se sentaba en una silla baja como para estar más quitada de enmedio, mujer de toda discreción. El que se tumbaba más cerca del fuego, en el mejor sitio caliente, era el Kim; siempre que intentábamos apartarlo, se hacía el dormido, profundo.

12

Cuando mejoró el tiempo volvimos a emprender nuestras excursiones, para las semanas que tenían alguna fiesta y podíamos juntar tres o cuatro días preparábamos un itinerario largo. Así fue como descubrimos la laguna de Tolhuaca, cordillera adentro, muchos kilómetros hacia el Sur. Laguna que no era de agua azul ni verde sino muy rosada con irisaciones como de piedra-de-la-luna, suspendida entre los altos cerros. La tía Memé nos había hablado de un pequeño hotel pasada la ciudad de Victoria, en plena Araucanía; los dueños eran alemanes, familia de madereros como la de Elsa. El hotel lo componían varias cabañas de madera, tablones enormes, alrededor de una cabaña grande con tejado de troncos enteros, sin descortezar. El comedor redondo, las mesas en torno a una inmensa chimenea para calentar los vientos fríos del Sur. El hogar debía de tener no menos de tres metros de diámetro; la campana de cobre lo sobrepasaba. Gente muy amable la que nos acogió allí; desde el hotel salíamos por la mañana temprano, el mapa abierto sobre las rodillas de Sebastián. A Pacita y al Kim los habíamos dejado en la casa, al cuidado de Aurora. Lo que pensamos en un principio fue tomar cada mañana un rumbo diferente pero acabamos por hacer el mismo paseo los tres días que estuvimos en la zona. El lugar, cascada y laguna con una sola barca y su barquero, nos había fascinado. La carretera, hacia el Este, subía y subía; conforme iba uno estando más arriba se agrandaban cada vez más todos los horizontes. Sin asfalto ni firme ninguno: una tierra rojiza, pegajosa cuando húmeda, muy polvorienta estando seca. Se veía el tiempo del deshielo en los muchos regatos que bajaban murmulleando por aquellas laderas tan verdes; a cada trecho teníamos que pasar puentes muy rústicos de troncos atravesados en el camino. Entonces, subíamos. Cruzamos por delante de algunas estancias grandes, con la hacienda acorralada en cercados de madera; se empezaban a ver terneros muy recién nacidos. Lo que más había eran casas de troncos, de extremada pobreza, con huertos pequeños delante, narcisos a millares apuntando, amarillos de pálido azufre bajo los piñoneros enormes. Algunos manzanos, los únicos frutales que toleraban aquellos fríos seguramente, ya estaban queriendo dar la flor; el barrito fino se nos pegaba a los cristales del coche. Los niños se bajaban de tanto en tanto a limpiarlos, se ponían perdidos de tierra roja. A fuerza de tomar altura hasta los oídos se tapaban; la Cordillera no parecía tener término, tantos montes. Cada vez los bosques más grandes, oscuros y apretados. Los chicos habían empezado el viaje con sus bromas de costumbre, las tontas peleas por el asiento junto a la ventana, los «me has empujado» o «cállate, que no dejas hablar a nadie». Ahora la imponencia del paisaje, cerros multiplicados, bosques gigantes, los arroyos, el ganado bravo cordillerano que aparecía en cualquier recodo de repente, miraba muy seguido sin asomo de miedo, tantas grandezas los hacían quedarse callados sino para susurrar «mirad ahí», casi reverenciales. Allá arriba lo mayor de todo era la soledad; nada más vimos a una mujer muy vieja envuelta en chales oscuros, fija como estatua delante de una choza de troncos. Después una escuela, al borde mismo del camino, de madera pintada de verde con su bandera nacional en la punta de un mástil mordida por los hielos, descolorida y rota. Un letrero pintado malamente a mano con letras desiguales señalaba la desviación para la laguna de Tolhuaca. Entonces, la carretera estaba aún peor, saltábamos en los baches. Ten cuidado con el coche, aconsejaron los mellizos, preocupados. Y Gonzalo, con voz hueca, ominosa: «Andes lo que andes, no andes por los Andes.» Seguíamos. Los niños cantaban bajito, cantos de nuestra tierra; el auto siempre los invitaba a cantar. Ya se van los pastores a la Extremadura... aquello se lo había enseñado su madre. Esto sí que son extremaduras –comentó Sebastián– más extremas y más duras que cualquier cosa. Pero cuando llegamos el lugar compensaba de sobras el viaje. El frío era afilado finito, las montañas parecían pilares de los cielos, sustentadoras. Árboles tan grandes nunca los habíamos visto en ninguna parte. La laguna rosada, como agua en el hueco de las Manos de la Tierra; ágiles garzas levantaron el vuelo muy airosas, casi no rompían la quietud del ambiente. Nos apeamos. Un pájaro chilló un graznido fuerte de aviso o de asombro, alargado; no sabíamos qué pájaro era aquél. El olor a coníferas, debajo de los árboles una alfombra espesa de agujas y de hojas. En un tronco hachado en el suelo me dispuse a sentarme. Los niños preguntaban, ¿pero no vas a explorar un rato con nosotros? Les aseguré que iría más tarde, quería dibujar mientras durase aquella luz. Los vi acercarse a la orilla; una bandada de gansos echó a volar con ruidos de protesta. Gonzalo gritó que Nils Holgersson iba con ellos. Empecé mis apuntes, dibujé un par de horas. Lo más difícil era encuadrar, elegir un grupo de árboles, una montaña, delimitar el dibujo; la vista se escapaba hacia la inmensidad, el alrededor todo. El grito de algún pájaro rozaba el silencio sin romperlo, tan grande, establecido sólido en aquellas alturas. Parecíamos estar en el final del mundo, la última estancia más lejana. La luz de absoluta limpieza como recién creada por la palabra de Dios, sin uso de los hombres, intocada. Me habría quedado sólo mirando, sin trabajar, me obligué a mover el lápiz sobre el bloc. Seguí hasta que volvieron los chicos que traían hambre. «¿Podemos comer? ¿No te has quedado helado, papá? ¡Qué sitio tan espléndido!» Hablaban todos a la vez, como solían. Habían estado conversando con un hombre que vivía en la laguna. Yo había visto a lo lejos una barca de madera de quilla plana, muy rústica; supuse que sería algún pescador. El barquero vivía allí, al parecer, en medio del lago. ¿Todo el año?, pregunté. Y sí, todo el año, hasta cuando el lago se helaba y caía nieve encima. En verano iba gente, llevaban barcas para alquilar sin motor; los motores estaban prohibidos. Pero durante diez meses al año, por lo menos, el hombre de la barca era el único habitante humano de la laguna. De lo que más se alimentaba era de piñones de las araucarias, también pescaba y ponía trampas para las liebres. «Pero dice que pájaros no caza. Dice que los pájaros son para verlos volar y parecer felices. ¿Tú sabías que la gente de aquí se come a los loros? Hay loros silvestres que se cazan fácilmente, los llaman choroyes.» Mientras hablaban sacábamos la comida, bocadillos, los termos con café y leche muy caliente que nos habían llenado en el hotel. Comieron con ganas, daba gusto verlos. No dejaron de comentar del hombre de la barca. «Dice que si tú das permiso, él nos lleva a ver la cascada, que la laguna llega hasta por detrás... a las niñas no.»

–No hables con la boca llena. ¿Por qué a las niñas no?

–No lo sabemos. Dice que en su barca no lleva mujeres.

–Yo no quería ir, de todos modos. –Dijo Lorena–. Huele muy mal.

–Pero él está muy limpio, se lava todos los días con agua del lago.

–Lo que huele son las pieles.

En la barca llevaba dos pieles de venado para taparse, poco abrigo parecía para aquel clima tan frío. ¿Es que el hombre no encendía fuego nunca? Claro, encendía a veces para guisar comida... tostaba los piñones también. ¡Y no tenía fósforos!

–Pero dice que es fácil prender fuego si se tiene yesca seca y pedernal... y hasta con dos palos, conociéndolos. Lo que podíamos hacer es regalarle un mechero.

–No tenemos ningún mechero, yo sólo llevo cerillas para la pipa. Desde luego se las podemos dejar.

–O venimos mañana y le traemos un encendedor, ¿no? Le podíamos traer alguna otra cosa, no tiene de nada. En una lata lleva unas ascuitas, las tapa con barro y así enciende los cigarrillos, que se los hace él con hojas.

Terminada la comida fui a conocer al barquero. Estaba unos metros agua adentro, sentado en el fondo de la barca, recostado. Se acercó despacio cuando los niños le hicieron señas; le habían llevado los bocadillos que quedaron, alguna fruta. Atracó sin prisas, amarró un cabo a un tocón del árbol; el indio más indio que habíamos visto en el país. Saludó muy correctamente pero sin quitarse el gorro de lana de un verde grisáceo que llevaba encajado hasta la misma frente. Le alargué un cigarrillo, solía llevar un paquete cuando íbamos de paseo para ofrecer; a toda la gente que encontrábamos le gustaba fumar, agradecía el convite. Aceptó, lo sostenía entre el pulgar y el índice muy estirados. Yo no sabía mucho de qué hablar con él, discurrimos sobre el tiempo, que había estado seco para la estación, sobre la carretera. Era quizás el hombre más feo que había visto en mi vida, oscuro de color con narices ensanchadas y orejas enormes, colgantes; con todo, no resultaba desagradable. Dijo llamarse Juan de Dios Antumilla, con el nombre de su madre para la Gente de la Tierra; su padre había sido huinca. Eso no lo entendí bien, costaba comprenderlo, al principio.

–Así que usted vive aquí todo el año.

–Acá mismito, caballero. Para servir a ustedes.

–Pues hará bastante frío en pleno invierno.

–Frío no falta, frío no falta... –Sonreía, amistoso, enseñaba la boca con un diente sí y otro no. No parecía disgustado por nuestra presencia, al revés, pese a que hubiera elegido vivir tan solo en medio del agua, conversaba de muy buena gana. Aquella tarde no hablamos apenas; dio un paseo a los cuatro chicos en la barca. Que quise pagarle y no aceptó. Entonces, quedamos en volver al día siguiente, insistimos en que nos dijera qué le hacía falta. Negaba con la cabeza, intimidado. «Nada, no.» Hasta que Lorena dijo, yo creo que necesita unas botas de agua, y vimos cómo se le alegraba la cara igual que a un niño delante de un pastel. Y emprendimos la cuestabajo entre dos luces, con muchas precauciones por lo malo del camino. De vez en cuando veíamos una fogata a lo lejos, con el atardecer el olor de los pinos subía con más fuerza. Al hotel llegamos cubiertos de tanto polvo rojizo que no entramos por la puerta principal, la cabaña grande del comedor, fuimos directos a la ducha. A la mañana siguiente pasamos al pueblo; en una ferretería grande de ésas donde venden de todo compramos botas de agua, varios pares de calcetines tejidos a mano por las indias de Temuco, gruesos de mucho abrigo. En el hotel habíamos encargado cesta de comida para ocho personas, queríamos invitar a Juan de Dios, también hice provisión de cigarrillos del país y compré un encendor bueno para usar con viento o lluvia. Así equipados volvimos a tomar el camino del Este –Cordillera arriba, Cordillera adentro–, ahora ya lo conocíamos, lo veíamos como amigos de tiempo. Los tres manzanos delante de la casita de madera que habíamos visto ayer apuntando la flor estaban casi milagrosamente adelantados. Los fijé en mi memoria para pintarlos después. La vieja del chal negro estaba parada en el mismo sitio, puntual. Pasamos la estancia grande que tenía en la puerta de entrada los cuernos de un toro, pasamos los cercados de donde salía el mugido suave de muchas reses como bordoneo de guitarra gigante, en una esplanada vimos hombres a caballo conduciendo el ganado, cientos de cabezas. Manadas enteras a manchas negras y blancas, otras con todos los animales muy rojizos. Con lo que la charla de los chicos era de mucha animación: «a la vuelta de aquella curva está la cascadita con los helechos grandes... veréis como en esta bajada hay tres arroyos y tres puentes... mira, ahí es donde salieron las vacas ayer, tan salvajes...». Todos declaraban que vivir en el campo tenía que ser lo mejor pero casi siempre la que se fijaba más era Clara: «ahora vamos a llegar al campo que tiene el pino inmenso junto a la casa... que se llama fundo del Pino Huacho». La dueña del hotel nos había dicho que en aquella zona todavía quedaban partes de bosque virgen, las especies autóctonas aún sin explotar pero también se veían lugares muy destrozados por los aserraderos, había leñadores que hachaban y aserraban sin hacer reposición. Vimos algunas plantaciones de altramuz con tan delicado color y de maíz, en los escasos llanos. Las cosas reconocidas aparecen más hermosas que vistas por primera vez; todos iban contentos. Llegando, los chicos fueron a buscar a Juan de Dios, el indio de la laguna; yo me di un largo paseo con las dos niñas. Después hice un apunte rápido del huerto de los manzanos, no se me olvidara, y una vista del lago con la barca acercándose. Volvieron Juan de Dios y los niños por la orilla, traían una liebre cazada en una trampa, desollada. El hombre afilaba una vara de madera parecida al aromo, que no arde, para asar la liebre en espeto. Los chicos se declaraban capaces de hacer un buen fuego en la orilla, apartados de los árboles, formaron un hogar con piedras. Mientras, Juan de Dios y yo bebíamos cerveza sentados en un tronco, fumábamos esperando la comida. Ahí curiosamente empezó a hablarme muy seguido, casi contando su vida entera. Me extrañaba que conversara tanto un hombre que vivía en semejante soledad; confesó que hablar siempre le había gustado más que a otras gentes de su raza, con frecuencia murmuraba para sí durante horas, barajando agravios y recuerdos. Se había criado en una reserva cerca de Temuco con cinco hermanos más; su padre los abandonó cuando eran muy chicos, se llamaba Juan de Dios Carmona. El nombre me sonaba más a gitano esquilador de burros que a indio. ¿Era mapuche su padre?, pregunté. «Mitá y mitá... Parece que sacó la mitá más mala de cada lado.» La madre, que la llamaban Cayucupil porque había criado a seis hijos, era pura de Gente de la Tierra, de la familia Antumilla, familia buena con muchos parientes; ese nombre llevaba él, no el del papá que había sido un sinvergüenza malapersona. Con la madre sola fueron saliendo adelante, en mucha pobreza, sí. Tenían una chacrita, criaban sus pocas gallinas, un chanchito. Lo que la madre era, además, buena hilandera, hilaba y tejía sin parar, menos los domingos. Después Juan de Dios se casó, se hizo su propia ruca; los había casado el padre de la reducción, don Servando. Pero no habiendo tenido hijos con su esposa y la vida siendo lo que es, las complicaciones de las personas, al cabo de los años había tomado otra segunda mujer más joven. Decía don Servando que eso era un pecado pero los de su raza, la Gente de la Tierra, tenían la costumbre, no se conformaban con una mujer sola. ¿No era pecado todo lo que hacían los hombres? Sólo los pájaros con sus alas pareciendo angelitos del cielo tenían aquella inocencia... no se veían tres en un mismo nido. Y sí, era pecado, pues: tenía que ser. La prueba que las dos mujeres se amigaron entre ellas, se acostaban juntas... y la más joven fue justamente la que empezó con aquel negocio. Él había intentado separarlas, que no lo hicieran, de muchos modos. Pegándoles, pues, de todas las maneras pero nada que hacer. No las separaba nadie ni les importaba todo lo que les dijeran unos y otros... que hasta don Servando vino a retarlas. La machi, no. Ella había dicho que en esas cuestiones de amores lo mejor era no meterse... cuando hubiera podido solucionar el problema con facilidad, tenía harta fuerza con el espíritu. A mucha gente había sanado pero con sus mujeres no quiso intervenir. Entonces, ¿él qué iba a hacer, pues? Se marchó llevándose nada más su cuchillo, la manta y el caballo. Potrito corralero con sus manchas muy lindas, tan bien puestas, que era suyo; después se lo había cambiado a un paisano por la barca. Ahora, lo que él hacía era rezar todas las noches porque el padre le había dicho que rezara siempre. Por lo que rezaba, para que botaran de una vez la bomba «tómica» esa que decían que iba a caer: pues que cayera luego. Así, el mundo se convertía en una fogata enorme, hasta el bosque se encendía entero, no quedaba nadie. A él se lo habían dicho en el club de la parroquia que era donde estaba el televisor, enganchado en la batería de la camioneta del padre: cuando se viera por sobre los cerros como una callampa muy grande, entonces ya estaba. En lo que él, viendo la callampa, al tiro se metía bajo la cascada, se salvaba. El agua no ardía, ¿cierto?, lo más, que se pusiera caliente... allá arriba, en las termas, salía así ella sola, caliente y con un olor. Parece que hasta hacía bien a la gente enferma, cosa de los espíritus. ¿Yo decía que no era bueno rezar por esas cosas? Pero si igual iban a ocurrir de todos modos... don Servando lo sabía también. Se lo había explicado: más diluvios en el mundo ya no iban a venir, lo había prometido el Tata Dios, jurado por el arcoiris. La serpiente Cai-Cai estaba muerta; Nuestra Señora la Virgen María le había puesto el pie en la cabeza; ya no ahogaría nunca más a los hombres. Por lo que iban a perecer era por el fuego. ¿Entonces? Cuanto antes, pues. ¿Qué estábamos esperando? Tan mala como era la gente... cuanto antes.

Le pregunté qué pasaba con las criaturas inocentes, los niños, las personas buenas, don Servando por ejemplo. A lo que respondió, rascándose la cabeza, que don Servando ya lo esperaba. ¿Los otros? Malasuerte, nomás. Como tantas personas que tenían malasuerte. A mí me lo quería avisar «porque usté es güeno con los pobres.» Debía de creerlo por las botas de agua, los regalos.

–No, no, Juan de Dios. No es que yo sea bueno, soy corriente. Hay personas muchísimo más buenas que usted y que yo.

–Ah, que yo seguro, Patrón, yo no soy güeno, ¡guardo todos los rencores! No perdono a naide. Pero usté es güeno y sus chiquillos también. Yo se lo aviso para que se compre un barco... más grande que ese mío... y se mete en el mar. O lo cambia por su auto. Y si no quiere entrar en el mar, por el movimiento que es muy malo, entonces hay hartos lagos, hartísimos.

Volvían los niños gritando que la liebre se churrascaba, Juan de Dios se fue a verla. De una cajita de hojalata que había sido de tabaco sacó un poco de sal. Almorzamos. El barquero comió con su navaja y con los dedos; después fue a lavárselos en la laguna, hombre de mucha limpieza. Todos nos enjuagamos las manos y saqué mis útiles de dibujar. Juan de Dios no entendía aquello de ser pintor, se desilusionaba. «Yo creía que usté era dueño de fundo... por el auto tan grande, que tiene que ser importado. ¿Usté pinta, Patrón?» Mientras hablaba, yo le hacía un retrato rápido, con su gorro verde que no se quitaba un momento. Lo que más le había gustado de la comida era la cerveza y el café caliente, se veía satisfecho, con una excitación.

–Quédese quieto un poco, Juan de Dios, ahora verá lo que estoy dibujando.

Terminé el esbozo y se lo di; miraba muy extrañado y a mí con desconfianza súbita.

–¿Usté conoce a mi hermano? ¿Cuándo que lo ha visto? ¿Estuvo allá, en la reducción? –Muy pensativo. Se rascaba la cabeza, abría la boca.

–No, hombre. Ése es usted mismo, es su retrato. A su hermano no lo conozco ni lo he visto en mi vida.

Los niños se reían; pero si eres tú; ¿es que no te reconoces, no te has mirado al espejo? No se había mirado; espejo no hubo nunca en su casa. «Éste es mi hermano, –dijo, convencido– es el Feliberto.» Me lo devolvió con un gesto de reserva, una incomodidad como si estuviera viendo cosa de magia.

–¿No lo quiere usted, Juan de Dios, como recuerdo?

–Agradecío, Patrón. Pa qué lo quiero; es el Feliberto, mi hermano mayor. Me acuerdo de él.

Guardé el dibujo en mi carpeta, entonces sería un recuerdo para mí. Juan de Dios vacilaba, como si de repente tuviera prisa por irse y no se atreviera, no encontrara palabras de despedida. Me acomodé mejor en el tronco, saqué una hoja nueva. Vamos a ver, dije, ¿qué le gustaría que le dibujara? A lo que preguntó, ¿acaso yo vendía aquellos papeles pintados? ¿Me daban plata? ¿Era cierto que vivíamos de eso mi familia y yo? Tenía curiosidad por saber cuánto valía un dibujo: ¿como unas botas? Más, bastante más. ¿Como un chancho? Más, Juan de Dios. ¿Tanto como un caballo? Respondí que no sabía lo que costaba un caballo; pensándolo mucho me dijo que unos cinco mil pesos.

–Entonces, un dibujo de éstos yo lo podría vender... no aquí, claro, pero en la capital me darían un dinero... así como para un caballo.

No era verdad, desde luego; mi dibujo sería equivalente a cinco o seis caballos. No quise apabullarlo; igual abrió una boca enorme, parecía pez sacado del agua. Tardó en hablar, un poco.

–No lo compriendo. ¿Todos los que hacen eso ganan lo mismo?

–Pues no, todos no. Algunos ganan más y la mayoría gana menos. Hay que tener suerte... y que a la gente con plata le guste lo que uno hace. –No sabía cómo explicarle aquello que debía de resultarle un disparate.– Ahora, yo le dibujo a usted lo que quiera y se lo regalo. Pero le voy a poner una condición.

Movía la cabeza, negando. No quería nada, en la barca se mojaban mucho las cosas. Los papeles, bué. No le duraban.

–Se puede plastificar –dijo Sebastián, siempre práctico. La cosa era saber si le gustaría tenerlo. Dijo que no; igual lo agradecía. Se había puesto muy serio como con una pesadumbre. Preguntó si no querían montar en la barca, las niñitas también.

–Pero si a usted no le gusta llevar mujeres.

–Éstas son señoritas-doñas.

Las niñas dudaban, divididas. Queriendo ir, Gonzalo había hablado tanto de la belleza en el interior de la laguna, sin atreverse a aceptar.

–¿Vamos a caber?

–Sí cabemos, sí. Yo saco mis cosas...

Descargó las pieles de venado, la caja de madera, los cuchillos, el bote de las ascuas, un hato de ropa, alguna herramienta. Se fueron con él, yo me quedé solo. ¿Qué hago, Violeta?, dije en voz alta. En verdad, qué se hacía por un hombre solitario en medio de una laguna rezando para que se acabara el mundo, esas desesperanzas. Despacito, se había levantado un aire suave, viniendo casi sin venir y ahí estaba, vientecillo de seda que no movía apenas los pinos grandes, como una dulzura de palabras de amor, susurradas. Uno de esos instantes en que no se avergüenza uno de hacer cualquier cosa. Con lo que me había venido una idea, afilé un lápiz y empecé a dibujar una Virgen en el estilo de las pinturas arequipeñas, inocente y bella lo más posible, con cabezas de ángeles niños y un arco de flores detrás. Bajo sus pies dibujé una serpiente adragonada de mucha ferocidad; me sonreí pensando qué dirían de aquello mis amigos pintores, Pep Sarriá por ejemplo. Trabajé a toda máquina, era más difícil que un paisaje. Cuando volvieron del paseo guardé el papel en la carpeta; me encontraron recogiendo y sacudiéndome los restos de goma de borrar. Lo curioso que casi nunca me preguntaban lo que había dibujado: de pronto todos querían ver. Dije que no, era un secreto y no se podía. Juan de Dios me miraba con preocupación. «¿Está enojado, Patrón? ¿No lo quiere mostrar?» No estaba enojado; mañana, cuando acabara el dibujo, podrían verlo. Los niños aplaudieron la idea de volver mañana; recomendé que guardaran las cosas con alguna prisa, se había hecho bastante tarde. En el hotel, después que los niños se acostaron, seguí con el trabajo, en la habitación tenía bastantes lápices de color; hasta que no lo acabé no me metí en la cama. Por la mañana fuimos de nuevo a Victoria; después de recorrer unos cuantos sitios conseguimos que nos plastificaran el dibujo. Quedaba un poco charro, a todo color y no sin atractivo; Gonzalo meneaba la cabeza con una duda. ¿No tenía un tinte de «españolismo» aquello de dar al indio la estampita? Ese tipo de cosas le daba un cierto rubor y a mí también de costumbre; creo que fue el aire tan dulce y el recuerdo de Violeta lo que me decidió... Con todo, los demás niños estaban encantados, sin ver en su inocencia de buena fe ningún tinte colonialista, así que volvimos a tomar el camino de Tolhuaca ya como antiguos amigos del paisaje, como una costumbre. Juan de Dios no se veía, ni su barca, por ninguna parte. Una decepción, quizá tendríamos que marcharnos de vuelta con el regalo, plastificado además. Al otro día tempranito regresábamos a casa. Los niños daban vueltas, desorientados; corría un aire un poco húmedo. Viento del Norte, había dicho la dueña del hotel saludándonos a la hora del desayuno, viento que trae la lluvia. Después se había empeñado en que nos lleváramos una pala de hierro. «Si van cordillera arriba y llueve bastante, pueden quedarse atascados. Llévensela, nomás, porsiaca.» Entonces, «porsiaca», la habíamos cargado. Los mellizos y Sebastián querían cavar para entretener el tiempo en vista de que Juan de Dios no aparecía. Gonzalo se burlaba: «¿Qué queréis hacer, castillitos de arena?» Todos andaban más o menos de mal humor. Les pedí que se dieran un paseo y me dejaran dibujar. Se fueron, de mala gana. Los mellizos llevaban la pala por turno, los sentí alejarse pisando el lecho de hojas. Volvió el silencio. Me había instalado en un tronco diferente, tomaba otros puntos de vista. Se extendía una neblina ligera sobre el lago, transparencias, como un aliento de respiración. Frío no hacía. Llevaba buen rato trabajando cuando noté una sombra; a mi lado estaba Juan de Dios. Debió de haberse acercado pisando leve como auténtico indio; no lo oí llegar. En la mano llevaba las botas nuevas, caminaba descalzo. Le di los buenos días y seguí con el dibujo sin alzar más la vista, en lo que él susurraba pero tan bajo que no lograba entenderlo. No me interrumpió, seguimos así hasta que yo le dije que le había hecho un dibujo y se lo iba a mostrar por si lo quería y saqué de mi carpeta la Virgen con su envoltura plástica sellada. Abrió mucho los ojos, admirativo. ¿Para mí... tan linda? ¿Es cierto que es para mí? Y sí, para él solo... pero le había dicho que le iba a poner una condición. «La condición es ésta: que no va a rezar nunca más para llamar destrucciones ni males, ¿me comprende? Sólo hay que rezar para que Dios nos perdone a todos. Entonces, si estamos de acuerdo, hacemos el cambio: yo le doy el retrato y usted me promete...» Prometió. Había tomado la imagen con las dos manos, cuidadoso, la miraba; callaba mucho. Después tuvo una risa, un poco vergonzosa: «entonces, cuando me venga la rabia fuerte, ¿qué es lo que hago, me meto en el agua, nomás, hasta que se me pase?»

Aguas limpias rosadas, pétalos de flor, estrellas de nieve derretidas para lavar las rabias fuertes. Asentí: «Eso me parece muy bien.» La Cordillera daba un sentimiento de paz, aquellas sagradas alturas.

Los niños vinieron al acercarse la hora de comer, avisados por su hambre. En el cielo, y más abajo de los montes, se estaban formando agrupaciones de nubes muy deprisa. Olor de mucha lluvia. Nos dispusimos a comer con algún apresuramiento. Los mellizos, en su empeño por cavar, habían encontrado una piedra curiosa. De poco más que un palmo, tallada circular con un agujero redondo en el centro; Juan de Dios dijo que eran muy buscadas esas piedras por los que estudiaban la antigüedad de los mapuches. «Ningún huinca sabe para lo que servían, en los tiempos.»

–¿Y ustedes lo saben?

–No, pues. Pero nosotros no tenemos instrucción.

Los niños lamentaban marcharse de aquel lugar. «En el bosque volaban las telarañas de árbol a árbol –dijo Clara– era tan bonito.» A lo que el barquero contestó que debíamos darnos prisa en bajar. «Eso es la lluvia que viene. Apúrense, pues; estas tierras se ponen como chancaca si llueve fuerte.» No había tiempo más que para recoger y despedirse corriendo, con fuertes apretones de manos. Cuando emprendimos la marcha empezaba a caer un agua como hilos gruesos, levantaba polvo rojo en los caminos. Los árboles con suaves gorgoteos bebían, gargantas verdes. En la bajada pasamos algún agobio; los esteros no habían empezado a crecerse pero la tierra chupaba los neumáticos, los soltaba con ruidos de sopapo en un desagüe. Yo iba pegado al volante, cuidadoso por los resbalones, que alguno dimos; carrilear por aquellos caminos de montaña era difícil. El bosque con el agua oscurecía, verde–negro. Al pasar por los plantíos no se veía el sembrado sino un vaho de humedad espeso y quieto. Una desolación chorreaba por las colinas abajo; no se podía decidir si la belleza mayor era con tiempo claro o con la lluvia. Tendríamos que volver para comparar cuando estuviera nevado, dije. A lo que Gonzalo comentó «antes de hacer más planes, a ver si llegamos abajo sanos y salvos». Llegamos. Sanos, salvos y con mucho cansancio. También con los ojos y la memoria llenos de tantas hermosuras. Al día siguiente volvimos a la tranquilidad de nuestra casa, los niños al colegio. Siempre pensamos ir otra vez a Tolhuaca, pero la vida se nos complicó de forma que no esperábamos y nuestros paseos se hicieron mucho más escasos.

empezaba a [illegible] como [illegible] gruesos [illegible] por e
todos los caminos. Los árboles con [illegible] echaban
gargantas verdes. En la bajada [illegible] agosto, los
tos no habían empezado a [illegible] e la tierra chupaba los
[illegible] los [illegible] de agosto en una [illegible]
Yo iba pegado al volante, cuidándose por los [illegible], que
[illegible] que aquellos caminos de montaña era
difícil. El bosque con el agua oscurecida, verde-negro. Al pasar
por los planos no se veía el [illegible] un vaho de humedad espeso y quieto, una desolación chorreaba por las colinas
abajo; no se podía decidir si la belleza mayor era con tiempo
claro o con la lluvia. Tendríamos que volver para comparar
cuando [illegible] dijo. A lo que [illegible]
tes de hacer más planes, a ver si llegamos abajo sanos y salvos. Llegamos sanos, salvos y con mucho cansancio [illegible]
bien con los ojos y [illegible] lejos de [illegible] fuertes. Al
día siguiente volvimos a la tranquilidad de nuestra casa, [illegible]
nos al colegio. Siempre pensamos ir otra vez a [illegible] pero
la vida se nos complicó de forma que no esperábamos y nuestros paseos se [illegible] más escasos.

13

Pasamos un año en la calle de las Hortensias, acomodándonos a aquella forma de vida. Los niños eran los que se habían acostumbrado a todo con facilidad, parecían tranquilos y contentos . Hasta a los temblores se habían habituado; aquí la tierra se mueve con toda frecuencia. Uno se hace a eso, siente un vaivencito, mira hacia arriba, ¿está temblando? Sí, la lámpara se balancea. Ah, bueno, ya pasó. Pasaba. A nosotros no nos daba temor; los lugareños se asustaban más teniendo ellos memorias de antiguos terrores relatados.

En aquel año yo vi a Violeta seis veces nada más; pensar en ella pensaba a todas horas. Pinté, muchos cuadros. Inspiración y ganas de pintar no me faltaban. Veía a poca gente, a Gerardo y Elsa y alguno de sus amigos que me invitaban por haberme conocido en su casa, a Galvarino Torres, cada día con más cara de payaso triste. Los colegiales tenían compañeros y amigos, no se aburrían. La que estaba más sola era Lorena, no parecía importarle; a todas mis propuestas de que hiciera planes me respondía que no, muy conforme con su soledad. No hacía proyectos. A mí me angustiaba, una vida tan joven apartada de todo bullicio, de cualquier intercambio con gente de su edad, no me parecía cosa buena; quise mandarla a Europa y se negó. Elsa me aconsejaba que la dejara en paz, esas penas tempranas requerían su tiempo para pasarlas. No estaba muy seguro; Lorena tenía mucha firmeza de carácter, no hablaba del muchacho en cuestión pero eso no quería decir que lo olvidara tampoco. Le gustaban las excursiones; todos disfrutábamos con ir a los lugares tan hermosos, tantos cerros y ríos y rincones de bosque... Por lo demás, apenas conseguíamos sacarla de la casa, sólo iba a las compras en el supermercado, por el orden de la despensa, en la buena organización encontraba una paz. Así las cosas, surgió una dificultad inesperada. La señora Memé vino a hacerme una visita, pidiendo mil disculpas me dijo que se había presentado un comprador para su casa en tan buenas condiciones que no lo podía rechazar. Sentía mucho pedirnos que nos marcháramos, comprendía la dificultad de cambiarme de casa con los siete hijos pero habíamos quedado de acuerdo en aquello como yo recordaría. Lo recordaba y no podía reprochárselo. A mí me cayó la noticia como un golpe en la cabeza. Vuelta a ponernos en campaña... y Galvarino Torres decía que las casas habían subido mucho, era un escándalo. La señora Memé proponía que comprara yo, en el mismo precio que le ofrecían pero con mayores facilidades... ella lo había consultado con su marido y estaba dispuesta a darme los plazos que me conviniera. «Nosotros estaríamos muy felices de que ustedes se la quedaran, aunque las condiciones fueran menos ventajosas. Yo sé que los niños están a gusto acá, en las Hortensias.»

Lo estaban, aunque a veces en el dormitorio de las cuatro camas, el de los chicos, sonaran peleas y voces; en realidad, resultaba un poco justo. Di las gracias a la tía Memé y le pedí veinticuatro horas para pensarlo y hablar con mis hijos.

–Oh, no veinticuatro horas, mi querido amigo. Este señor está fuera de la ciudad hasta el lunes... y tampoco estoy obligada a contestarle el mismo lunes, aunque no quisiera demorarlo mucho; es una buena oferta. De todos modos, hay toda una semana por delante.

Toda una semana no era mucho para decidir asunto tan difícil. Cuando la señora se marchó quise esperar a que volvieran los niños del colegio... prefería reunirlos a todos para discutir el problema. Pensé y pensé. En rigor, podíamos comprar la casa; de Caracas me estaban llegando muy buenos dineros y estaba preparando otra exposición. Las noticias de Ramón eran, por ese lado, todas buenas. En su cuarto, Lorena tejía un chaleco; le pedí que se reunieran conmigo en la sala en cuanto llegaran sus hermanos, teníamos que hablar. Al rato llegaban. Venían preguntando, ¿pasaba algo? Aurora detrás, con una bandeja de vasos de leche y panes untados, traía con ella un ligero olor a guiso de carne. «Quédese usted también, Aurora, usted forma parte de la familia.» Los mellizos se abalanzaban a los vasos de leche, sacaban bigotes blancos, las caras tan iguales. Expliqué de lo que se trataba, quedaron muy callados al principio. Gonzalo murmuró: sic transit. Y eso fue todo. Se les veía el desconcierto; intenté dar alguna animación. Bueno, no era el fin del mundo, teníamos varias soluciones. La primera, buscar otra casa. De la fila salió como un suspiro. «No os agobiéis –seguí–. Ahora conocemos mejor la ciudad, hace buen tiempo... no estamos tan apurados como antes, va a ser muy distinto.»

–Pero, papá, ¿y el colegio?

El colegio terminaba en un mes; antes de ese tiempo no íbamos a marcharnos de ningún modo. «Y el curso que viene, sería cosa de tomar la camioneta cada mañana y... Además, creo que Lorena debería sacar permiso de conducir; ¿te gustaría eso, hija?» Ni sí ni no, le daba igual; quizá lo mejor iba a ser que aprendiera antes Gonzalo... Lorena estaba sombría. Clara se desesperaba: «Va a ser horrible empezar otra vez toda la pesadilla.» Sebastián también se veía disgustado, él que había perdido horas clavando clavos y sujetando cosas por todas partes... A los mellizos hasta les divertía el jaleo de ponerse a mirar casas otra vez; a Paz le daba igual si se llevaba al Kim y a su Felipa y podía ver a la «tía Memé» algunas veces. Lorena callaba.

–Y tú, hija mía , ¿qué dices?

–¿Qué voy a decir? Si hay que buscar, buscamos. Mala suerte.

–¿Gonzalo?

–Sólo has dicho una solución, nos quedan otras. ¿Podríamos nosotros comprar esta casa?

Admití que era una posibilidad; lo que yo quería saber, si la casa les gustaba tanto como para comprarla. Quizá más adelante ellos quisieran otra independencia de dormitorios, mayor comodidad. O yo mismo un estudio más adecuado que el garaje; comprar tenía que ser para bastante tiempo. Por eso los había reunido. ¿Cuánto cuesta la casa?, quiso saber Gonzalo. Cuando les dije el precio, soltaron una exclamación. ¡Ahí va!, dijo Mateo y Marcos, a la vez: ¿cuántos autos se pueden comprar con eso? Clara dijo enfadada que no fueran idiotas y Lorena, con voz de cansancio pidió que, por favor, nos habíamos reunido para hablar, no para pelear así que un poco de calma. Pero la noticia les había traído una inquietud, estaban nerviosos.

–Don Rogelio –dijo Aurora– si le permite a una servidora dar su opinión...

–Claro, Aurora, dígame.

–Tú eres de la familia, Aurita.

–Gracias, m'hijita linda. Con su permiso, don Rogelio, yo pienso que ésa es harta plata...

Lo era pero la casa tenía muchas ventajas. El sitio, la orientación, la costumbre nuestra y, además, no tener que buscar por otro lado. Los niños no dejaban hablar a Aurora; Gonzalo dijo que había que mirar las dos caras del asunto y los hermanos le preguntaron qué quería decir con aquello. Desabridos; tenían ganas de pelea visiblemente.

–Quiero decir... ¡callaos de una vez! Que si vamos a gastar tanto dinero, convendría mirar un poco de todos modos a ver si por esa cantidad podemos encontrar algo mejor. ¡Y si no se callan los mellizos les voy a dar una...!

Los mellizos todo se lo pensaban consultándose; entre los dos hacían como una persona grande. Decían que con el alquiler también se gastaba dinero y para no tener nada, al final. Gonzalo sugirió que quizá lo mejor fuera tomar un departamento; Marcos y Mateo volvieron a gritar. Hasta Lorena admitió que lo había debido de decir por mortificar a los mellizos; para ellos el jardín era lo más alegre, lo más necesario. «Mire, don Rogelio, lo que yo iba a decir denantes, que por esa cantidad se podría comprar una casa mejor en las afueras, con parcela. Sería rico criar gallinas, su poquito de chacra...» ¿Qué era chacra? Ninguno lo sabíamos; Aurora se dispuso a explicarnos.

–Hortalizas, pues. Y frutales. Tendríamos nuestras papitas, nuestro choclo fresco, nuestras manzanas...

Los niños chillaron, ahora de entusiasmo; me asusté. ¿En qué clase de complicación eran capaces de meterme? De repente, todos querían vivir en las afueras, plantar un huerto. Se quitaban la palabra de la boca, cuánta vitalidad, la terrible exuberancia de los jóvenes. Yo los oía como de afuera, me perdía en mis propios caminos, mis dudas de no saber. ¿Qué querría Violeta que hiciéramos, seguir allá, buscar otra casa? ¿Campo o ciudad, qué sería mejor para los niños? Sin ella, no sabía tomar determinaciones. El runrún se acallaba momentáneamente, aprovechando la pausa, Clara me preguntó: «¿Qué estás pensando, papá?» A lo que contesté sin darme cuenta, solía tener bastante cuidado con aquellas cosas, «pensaba qué opinará mamá de todo esto... Hace muchos días que no la veo...» No esperaba lo que iba a resultar; de pronto Lorena perdió los nervios. Gritó, cosa que ella jamás hacía:

–¡No, por favor, no! ¡No empieces con eso otra vez! ¡No lo soporto!

–Hija mía, no te pongas así, cálmate.

Clara rompió a llorar, hipaba. Los mellizos se apoyaban uno en otro. Gonzalo intervino, alterado: «¡Tiene toda la razón! ¿Por qué no enfrentas los hechos?»

¿Qué querían que hiciera? Me dolió fuerte el pecho, tenía un ahogo. «Calma, por favor», dije con debilidad. Lorena también estaba llorando, como desesperada. «¡Ella está muerta! –sollozó– ¿Cómo quieres seguirlo negando? ¡Se mató en aquel maldito accidente, está muerta, muerta! ¿Por qué no te quieres convencer? ¿Es que no te acuerdas de la autopista de Barajas, del golpe, de nuestra pena horrible? No podemos seguir así, aguantando lo nuestro y toda esta locura tuya.»

Aurora había salido precipitada hacia la cocina al primer grito de Lorena, volvía con dos tazas llenas de algún agua caliente. Ponía azúcar, varías cucharadas. «Tómese esto, hijita, –dijo removiendo con la cucharilla– es muy bueno para los malos ratos. Y usted, Clarita, también. No llore más, mi linda.» Lo que yo hacía era temblar con todo el cuerpo; hubiera dado cualquier cosa con tal de no haber producido aquella escena. ¿Todos estaban en contra mía, hasta la buena de Aurora? Traté de encender mi pipa, no atinaba. Todos no; Sebastián dijo con brusquedad: «¿Por qué no lo dejáis en paz? ¿Es que no tiene derecho a hablar de lo que le dé la gana, en su propia casa?» Tenía también un brillo de lágrimas en los ojos azules y acento de rencor. Pacita, sin mucho saber, le tomaba la mano, miraba a Gonzalo con rabia; un enfrentamiento se sentía en el aire, se dividían. Eso no, no podía ser. Finalmente pude hablar, la voz no me obedecía como debiera ni a mí me parecía mi propia voz.

–Hijos... lo siento mucho, de veras. Es que no puedo resignarme, no olvido el accidente ni el entierro... cómo podría olvidarlo... si nos vinimos para acá fue porque la noche antes ella me dijo... suceda lo que suceda prométeme que no se suspenderá el viaje... Lo prometí. No olvido nada, hijos míos, pero cuando os digo que la he visto, es verdad que la he visto. Pocas veces, sí, muy pocas veces.

–Eso son imaginaciones tuyas –dijo Lorena; las lágrimas le caían dentro de la taza y Sebastián le alargaba un pañuelo como queriendo no estar mal con el bando de Gonzalo, reparador–. Son imaginaciones, convéncete. Tienes que hacer un esfuerzo por convencerte: no la ves en realidad.

–Desde luego –asintió Gonzalo ya con voz más tranquila–. Son imaginaciones.

¿Cómo explicarles? Aquella sensación de su presencia: Violeta estaba ahí, en los alrededores de nosotros. No nos había dejado, del todo no. Algo de ella, quizás imagen, ¿imaginación?, no lo sabía. Pero ella nos acompañaba, rondaba nuestro mismo aire, no andaba nunca muy lejos. Que yo la viera era lo que los niños no podían creer, no querían aceptarlo... Cedí, por su tranquilidad. «Bueno, hijos, serán imaginaciones mías.» Iba a añadir «pero no me las quitéis»; callé. ¿Para qué hacer más empeño? Había que centrarse en la dificultad presente: que los niños tenían que estar bien y contentos. Otro problema, también inmediato: buscar casa o quedarnos comprando la de la calle de las Hortensias. Alquilar o comprar; siempre las decisiones me daban un sentimiento de incapacidad. Violeta, tan clara para todo en su mente, sabiendo lo que nos convenía hacer. Callé; la calma volvía al salón despacito. Lorena dijo: ¿Por qué no vas donde los tíos, les preguntas su opinión? Y Gonzalo: O a hablar con Galvarino Torres, ése sabe mucho de casas. Me pareció que lo que querían era quitarme de enmedio; yo los incomodaba. Aquellos desasosiegos no los podía evitar. Saqué el coche, fui a hacer una visita a Elsa y Gerardo, «los tíos». Elsa quería disculparse de que la señora Memé hubiera encontrado comprador, la malasuerte. Le recordé que así lo habíamos hablado cuando tomamos la casa, tenía todo el derecho.

–Oh, no es cuestión de derecho. Es una lata, ahora que los niños estaban tan encajados... ¿Qué podríamos hacer?

El precio les parecía caro. Gerardo opinaba que debíamos

volvernos a España. «No sé qué hacéis acá... yo mismo me mandaría cambiar si tuviera posibilidad de casa en Europa.» Pero, protesté, a nosotros nos gustaba vivir aquí y ya estábamos acostumbrados. Tonterías, replicó Gerardo, en Europa había más mercado para los cuadros, más posibilidades de todo, exposiciones, premios, críticas, marchantes... aquello era el centro del mundo y España una delicia, país donde todavía quedaban locos, lo más estimulante. «Éste es un lugar perdido, un rincón del mundo sin ningún interés. La gente sólo habla de política o de dinero... y no tenemos ninguna de las dos cosas. Acá no hay locos, Rogelio, ni genios ni gente de verdadera categoría. Márchate, en este país no se puede hacer nada.»

«Hay paisajes –dije vagamente– se pueden pintar.» Y Elsa apretó los labios, un poco. Claro, si uno quería pintar estaba muy bien acá, le dijo a su marido con intención. Yo entonces no sabía que Gerardo no estaba pintando, sólo lo empezaba a sospechar; pensé en Teresita la vieja, ocupada en vigilar a su nuera, llena de historias de aparecidos y pactarios. En Juan de Dios Carmona Antumilla, el indio de la laguna, rezando para que cayera la bomba «tómica» y se acabara el mundo. En Galvarino Torres y sus mil vidas imaginadas, en la señora Olivia... ésa era una loca sin gracia ni altura pero en cuanto a demencia, primera medalla. No comenté nada de aquello, no sabía cómo podría tomarlo Gerardo que no estaba del mejor ánimo, sólo que Ramón Abad me estaba hablando de llevar una exposición a Nueva York. Teniéndolo a él de marchante, tanto me daba vivir en un lugar o en otro. Y a todos nos gustaba estar aquí. A lo que Gerardo meneaba la cabeza desaprobador pero de la exposición en Nueva York sí se alegraba. Nunca tenía envidias ni celos profesionales.

–Pero mi tía te dará un tiempo para pensarlo, de todos modos –dijo Elsa, pesarosa.

–Una semana para decidir y un mes más si es que nos marchamos. Es lo justo...

No quería agobiarlos, sólo que me dieran su parecer. Pregunté a Elsa por sus últimas muestras y las sacó; estaba haciendo dibujos muy lindos. Gerardo seguía en mal momento, sin poder pintar. A veces era así, se secaban las fuentes y no había nada que hacer. Entonces, mientras duraba la inspiración, había que trabajar de firme. Se pasaban rachas... Al cabo de un rato me despedí. Elsa me acompañó a la puerta, cavilaba. «Si sé de algo te avisaré. La pena, que no podáis venir a esta casa... sería bueno para Gerardo que anda medio deprimido... con tus hijos se lleva muy bien. No te preocupes, Rogelio, que todo se arreglará... Lástima que en la casa...

–Gracias, Elsa, pero nosotros no cabemos en ningún lado... somos nueve más el perro, imagínate.

Tampoco yo sería capaz de pintar en el estudio de otro, para una temporada corta, sí, pero a la larga, imposible. Mis soledades me daban toda la fuerza. Pero Elsa era amorosa por haberlo pensado, siempre pensaba en todo realmente. «Ven el domingo por la tarde, tenemos unos amigos... Son gente simpática; no faltes, ¿ya?» En eso quedé.

En casa se había desvanecido la tormenta. Limpios y repeinados, flequillos húmedos, los niños me esperaban para sentarnos a la mesa. Tranquilos. Yo les transmitía mis angustias, el terrible miedo de olvidar. Era normal que habláramos de las casas, que entre sí discutieran y pelearan un poco. La sopa de gallina pasó mientras cada uno enarbolaba sus opiniones. Piscina querían los mellizos; Clara vistas, paisajes para poder pintar. En Sebastián había prendido con fuerza la idea del huerto: «Así no tendríamos que comprar verduras ni frutas.» Pero, decía Lorena, para tener un huerto había que tomar un hortelano. ¿Quién iba a cavar y aporcar y regar y podar los árboles? «¿Vosotros? Ah, sí, ya os estoy viendo en esos trabajos. Desde que empezó el colegio, yo me he ocupado de este jardín, que no habéis hecho nada.» Era verdad. Lo que quería Gonzalo era un dormitorio para él solo, con estanterías para sus libros. Además, los mellizos roncaban, tenían vegetaciones: parecían dos cerdos. Los mellizos se daban con el codo, imitaban ronquidos de pocilga con lo que Marcos acabó echando la sopa por las narices entre mucho aspaviento. Aquello provocó una explosión de risas, hasta en Lorena tan mirada en los modales. Sólo Clara se quedaba muy seria, pensando.

–¡Ya sé! –gritó de pronto–. ¡Callaros por favor!

–¿Qué le pasa a ésta ahora?

–He tenido una idea, una idea buenísima.

–Guárdatela; será una estupidez.

Antes de que volviera a llorar, pedí silencio, que Clarita nos dijera su idea. Pero ahora no se decidía. «Es que "ellos" me toman a mal todo lo que digo.» Le rogamos que no exagerase. Aurora se paraba junto a su silla como dándole amparo; siempre teníamos la sospecha de que era su preferida. Lorena también le pedía que dijera su idea.

–Pues... no os riáis de mí... ¿Os acordáis de la excursión que hicimos hace unas semanas, tan bonita? El día que abrimos la cerveza de papá y se salió toda encima de Mateo... que comimos en un vallecito... Había una tapia y ponía se vende esta propiedad... y se veía la casa tan bonita, rosada, ¿os acordáis? Más allá de las tapias del jardín que era muy grande, que estuvimos mirando por la verja y luego pasaba el río y ponía se vende... He pensado que a lo mejor no era muy caro y era tan bonito...

La pobrecilla no hablaba con mucha coherencia, casi en tono de súplica. Ni esperaba ningún éxito, se desconcertó con el clamor de comentarios. ¡Era una idea estupenda, fantástica! ¿Seguiría en venta? Sí, todos se acordaban muy bien del lugar, era precioso.

–No sabemos en qué condiciones estará la casa ni el precio –dijo Lorena– pero sí que era un sitio ideal.

–Siempre había creído que Clara era idiota –dijo Mateo con sinceridad de asombro, a lo que contestó su mellizo: «Y era idiota, se habrá curado de repente.»

–Un caso milagroso –murmuró Gonzalo con voz grave– tendríamos que hacer decir unas misas o algo.

Clara se lamentó: ¿lo estaba viendo como no la dejaban ni abrir la boca? Le pedí que se tranquilizara; todos habían encontrado maravillosa su idea. Las bromas las tenía que aceptar. «Era tan bonito, papá», repetía con una especie de ansia hasta parecida a un dolor. La comprendí; en verdad que lo era, un valle muy risueño al sur-este de la capital. Con la alta guardia de las montañas, a lo lejos. Lo más probable era que hubieran vendido la casa o que fuera carísima. Por lo demás, quedaba el problema del colegio. Entonces, todos declararon que eso no era ningún problema; lo había sido, curiosamente, pocas horas antes. Una ilusión allanaba todos los caminos. Intervino Aurora: «Don Rogelio, si a usté le parece bien, yo preparo comía para el sábado y pueden ir a ver. Es pasado mañana.» En eso estuvieron todos conformes, iríamos. Con Aurora y el Kim, que no faltara nadie. La conversación no podía circular sino alrededor de la casa. Las preguntas se multiplicaban.

¿Necesitaría mucho arreglo? ¿Tendría agua corriente, cuartos de baño? ¿Estaría sólida? Sebastián confiaba en los anchos muros de adobe, la construcción antigua. «Si están sanos los muros y el tejado, lo demás no es de mucha importancia.» Gonzalo recomendaba calma, no entusiasmarse, no embarcarnos sin haber mirado otras cosas primero. Para comparar. Pasamos un viernes de impaciencias; todos estaban nerviosos. Por la tarde fui a visitar a Galvarino Torres, por hablar de casas, que de lienzos tenía una buena provisión; otros compañeros se habían quejado de que no trabajaba más que para mí. Lo encontré deprimido. «La vida –me dijo– ¿quién la entiende? ¿Dónde está la justicia para los hombres, don Rogelio? Un perro, en la imagen y semejanza de su amo, es quien conoce a Dios.» La Yoyita no se veía por allí, el almacén aparecía desordenado y sucio, en contra de lo usual. Pregunté cómo estaba la señora Olga, porque a él le gustaban aquellas ceremonias tanto. Levantó los ojos por encima de las gafas estrechitas. «Así.» Nada más. Después escribió en un papel un nombre y una dirección, me lo daba y leí sin comprender. «Jorge Luis Gacitúa. Avda. Matta 4264.» Esto, ¿qué es? «Es la dirección de un buen artesano, un muchacho que vale harto... yo mismo le enseñé a preparar los lienzos. Se la doy, por si yo algún día dejo de trabajar...» Quise animarlo; ¿por qué iba a dejar de trabajar?, pregunté. Precisamente ahora que yo tenía tanto trabajo. Al contrario, teníamos que hacer muchas cosas. «Si yo expongo en Nueva York, ¿qué le parecería viajar para allá conmigo? Aquellos edificios merecen la pena, son fantásticos. Así que estamos de acuerdo, ¿verdad? La galería me paga el viaje con un ayudante.» Agradecía, con su cara triste. Ni siquiera hablando de casas conseguí alegrarlo. «Hoy el *Mercurio* no trae ninguna buena. Pero ya me fijaré y si veo algo...» Supuse que la Yoyita le estaría dando más disgusto que de costumbre. Viéndolo tan entristecido me demoré en la silla de paja de su taller, quería hablarle, no sabía mucho de qué pero hablar para mitigar aquella soledad que se adivinaba. Me costó trabajo, nunca he sido buen conversador; casi sin quererlo me encontré hablando de Violeta. Cosas de otros tiempos. Violeta y sus ojos grises que decían: «yo tengo un secreto». Su sonrisa que era un perfume y una luz, sus viajes en los mapas. Y el amor por las cosas pequeñas, alegría de todo lo bonito de la vida... sin Violeta yo no sabía seguir viviendo. De pronto callé, me pareció que no estaba usando de mucha discreción ni delicadeza al hablar así. Pero Galvarino se dio cuenta de mi apuro, me tranquilizó: «Son cosas muy lindas; yo me honro con esos recuerdos suyos. Fíjese: es mejor perder que no haber conocido esas alegrías tan sencillas. Porque el que tuvo, algo guarda. Nada dura para siempre, don Rogelio; vivimos para estar seguros de que vamos a morir, nada más.» Sí que estaba ceniciento, más que de costumbre. Se levantó a hacer un poco de té en un fogoncito de gas donde preparaba sus colas. Enjuagó dos tazas, no tenía paño para secarlas, las sostenía sobre el calor de la llama, un poco azul. Echaba las hojitas de té directamente en las tazas, el agua hirviendo encima. «¿Tendría inconveniente en sentarse de este lado de adentro? –preguntó de repente–. Yo sé que no es su lugar...» Se disculpaba y a la vez parecía estar abriendo las puertas de oro de la confianza. Por sobre el mostrador de madera le pasé la silla, luego rodeé, fui a sentarme a su lado. Entonces dijo: «La Yoyita se fue. Me ha dejado una carta...»

–¿Se fue? ¿Adónde? –Me desconcertaba lo escueto de la noticia.

–A Valparaíso, dice. Con un caballero. Dice que esta vez se enamoró de veras.

Quedé callado; todos los comentarios me parecían fuera de lugar salvo un murmurado «cuánto lo siento». Galvarino comentó sobriamente que había tenido paciencia para muchas cosas, harta, pero que dijera que se había enamorado... Ah, no. Por ahí no pasaba. Admitía que ella se buscara sus placeres; amor, no. Eso era mezclar el espíritu, algo demasiado serio. Por ningún motivo lo consentiría. Me pregunté cómo iba a impedirlo, no dije nada. Él siguió hablando, casi sin expresión; estaba realmente triste. Tampoco creía que se hubiera ido a Valparaíso; seguramente lo dijo para alejarlo a él de su rastro, que no la buscara. Pero un vecino le había contado que la vio en Pedro de Valdivia Norte, al otro lado del río. Si pudiera, la localizaba. Al marcharse se había llevado todo el dinero que tenían en el Banco, los ahorros de muchos años de trabajar. No que la fuera a buscar por la plata, no, la plata era lo de menos; lo que tenían era que aclarar las cosas. Me quedé con él más rato que de costumbre; era ya tarde cuando fui para casa. La Cordillera se veía color de rosa, el atardecer alargaba bellamente. Pensé que tal vez fuera mejor que la Yoyita se hubiera ido; aunque al principio Galvarino la echara de menos, a la larga se podía recobrar y llevar una vida mejor solo que con ella. Al despedirme en la puerta de su casa, le dije: «entonces; es seguro que vamos a Nueva York» y asintió, un poco más animado. Pero aquélla fue la última vez que iba a hablar con Galvarino Torres.

14

La mañana del sábado empezó con una serie de corridas abajo y arriba; la escalera retumbaba. Aurora con su placidez ponía la comida en las cestas, respondía preguntas. ¿Dónde está mi chaqueta amarilla? ¿Has puesto la comida del Kim? ¿Has visto tú mi cinturón de cuero? El aire era de fiesta, excitación anticipada... y un temblor. El que no se cansaba de predicar prudencia era Gonzalo: nada de precipitarse, repetía. Disponíamos de un mes, como mínimo, para buscar otra casa; teníamos que ver mucho y comparar. Y, de todos modos, lo más seguro era que aquélla estuviera vendida. Lorena ayudaba a recoger los dormitorios, daba un repaso a las camas hechas con apresuramiento, remetidas a toda prisa. Sebastián cepilló al Kim que se resistía. «¡A ver si te quedas quieto! Tienes que ir muy guapo para no dejarnos en mal lugar, perro desordenado.» Mientras, Paz buscaba inútilmente correa y collar por todas las habitaciones. «Hija, no revuelvas más. ¿Cómo quieres que esté la correa del perro aquí, en el salón?» Era donde la encontraba. Yo de la excursión casi me estaba arrepintiendo, temía los desengaños. ¿Qué haría Violeta en mi lugar? A lo que Violeta, en el fondo de mi corazón, sonreía. Señalaba: ¡adelante, mis valientes! Y embarcábamos en la furgoneta como quien se hace a la mar, ánimos de descubridores.

La primera vez que habíamos visto la casa, imponente y solitaria entre sus árboles con plumaje aún de invierno, por encima de los rosados adobes de las tapias, fue por casualidad. Buscábamos un sitio cerca del río donde instalarnos a la hora del almuerzo; sólo Clara se había fijado mucho en ella. Yo la miré, porque era hermosa, pensando volver en primavera algún día menos melancólico y dibujarla. Ahora íbamos los diez, incluyendo al Kim recién peinado, dentro del coche para verla de nuevo, repartidos los ánimos entre la indecisión y una esperanza. El tiempo había cambiado; la primavera demorada entró de golpe, los estallidos de la estación más alegre. El camino ya lo conocíamos: unos cuarenta kilómetros al sureste por carretera general, después una desviación hacia la Cordillera, el levante. Enseguida se llegaba a un pueblo tranquilo, adormecido en los faldeos de las montañas, con sus casas según la tradición, de adobe, teja colonial y galerías con columnas de madera, escala pequeña. Todo pobre. En la vegetación era donde estaba la mayor riqueza por el favor del río que bordeaba el pueblo; de los huertos asomaban palmeras, frutales en plena flor, muchas plantas. Vallecito frondoso, campos llanos. Desde la calle del pueblo, la sola calle, otra desviación. Sendero sin asfalto siguiendo el curso del río un poco serpenteante. Hasta entonces todo había sido facilidad, camino recorrido; los niños reconocían los lugares por donde íbamos pasando, no hacía tanto tiempo que habíamos estado allí. Pero en el último tramo la conversación se hizo de pronto incómoda, nos cercaban las dudas. Yo mismo levanté por un instinto el pie del acelerador, metí segunda marcha. Toda aquella expedición, ¿no era un disparate? ¿Cómo se nos ocurría siquiera pensar en vivir tan lejos, tan apartados? Los niños no podían dejar su colegio; Gonzalo en marzo empezaba la Universidad. ¿Me dejaba yo contagiar de las fantasías de ellos, no debería tener más sentido común? Mejor nos volvíamos... pero seguimos adelante. Con las mil preguntas rondándome la cabeza, el camino de tierra se alargaba.

–Yo creía que estaba más cerca –dijo Sebastián–. Pero la verdad que esto está lejísimos.

–No tanto. Es que ahora vamos más despacio. Y siempre se le hace a uno lejos cuando no conoce bien el sitio.

–El camino está regular –dije– pero, si no recuerdo mal, eran pocos kilómetros. Les advertí que el lugar podría desilusionarnos, no era lo mismo ir de paseo que ya con la idea de instalarse a vivir permanentemente. Mejor no esperar demasiado de las cosas.

–¿Vamos a entrar todos? –preguntó con apuro Gonzalo, especialista en vergüenzas ajenas–. Somos demasiada gente.

Ah, sí, teníamos que entrar todos para opinar. En un asunto así debía haber unanimidad: era muy serio. Gonzalo se conformaba. Sobre todo, no nos precipitemos. «Si hablan de la plata, –dijo Aurora sensatamente– mejor que los niños no digan nada. Ni que les parece poca ni mucha; ustedes, calladitos.» Además Gonzalo quería regatear: nadie pedía el precio exacto sino algo más para hacer rebaja... era mejor técnica. Y, de cualquier manera, nada de decidirse enseguida. «Seguro que ni te has puesto a hacer cuentas para ver hasta dónde podemos llegar en el precio de la casa.» Llevaba razón y tuve que reconocerlo; le aseguré que no iba a decidir, en cualquier caso diría que tenía que pensarlo. Clara daba suspiros; lo más probable que la casa estuviera ya vendida. Era tan linda. Y si no estaba vendida, sería por demasiado cara. Era tan importante. Lorena decía: no es seguro; está muy quitada de enmedio. Hay que adentrarse... y no había anuncio en la carretera. El camino cruzaba ahora al otro lado del río, pasamos un puente de madera. Y, a la salida del puente, ahí estaba. A la izquierda, a medias escondida entre sus muros de adobe rosas, un poco perdidiza, soñolienta. Tan realmente hermosa. Un pájaro cantó. Chilló Clara: «¡El letrero sigue en su sitio!» Gonzalo la mandó callar, nervioso; quizá fuera que no habían tenido tiempo de borrar el letrero, no quería decir nada. Delante de la cancela paramos el coche, todos en las ventanillas. Mirábamos. La casa belladurmiente tras los árboles altos, tranquila como señora con una majestad. Desde la verja veíamos de frente su fachada larga, la exacta simetría: un portón de dos hojas, cuatro ventanas con altas rejas a cada lado. Tejado de tejas antiguas un poco verdinosas de líquenes, declinando con suavidad hasta apoyarse en las anchas columnas de madera. Casa colonial, sólidamente antigua. Tan serena, establecida firme entre los árboles, que daba como un anhelo de poseerla, se quedaba con el corazón de uno, agarrado. Enamoraba. Encima de la verja, forjado en hierro el nombre. Que era extraño: Fundo Chumaiyu. El Kim lloraba bajito, ahora que habíamos parado el coche quería bajarse en seguida. Paz forcejeó con la correa; Gonzalo se enfadaba: «¿para qué demonios habéis traído al perro? Fuera poco invadir una casa nueve personas...». Aurora se ofreció a quedarse con el Kim en el auto; los niños no consentían. Íbamos todos. Sebastián se hizo cargo de la correa; a Paz el perro se le escapaba, podía más. Bajamos, rodeamos las tapias andando. En un prado cercano una bandada de pájaros levantó el vuelo con chillidos muy fuertes. «Los queltehues –dijo Aurora–. Su oficio es avisar cuando entra gente extraña en un campo.» Eran muy escandalosos.

Desde fuera no se veía más que los muros del jardín, las copas de los árboles, altas. Polvillo de oro pálido los aromos ya en flor, la luz rebrillando entre las hojas. Palmeras muy grandes. Llegando a la parte de atrás se distinguía mejor la estructura; a la fachada larga se sumaban dos cuerpos a los lados, resultaban tres alas casi iguales como una enorme U; un patio grande. A la espalda de la casa había otro portón que estaba abierto. Los corredores de columnas eran dobles, delante y detrás de los tres cuerpos. Más allá se tendían los huertos, más construcciones, dependencias. Las ventanas tenían buenos enrejados, fuertes hierros; la casa se veía firme, bien apoyada. Demasiado grande: nos entraron las dudas otra vez. Es inmensa, dijo Lorena. Del otro lado del patio detrás de una tela metálica alta entreverada de rosales silvestres muy sencillos de flor, se mezclaban gallinas y gansos. En los huertos se veían muchos árboles de fruta en floración; llegaba un perfume. Una higuera enorme al fondo de un caminito de tierra apisonada que llevaba a la cuadra. El olor era de muchas cosas diferentes, boldos, toronjil, frutales, rosas tempranas de esas que se parecen un poco al tabaco fresco, henos de un prado. Un trabajador, edad indefinible, con delantal blanco limpio sobre la ropa, sombrero de fieltro color café, nos había visto y vino hacia nosotros. Saludaba correcto, un poco extrañado. Explicamos: queríamos información de la casa, si era que aún estaba en venta. El precio, las condiciones, enfin... «¿Vienen todos juntos?», preguntó; pude oír a Gonzalo dar un respingo. Le aseguramos que así era, familia muy numerosa, con lo que el hombre fue a llamar al patrón, volvió al cabo de un momento diciendo que podíamos pasar. Aquel momento lo aprovechó Gonzalo para susurrar que nada de embarcarse con ninguna prisa. Pero la verdad, que la casa a cada instante nos gustaba más. Entramos por el patio grande; el patrón salía al corredor a recibirnos. Un señor mayor de cara apacible y aliento corto, muy amable. La casa, sí, seguía en venta pero no se vendía sola. La propiedad comprendía casas, jardín, dependencias, establo, instalaciones, tierras de siembra y el cerro al otro lado del río. El bosque que habíamos visto, sí. Dos hectáreas de jardín y de huerto, cuarenta y cuatro regadas contando la pradera, unas cincuenta de bosque. Pero, si queríamos visitar la casa, no faltaba más, adelante. Que perdonáramos el desarreglo de un hombre viviendo solo. Enviudado años atrás. «Mi señora fue María Adela Aznar García, hija de españoles. ¿Quizás conozcan ustedes...? Sus padres vinieron acá, emprendieron negocio de maderas...» Entonces, después, Amadeo allí presente nos mostraría el campo, las lindas tierras. Vacilé; ¿para qué molestar al buen señor? Estaba claro que todo aquello no podíamos comprarlo. Por otra parte, habiendo hecho el viaje... y los niños detrás de mí, deseando verlo todo... Agradecí y pasamos. Había un zaguán con el salón grande a un lado, el comedor al otro. Detrás del comedor antecocina y cocina, esquinando para la nave lateral, despensas, lavaderos, habitaciones de servicio. Esa misma nave tenía tres habitaciones más, muy grandes; en cada una cabían con facilidad hasta seis camas. En tanto que la otra, paralela, contaba con cuatro y dos cuartos de baño. Suelos de arce blanco, tablas muy anchas sujetas con remaches de arce rojo como de dos pulgadas de diámetro. Techos de mucha altura, vigas de madera. Puertas y ventanas de encina y roble, talladas, gruesas. Algunas pintadas, la mayoría en sus colores naturales. Todo necesitado de pintura y buena limpieza pero sano y firme. Parte de la galería, en su lado norte, estaba envidrierada, a cuadraditos chicos emplomados, hacía un salón-de-invierno que debía de ser gloria en los meses fríos. Sin parecerse, me recordó a mi Santa María, aposentos de mi infancia. Una casa como en nuestros tiempos nadie emprende construir; arreglada tenía que resultar una belleza. Deseé que Violeta estuviera con nosotros. El parque con muchas malezas, sobrecrecido, necesitaba arreglo y poda; el dibujo se adivinaba de buena traza, construido con ciencia de jardín: macizos y senderitos de arena hechos por el abandono un hierbal. Los árboles tenían que tener más de cien años, algunos eran de admirable frondosidad y altura.

Terminamos de ver la casa y el señor nos entregó en manos de Amadeo, jadeaba un poco. Se disculpó por no acompañarnos al campo: padecía del corazón. «Todo esfuerzo me resulta penoso, sí. Pero Amadeo se lo mostrará... Si está usted interesado, vuelva nomás a conversar conmigo.»

–Pues, esto... señor...

–Rodríguez. Ramón Rodríguez.

–Señor Rodríguez, mi nombre es Rogelio Díaz. Le estoy muy agradecido por su atención.

–Pero, ¿qué agradece? Mire, yo tengo la propiedad en venta y es lógico mostrarla. Nadie va a comprármela sin ver. Pueden mirarlo todo como gusten.

–Muchas gracias. La cosa es que no puedo saber si estoy interesado mientras no me diga cuánto pide por su propiedad.

A lo que los niños se agrupaban, momento de gran tensión. Sonreí con esfuerzo, simulando una desenvoltura. Que no tenía; estaba nervioso esperando la decepción de los muchachos, Clara sobre todo, y la mía. Calculaba en mi cabeza: ¿hasta dónde podía llegar? Quizá Ramón quisiera adelantarme... seguro que sí... pero una deuda grande me daba miedo. La casa nos había fascinado, era una alhaja única. Cuando me dijo el precio temí no haber oído bien. ¿Era o no era?

–Perdone, ¿cuánto me ha dicho? ¿Me habló de pesos?

Había oído bien: menos dinero que la casa de la calle de las Hortensias. Claro que habría que gastar en arreglarla pero igual... Un estremecimiento corrió entre los niños reunidos alrededor nuestro, se escuchó el murmullo. Un poco más y no toleraban quedarse callados. Medió Aurora: «Hijitos, vengan conmigo a ver el campo, dejen a los mayores que hablen de sus asuntos.» Gonzalo se quedó, no confiaba en mi habilidad. Yo quería comprar y no quería, una lucha interior. El señor Rodríguez se volvió hacia nosotros.

–Linda familia –dijo–. Les pareció mucho, ¿no es cierto? Pero fíjese, señor, ustedes venían buscando una casa solamente. Y cuarenta y tantas hectáreas de riego, ¡por Dios que son plata! Pueden dar muy buenas utilidades también. –Se sentó en el borde de una silla, un poco acelerada la respiración, fatigosa–. ¿Permite usted...? Estoy mejor sentado... es por el corazón, ¿comprende? Los muchos años y este corazón... mala calidad. Mire, yo no puedo ocuparme de esto ni tengo hijos; si no, no vendería. Este fundo ha estado en mi familia por muchos años... En Rancagua tengo una hermana viuda, voy a vivir con ella porque ya no estoy para andar así, sin cuidados.

–¿Para qué se puede utilizar el bosque? –preguntó Gonzalo.

Lo que se podía, dijo el señor Rodríguez, era soltar a los animales cuatro o cinco meses; entretanto la pradera se enfardaba, se hacía heno para vender. Y... para tener madera, pues. Reparaciones, postes de los cercados, estacas... las cosas que iban haciendo falta. Y el agrado de los árboles, además.

–Claro, para pasear –dije–. Es muy hermoso.

Gonzalo me miró con severidad; «cállate tú», parecía decir.

–Y dígame, señor, ¿no habría posibilidad de rebajar algo? –preguntó.

–Algo podría ser, pero no mucho. ¡Si está barato! El lunes pensaba poner aviso en el *Mercurio*... no ha venido nadie sólo con el letrero, claro que muy escasa gente pasa por acá. Pero anunciándolo...

Yo quería decirle a Gonzalo que ya estaba bien, tampoco se trataba de estirar mucho la cuerda. El dueño preguntó por la forma de pago, qué habíamos pensado nosotros. Vacilé; en realidad no había pensado nada.

–Pues... ¿Cuáles serían sus condiciones?

El viejecito tan razonable, quería llegar a un acuerdo: «Mire, señor Díaz, ya me doy cuenta de que es más de lo que ustedes calculaban. Pero está barato, créame: es una gran casa aunque sea antigua. Asísmica, contra los temblores, bien construida como se hacía antaño; fíjese las murallas, el espesor. Ahora ya no... Y las conducciones de agua, la electricidad, que tiene fuerza en las dependencias, está todo sano. Entonces, si me pudiera pagar por lo menos la mitad al contado, yo le rebajaría el diez por ciento. Más no puede ser. Es una buena compra; esa familia tan linda que usted tiene estaría a sus anchas acá, hay lugar de más. En esta casa no ha habido desgracias ni muertes con violencia ni males... más que las tristecitas corrientes de la vida, lo normal de ir viviendo y morir, cuando llega la hora. ¿Qué me contesta usted?»

No sabía qué contestar, por Gonzalo. Si hubiera estado solo habría aceptado en el momento; parecía un pecado dejar escapar aquella casa. Dije que tenía que pensarlo un poco, si no era inconveniente.

–Mire, si yo no le digo que me conteste ahora; ¡ni siquiera ha visto el campo! Vaya, nomás. Ya conversaremos después.

Pedí permiso para almorzar en sus tierras, traíamos nuestra comida, a lo que me ofreció su comedor con disculpas por no poder invitarnos a todos. Tuve que tranquilizarlo; los niños disfrutaban con aquellos almuerzos sobre la hierba. Hacía buen día, con un vientecito pero sin frío. Fuimos en busca de los demás; Amadeo les estaba enseñando las vacas, cuernilargas, feas por lo desiguales pero lustrosas, bien alimentadas. Kim intentando jugar con un perro pacífico y grande que lo ignoraba, clavaba sus patas delanteras, empinaba la grupa, ladraba con ladriditos de provocación. El perro canelo y blanco sin raza bostezaba, miraba para otro lado.

«Papaíto, ¿has comprado ya la casa?», –preguntó Paz. Los otros no se atrevían; las ganas de saber podían verse en todas las caras. Clara, en voz bajita, que cómo había ido la conversación con el señor; Lorena me interrogaba con los ojos. Todos se acercaban, incluido Amadeo que también estaba abiertamente interesado en el asunto, con su sonrisa sin timidez. Así sonriendo parecía más joven; el sombrero no se lo había quitado en ningún momento. «Amadeo dice que se quedaría con nosotros, si compráramos el fundo –dijo Lorena–. Él sabe el manejo del campo y del riego, lleva años aquí.» El hombre decía que sí con la cabeza, repetidas veces.

–Dice que no falta agua ni al final del verano –anunció Sebastián con voz de triunfo–. Que el río lleva agua siempre.

–Y dice Amadeo que don Ramón nos dejaría el coche de caballos si tú se lo pides –dijeron los mellizos. Había un cochecillo en la cuadra, ligero, con dos ruedas altas y caja de mimbre. Marcos y Mateo estaban impresionados; aquello sí que era un fuera de serie. ¡Y no necesitaba permiso de conducir! Amadeo nos dio una vuelta por el bosque, el sembrado y la pradera; explicaba las cosas. A pesar de haberme criado en el campo no tengo conocimientos de agricultura, de todos modos la tierra se veía con buen aspecto, jugosa. Amadeo decía: «La tierra es llana demás, para regarla no da ningún problema. Y, bueno, siempre hay potreros mejores y otros menos buenos pero pedazos malos no hay en Chumaiyu. No hay, no señor, ni pedregosos; ¡acá no encuentra usté piedra ni para una honda! Sólo las que están en la orilla del río, las tan grandes, que tuvieron que venir de más arriba, acarreadas en tiempos de antigüedad.» Las vacas no eran de don Ramón, estaban por arriendo del talaje, temporalmente. Que don Ramón tres años atrás se había deshecho de su ganado, una lástima. ¡Y no sembraba! Sólo daba las tierras en arriendo, no tenía ánimos para ocuparse. «Pero mire, señor, acá lo que se siembra nace. Cualquier cosa, descontando un destiempo de lluvias o de heladas que se salga mucho de lo corriente. ¿Compriende usté? Dentro de lo esperable normal de las estaciones, acá tenemos buen clima, buenas aguas, buena tierra...» Me miraba como preguntando, a ver, qué más se puede pedir. Visto así tenía razón el hombre, pero otra vez me alcanzaban mis incertidumbres, pávido como he sido siempre para cualquier decisión. Y de tomarla tenía que ser rápidamente: el lunes iban a poner anuncio en los periódicos. Yo tenía que pintar, para meterme a agricultor podía haberlo hecho tiempo antes, en mi Santa María. El asunto era que cuando terminé en la Escuela de San Fernando ya estaba Paco Abad mi primo ocupándose de aquello, las tías viviendo en la casa. Seguimos así, por acuerdo no escrito ni hablado, por la costumbre. De Chumaiyu lo que a mí me fascinaba era la casa; daba un dolor dejarla pasar a otras manos que no la apreciasen tal vez como nosotros, que fueran capaces de estropearla. Ah, las dudas no me daban descanso. Debajo de un sauce grande nos sentamos, sacamos los víveres; el Kim tenía el rabito muy alegre, movido. Pedía. Amadeo se sentó también, cerca de los niños que lo habían invitado a comer, en un extremo. Parecía disfrutar; Aurora lo miraba sin saber cómo tomar aquella confianza.

–¿Qué hacemos? –pregunté a Lorena, a mi lado–. Podemos comprar... es menos dinero que la casa de la tía Memé y no tiene comparación... aunque si la quisiéramos vender más tarde... tal vez no se vendería tan de prisa. Pero ése no es el problema, la cosa es que habría que ocuparse de la finca.

Lorena había estado pensando: le gustaría ocuparse. Con Amadeo, claro; parecía una buena persona. Y algún otro hombre que habría que contratar pero no necesitaba ser fijo. La casa era una hermosura; ¿podría yo pintar allí a gusto? Entonces, lo demás no tenía dificultades: el tren tomaba cuarenta minutos a la estación Central de Santiago y desde allí con diez minutos de Metro estaban los niños en su colegio. El apeadero quedaba cerca, justo antes del pueblo, pasaban varios trenes. Una hora, poco más, para ir al colegio y otra de vuelta; los niños eran los que tenían que decir si les compensaba. Pregunté. Les compensaba, claro; todos estaban en ello. La casa era lo que hacía que cualquier incomodidad en los viajes se encontrara llevadera. Los mellizos preguntaban: ¿era obligatorio asistir al colegio? Y sí, era. Cualquier sugerencia de examinarse por libres y otras del estilo quedaban excluidas. Del colegio no se iba a librar nadie... salvo Pacita que podía demorar un año más su entrada, no tenía obligación. Entonces acordaban, irían en tren. «Podemos estudiar las lecciones durante el trayecto.» Cuando los chicos se empeñan en algo, parece que las dificultades se allanan solas. Le pregunté a Aurora su opinión.

–Yo, con su permiso, opino que acá van a pasarlo regio. Y por mi parte desde luego que haré todo lo que pueda.

–Pero lo que usted quería era trabajar en la capital.

–Ahora ya estoy acostumbrada a los niños. No se preocupe por mí.

Clara sugirió que yo le pagase el viaje una vez por semana, ida y vuelta a Santiago. Aurora sonreía: «Eso sería rico, m'hijita. Pero yo no tengo deseos de salir todas las semanas, de vez en cuando no más.» Cuanto más me facilitaban las cosas, más dudas me entraban. ¿Sería un acierto o un disparate? El aire movía los sauces despacito, un balanceo. Desde el Norte venían viniendo unas nubes blancas, algodonosas; se juntaban. Al quedar todos callados, un momento se oyó cantar el río; me pregunté: ¿lo escuchaba Violeta? Como en contestación, Sebastián dijo la frase definitiva. «Si estás pensando en mamá, ella seguro querría que viviéramos aquí.» Aquella misma tarde cerramos el trato. Conseguimos el diez por ciento y el coche de caballos, con el caballo Tizón. Yo pagaría la mitad al contado, el resto en un año con interés razonable, el mismo que me había ofrecido la señora Memé. Don Ramón sacó multitud de papeles, extendidos por la mesa del comedor: escrituras, certificados de que la propiedad estaba libre de deudas, planos, clasificaciones de suelos... Gonzalo fue el que disfrutó leyéndolos todos con aires de hombre de negocios, avezado. Después él mismo redactó una especie de contrato, a mano hizo las dos copias; el dueño y yo las firmamos, escribí un cheque como señal, tomé su recibo... Todo aquello me parecía irrealidad, no estaba pasando verdaderamente. No a mí. Don Ramón ofrecía una tacita de café. Llamaba: «¡Corina! Trae un cafecito para los señores...» Una mujer de tez oscura y extraños ojos verdeamarillos vino con una bandeja, miraba raro como sin fijar la vista. Entretanto los niños daban con Amadeo otra vuelta por la casa, hacían planes muy alegres. Nosotros ultimábamos detalles. Don Ramón sólo necesitaba dos semanas para recoger sus cosas, mudarse a casa de su hermana en Rancagua. Algunos muebles tendría que venderlos, ¿me interesarían? Prometimos pensarlo, después de inventariar un poco lo que había en nuestra casa. El señor se veía tan contento, agradado de que fuéramos nosotros quienes íbamos a vivir en el fundo. «Que se llama fundo Chumaiyu, ése es su nombre que está labrado en fierro en la puerta de la entrada, ¿se fijaron?» Lo habíamos visto, sí. Nombre que daba una extrañeza, no era corriente.

–Siempre se ha llamado así –dijo don Ramón–. Antiguamente este fundo tenía cuatrocientas hectáreas regadas, mire, las tuvo hasta la Reforma Agraria. Fue de un tío-abuelo mío, el finado Ramón Cea Rodríguez que era mi padrino. Cuando me vine a vivir acá, por herencia de mi padrino, entonces vivía mi señora. Quise cambiarle el nombre al fundo, ponerle Santa Adela, porque ella como se llamaba era así: María Adela Aznar García... ¿no se lo dije? Pero no sé por qué nunca se lo cambiamos. Nos acostumbramos a decirle su nombre que tiene que ser indio por lo curioso, ¿no le parece?

Ya nos íbamos. ¿No siente dejar su fundo?, preguntó Clara.

–Y, mire, no m'hijita. Ya me había hecho a la idea. Y me alegro de que sean ustedes los que van a venir: gente joven. Niños... esta casa tan grande lo que pide son niños.

Viejecito encantador; al despedirnos, con muchos saludos y parabienes por las dos partes, quedábamos los mejores amigos. Aún lo vimos un rato diciéndonos adiós desde la verja del jardín, con Amadeo a su lado, sonriente. Hasta que no nos hubimos alejado unos metros, nadie hizo ninguna exclamación. Pero habiendo tomado el recodo, donde ya no podían oírnos ni vernos, ¡entonces fueron las explosiones! Los entusiasmos. La vuelta a casa fue quitándose unos a otros las palabras de la boca; varias veces tuve que rogar que no gritaran de aquel modo. ¡Ah, que nuestra casa era la más bonita del mundo! Los muros rosas, los corredores largos. El enorme salón con la chimenea, los huertos con tantos frutales... Pensé, ¿una casa podía tener tanta importancia? O era porque no estaba Violeta y ellos sentían la necesidad de un hogar sólido y grande, establecido... Nuestro, también. Tanta emoción, ¿quería decir algo, señalaba alguna falta? Inseguridades tal vez. En aquellas manifestaciones, como en muchos otros sucesos, yo buscaba una verdad definida, aclaradora; no solía encontrarla aun sabiendo que debía existir. La cosa, que no recordaba haberlos visto tan felices en ningún momento, ni antes siquiera. Iba callado, escuchando las alegrías de ellos, como música. Lorena me dijo que habíamos hecho bien, divinamente; no tenía que preocuparme.

–Menos mal que habíamos decidido no decidir –dijo Gonzalo con ironía.

–¿Crees que nos precipitamos? –pregunté.

–Sí, nos precipitamos. Pero hemos hecho bien –repitió Lorena.

–¡Yo estoy feliz, tan feliz! –cantó Clara. Nadie se burló de ella. «Todos estamos encantados», decía Sebastián. «Papá, no podías hacer otra cosa.»

–Eso creo yo. ¿Qué otra cosa se puede hacer cuando una familia entera se enamora de una casa?

–El Kim también es de la familia –declaró Paz, y se durmió inmediatamente.

Así fue como en unas horas nos convertimos en propietarios de Chumaiyu: casa, bosque y campo.

15

Al día siguiente, domingo, llovía mucho. En la mañana temprano lluvias claras de primavera, un olor de fragancias nuevecitas extendido en el aire. Llevé a los siete a misa en la parroquia; a la salida Lorena bajo su paraguas fue al quiosco, compró *La Gaceta del Campo*, dispuesta a comenzar su aprendizaje. Como cada domingo, pasamos por la pastelería, solíamos hacer un almuerzo de día de fiesta con postres largos, pequeños ritos para darnos la sensación de ser pertenecientes al lugar, afirmándonos en lo seguro seguido de las costumbres. Después Aurora se iba de paseo, dejaba las bandejas con la meriendacena preparadas. Pero ese domingo Aurora no salió por el temporal de agua que al avanzar el día iba empeorando. Ya no se notaba ningún perfume, el aire sin aroma muy lavado, la tierra sólo oliendo a mucha humedad, profundamente.

Llamé por teléfono a la señora Memé, le dije que habíamos encontrado una casa en el campo. Lo que le dio alegría y alguna preocupación. ¿Cómo? ¿Pero comprábamos así no más, tan deprisa? La pobre, hasta se sentía un poco responsable. Le aseguré que estábamos felices y esperábamos su visita más adelante.

Seguía lloviendo. En la salita pequeña se habían reunido los niños; Aurora cosía. Habíamos mantenido la casa libre de televisor hasta que fueron al colegio. Entonces empezaron a quejarse, que no sabían de qué hablar con los compañeros, las conversaciones giraban mucho alrededor de lo que en la televisión se decía. Sebastián declaró que ser extranjero y no tener televisor era demasiada desventaja, por lo que el día que llegó el primer boletín de calificaciones fuimos a una tienda, compramos uno. A Aurora le fascinaba, llevaba sus costuras, trabajaba y miraba alternativamente. Allí los dejé; Lorena con un cuaderno hacía listas de lo que íbamos a necesitar en Chumaiyu, los demás miraban la pantalla, mientras el agua chorreaba por la parte de afuera de los cristales, continua. Me empapé de la puerta de casa a la del coche, fui a casa de los Silva bajo el aguacero; el Canal San Carlos roncaba fuerte, la Cordillera no se veía. Bajé hasta la calle Mar del Plata, por mitad de la calzada corría un arroyo rojizo de barros sucios. Casi todos los domingos Elsa reunía amigos en su casa por la tarde; yo no solía acudir por quedarme trabajando. Me recibieron con muchas exclamaciones, me hicieron sentar cerca del fuego; había un grupo frente a la chimenea cargada de leña que con la humedad despedía un vaho grisáceo. Un poeta del que nunca he sabido más que el nombre de pila, Manuel, tenía habilidad para imitar a la gente: todos lo estaban celebrando con muchas risas. Hombre de poco más de treinta años, alto y fuerte con buen color y pelo ondulado claro, aspecto de espléndida salud y carácter jocoso: escribía versos muy tristes. Alguna vez nos había hecho una lectura, no que estuvieran mal pero Manuel cuando tenía gran éxito era contando chistes o contrahaciendo a personajes famosos. Yo, que no conocía a ninguno de los que imitaba, me quedaba pensando que entre los escritores se daba con frecuencia esa condición, gente alegre que escribía cosas tristes. Quizá que los melancólicos vivían sus tristezas, escribían del lado más gracioso de las cosas. Quizá. Un joven del equipo melancólico se me acercaba con un huisqui en la mano, por su aspecto no debía de ser el primero. ¿Usted es poeta también?, preguntaba, lúgubre. Negué: pintor solamente. Ponía cara de desilusión, como diciendo qué pena de vida. Me habló con el aire de confidencia que presta el alcohol, la lengua le patinaba un poco. «Yo soy poeta, ¿sabe?, soy poeta, vivo para ser poeta. Eso es. Y mis versos son buenos, ¿le gustaría leerlos? Se los dejaré: no están publicados pero tengo copias. ¿Sabe lo que dice de mí mi familia? Dicen que «escribo versos», ¿se fija? Escribo versos, ¿qué le parece? No, señor, soy poeta. En cambio, de mi hermano lo que dicen que es ingeniero de obras hidráulicas... ¡en toda su puta vida no ha hecho una puta obra hidráulica! Trabaja en una oficina, fíjese, no ha proyectado nunca ni el más mínimo tranque... ni uno así, pequeño. ¿Se da cuenta? Pero, ah, el perla es ingeniero, en cambio yo escribo, nomás. No soy. La gente es mala, ¿no? ¿No es mala la gente?» Le aseguré que la gente no era mala, sólo un poco incomprensiva, no entendiendo la real importancia de las cosas; bebió lo que le quedaba en el vaso, se fue a pasear rencores por otro lado del salón. Tipo curioso; me pregunté cómo serían sus versos. Era muy joven. En casa de los Silva siempre se mezclaban personas de diferente generación. Elsa se movía entre la gente llevando bandejas con canapés recién salidos de sus manos, le gustaba dar de comer. Ella necesitaba haber tenido muchos hijos, mujer para presidir la mesa larga y la sopera grande, repartiendo comida en los platos y un sano amor, pero hijos no tuvo; los encontraría a faltar seguramente. Me di cuenta de que los invitados estaban bebiendo mucho; de pronto, en medio de las risas y las conversaciones cruzadas me sentí el afuerino; el extraño. Pero ahora sin dolor, lejos de la vida de ellos, desligado: sus preocupaciones no las entendía y no entenderlas me daba una exaltación parecida a la felicidad. Lo mío no era estar allí, a pesar del cariño real que tenía al matrimonio Silva, a Elsa sobre todo. Me alegré de haber comprado la casa en el campo, de pensar en vivir de otra manera, cerca de las montañas y de los árboles, del agua viajera de un río limpio. Pegando a la tierra, aquel arraigo, al compás sólo de las estaciones; yo ya imaginaba mis serenidades. La casa grande, firme en sus cimientos, madre acogedora. La casa que era contestación a muchas preguntas, como hablando de esencias. ¿Me amas? Sí. ¿Me recoges? Sí. Me guardas en ti... aquellas cosas.

Elsa se me acercaba, se sentaba en el brazo de mi butaca. No tenía que preocuparme por la casa, decía, ya íbamos a encontrar; ella había dado voces por varios sitios, me acompañaría a verlas si yo quería. Con ella contaba para todo. En cuanto a comprar la casa de la tía Memé, había estado pensando en eso. La encontraba muy cara, demasiado. Tenía que ser algún caprichoso quien le había hecho aquella oferta. Además que, los niños creciendo, íbamos a necesitar algo más grande si de verdad no queríamos volver a España. Entonces, después de haberla dejado hablar, le dije que habíamos comprado una casa el día anterior, disfruté con su sorpresa. Casi no podía creerlo. «¡Gerardo! ¿Tú oyes esto? Rogelio se compró una casa en el campo.» A lo que Gerardo me miraba sin comprender. ¿Cómo? ¿No le había dicho yo dos días antes que estaba agobiado por tener que buscar otra casa?

–Eso fue el jueves y compré la casa ayer, sábado.

Había hablado en voz alta; Gerardo estaba sentado frente a mí en el círculo de gente bastante amplio. Todos los de la chimenea se volvieron con interés, preguntaron cuánto me había costado. Me desconcerté; Gerardo se echó a reír: «Ya te dije que todos mis paisanos de lo que hablan es de dinero.» Sonreí un poco esforzado. No me importaba decirlo, no era ningún secreto pero me chocaba. Oída la cantidad, vi que calculaban mentalmente, empezaron a discutir si era barato o caro. ¿Cuántos metros? No lo sabía.

–Son muchas habitaciones... ocho o diez dormitorios... el salón es muy grande. Y las cuadras y dependencias... Tiene un padro y un bosque; pasa un río. Dicen que se puede sembrar de todo, que sobra agua. De riego son como cuarenta hectáreas, yo no sé... –La voz se me perdía en tono de disculpa. Gerardo exclamó: «¡Este chalado se ha comprado un fundo! ¡Si cuando yo digo que los españoles son locos!» Me sentí con una incomodidad. ¿Era mucha locura?, pregunté. Claro, era locura dijo Gerardo. Ibamos a tener mil complicaciones con los niños y con todo. ¿Y la casa no estaba arruinada, cayéndose? Seguro necesitaba cualquier cantidad de obra. Mientras, los de la chimenea habían echado la cuenta; la encontraban muy barata. ¡Botada! Respiré, con algún alivio. Sí, necesitaba obra; aquello era lo que más me angustiaba, pensar en la lucha con albañiles y maestros.

–Pero eso no tienes que hacerlo tú, debes encomendárselo a un arquitecto. Por cierto, Elsa, ¿no iba a venir Enrique? ¿Tú conoces a Enrique Zúñiga?

No lo conocía; Elsa me explicó. Enrique era un arquitecto joven, no lo era aún en realidad, estaba terminando la carrera. Hijo de amigos de Gerardo, muchacho encantador que pintaba muy bien además. Extraño que no nos hubiéramos encontrado, claro que yo a sus domingos no acudía con frecuencia. «Ésa es la persona que necesitas, Rogelio; un chico brillante. Muy educado, ¡y de una simpatía! Seguro que le gustará hacerte la obra, le fascinan las casas antiguas.» Y, por cierto, era raro que no hubiese llegado aún, había dicho que iría. Quería enseñarle a Gerardo unos bocetos... iba a presentar un cuadro a una exposición. Quizá lo demorase el temporal; estaba cayendo demasiada agua. «No son propias de la época tantas lluvias.» Poco después llamaban a la puerta, entraban Enrique Zúñiga y otro pintor, chorreando agua los dos. Estaba lloviendo como si se deshiciera el mundo. Mantas de agua encortinaban la ciudad; al abrir la puerta de la calle entró una bocanada de vapor en el vestíbulo. Me presentó Elsa al muchacho. Delgado, algo más bajo que yo, con limpios ojos azules y pelo rubio un poco tieso de cepillo, corto. Tenía aspecto muy agradable, modales excelentes. Enseguida me gustó; no sé por qué pensé en aquel instante que aquel chico bien podría llegar a ser mi yerno. Tonterías: de encontrar yernos no he tenido nunca ninguna prisa, al contrario. Pero igual. Me trataba de usted, con esa cortesía suramericana de los jóvenes a la que ya me estaba acostumbrando. Hablamos de la casa; al momento se interesó. «¿Y dónde dice que está...? Es extraño que yo no la conozca... quedan muy pocas casas como la que usted describe en este país... si es antigua de veras.» A lo que, en cuanto le expliqué, resultó que la conocía. «¡Ah, claro! No me diga que la compró, es una hermosura esa casa, sí, sí sé dónde está, perfectamente. ¿Y cómo fue que supo...?» Al muchacho no me azaraba darle todos los detalles. «Verás, hace unas tres semanas estuvimos por ahí de excursión con mis hijos, había un letrero...» Le conté la historia; se maravillaba. ¿La casa había estado tres o cuatro semanas así, con un cartel de «se vende»? Pero cualquier arquitecto del país, cualquier enamorado de las casas antiguas la habría comprado sin dudar... hasta para no vivirla. Parecía imposible. Pensé si no estaría la mano de Violeta detrás de aquel imposible, de alguna forma. Dije: «Lo único que espero es no dar envidia a nadie.» Se echó a reír; él no era de naturaleza envidiosa, que si no... Pero se ofrecía para cualquier arreglo, encantado. Incondicional, siempre, desde luego, que el arreglo fuera respetando... Nada podría gustarle más. Con lo que lo invité a almorzar al día siguiente en la calle de las Hortensias; en eso concordamos. «Si es que se puede circular mañana –advirtió–; está cayendo tal cantidad de agua que veremos si la soporta el cauce del río.» Pero Gerardo se había sumado a la conversación, dijo que el Mapocho no se había desbordado nunca, no se tenía noticia de tal cosa desde el tiempo de la Conquista acá. Enrique insistió, educadamente: «Veníamos escuchando la radio del auto, parece que en Vitacura están subiendo las aguas de más. Y el Canal, en el curso alto, se está saliendo.»

Entonces me acordé de la casucha de la señora Olivia, llamada por los niños «La Asquerosa». Seguro que la tiritaña aquella no resistía, suerte de no vivir allá. Suerte de tener la casa del campo y arquitecto para arreglarla, parecía que la suerte había vuelto su cara hacia nosotros.

Elsa había encendido el televisor; estaba dando consignas por si la inundación, de manera que, más o menos temprano, cada cual se fue yendo hacia su casa. Elsa comentó que ojalá dejara de llover luego pero alguien dijo que la lluvia iba a durar toda la noche. La maldita lluvia imparable. Nos separamos, con preocupación.

La vuelta fue penosa, a pesar de que la furgoneta tenía buen motor. Subiendo por la Avenida Pocuro el río de agua se metía dentro del coche; tuve serias dudas de si llegaría a casa. Un río revuelto con remolinos, como cascada sucia de otras tierras. En la casa el jardín estaba encharcado pero dentro había sólo humedad con un olor a barro; el suelo permanecía seco. Los niños delante de la televisión, asustados, Aurora santiguándose. Por la cadena nacional se emitían mensajes: la parte de Vitacura estaba arriada, en los barrios de mediaguas, casitas pobres de madera sin cimentación, estaban recogiendo a los niños pequeños, llevándolos a las escuelas y edificios públicos. Al norte de la ciudad el agua desplegaba rugidos de selva. Del colegio telefoneaban en aquel momento: quedaban suspendidas las clases del día siguiente y si los mayores querían tomar parte en los trabajos de salvamento, un camión de las Fuerzas Armadas pasaría por casa a buscarlos, a las seis de la mañana. A lo que Sebastián se enrolaba en el acto y Gonzalo después de una vacilación que duró segundos. Nos quedamos hasta tarde escuchando las noticias Lorena, Aurora y yo: iban empeorando. Hasta la mañana no podíamos prestar ninguna ayuda. La lluvia duró toda la noche; amaneció y seguía. El camión del Ejército pasó de madrugada a recoger a los niños, con sus ropas más viejas y las botas de agua; un soldado al volante rechazó mi ofrecimiento de sumarme a los trabajos. Aquella expedición era de muchachos, escolares; no tenía órdenes para aceptar... «Ponga su televisor; están dando instrucciones de lo que se necesita en cada Municipalidad.»

Por el televisor nos enteramos: el Canal se había desbordado en efecto, reventando en la parte más alta. El río Mapocho era una tromba, había destrozado el malecón. La Costanera saltaba en pedazos, espigones incrustándose en las casas de la orilla. Con la fuerza del agua bajaban automóviles revolcados; últimamente en las escolleras habían construido aparcamientos. Todo aquello se lo llevaba el agua y además cascotes de las casas destruidas más arriba, muebles, animales muertos y enseres de todas clases. Todo lo que, no pudiendo pasar por los ojos del segundo puente, había dado lugar a un tapón formidable, causa de que acabara por quebrarse saltando en pedazos. Los forjados, con las barras de hierro grueso a la vista, se levantaban varios metros sobre sus bases, desoladores, retorcidos, rotos. El Tajamar estaba bajo las aguas, toda la zona era un magma de barro, hierros, automóviles machacados, restos de cuantacosa. De los barrios inundados se llevaban en camiones a los niños, muchos bebés y otros mayorcitos, al Estadio Nacional; allá señoras del Trabajo Voluntario los lavaban y vestían, les daban de comer. Por la televisión el llamamiento era para pedir ropas, comida, velas, fósforos, frazadas, ollas, medicinas... Cuando abrieron las tiendas habíamos hecho un montón modesto con las ropas de que podíamos prescindir; llevando en la ciudad un año sólo no teníamos mucho de nada. Fuimos las niñas y yo al supermercado, Avenida de los Andes que estaba sobre las aguas, a comprar víveres, los llevamos a la Municipalidad. Todo el mundo colaboraba con paquetes y trabajos. Volvimos a casa, contentos de haber ido; Aurora nos tenía café con leche caliente. Y seguía lloviendo.

Entrada la mañana, Enrique telefoneó: los estudiantes de Arquitectura estaban movilizados para ir reconociendo los edificios en peligro de derrumbe, no podría venir. ¿Nosotros estábamos bien? Entonces, aplazábamos el almuerzo para el primer día que fuera posible, estaríamos al habla. Los mellizos a toda costa querían ir a ver las riadas, un empeño. No lo permití: con el televisor tenían vistas de más. Me hice firme: «nadie sale del jardín sin mi permiso, ¿entendido?» En nuestra zona, por suerte, sólo había charcas, suciedad, las calles con arroyo en medio. Las bañeras y lavabos los teníamos que tener con los tapones puestos y un peso encima; si no, de los sumideros y cloacas subía un limo nauseabundo por la presión de las aguas. Los grifos funcionaban bien, el agua saliendo fría o caliente, para lavarnos llevábamos jarras al jardín de atrás, que el pasto enjugara las aguas sucias porque los desagües no podían usarse. Pero desgracia de personas no ocurrió ninguna en todo el barrio, era mucho decir. Los anuncios de emergencias se multiplicaban; estábamos atentos por si podíamos servir de algo. Pedían constantemente sangre, yo no sabía ni siquiera mi grupo. Estaba dudando si ir al hospital de todos modos, hacerme analizar, cuando volvió a sonar el teléfono. Preguntaban por mí desde un puesto de Carabineros. ¿Conocía yo a un señor Galvarino Torres? ¿Sí? Entre sus efectos personales figuraba una tarjeta mía con el teléfono. Me asusté: ¿Qué pasaba? ¿Por qué me estaban llamando? A lo que el carabinero: ¿Tendría inconveniente en acudir...? Muerto. Sí, ahogado. Cerca del Parque Forestal.

Colgué lleno de angustia. ¿Por qué yo, entre tantas personas como lo conocerían? ¿Y qué estaría haciendo en las veras del río para que lo encontrara allí la tromba de agua? Quizá anduviera rondando en busca de la Yoyita; aquella mujer era para solamente atraer males, la desdichada.

Los mellizos con dos cuchillos me ayudaron a descargar de fango duro pegajoso los guardabarros del coche, atareados, sin rencor por la prohibición de salir de casa: partí. De pronto la inundación ya no era cataclismo general, cosa-idea para oírla por la radio con la vaguedad de los sucesos anónimos, pero sin morder el sentimiento propio: ahora me implicaba personalmente. Tenía un nombre: Galvarino Torres. Artesano y soñador. Hombre triste y amigo. Amigo. Amigo, sí... En esto, aclaraba. Se descorrían las nubes dejando un cielo azul, lavado limpio: el sol brilló, rebrilló, amarillo limón. Relucieron los árboles con verdes-más-verdes. Una brisa de inocencia corrió por la ciudad, frescura en un aliento como de boca de niña. Pero Galvarino con los pulmones llenos de barro, envuelto en una sucia frazada de algodón gris, en un puesto de socorro. La muerte, otra vez, lo que menos podía entenderse.

El puesto era una caseta metálica con tejadillo de ondulado, colocada allí en lo que quedaba de muelle por razón del apresuramiento en vista de la riada. A lo que ya mantenía en su interior un vaho de humedad y miserias, el feo olor de la pobreza y de la muerte. Una pareja de carabineros, en la puerta, me preguntó qué quería. De aquellos que exhiben su bruta desconfianza sin porqué; con hablarle a uno ya parece que están queriendo atemorizarlo, como con ganas de meterlo preso. Mi cortedad de genio nunca rezó con autoridades ni policías, ahí soy capaz de crecerme; que me habían llamado, dije, muy alta la voz, casi antipática. Lo mismo di mi nombre, Rogelio Díaz, nacionalidad española, hasta debieron de tomarme por alguien del Consulado, ni hicieron muestra de pedirme documentación; dentro, señalaron, estaba el sargento. Pasé; desde la entrada se veía un despachito pequeño, una esquina de mesa atestada de papeles y objetos, un desorden que justificaba la circunstancia. Lo que se oían eran gritos de mujer, chillidos de histeria; me detuve un momento con una angustia. Un hombre hablaba muy fuerte.

–¡Cállate! ¡Cállate, he dicho! ¿No ves que lo pones peor?

La mujer chillaba más, incoherencias que no entendí al principio; después se oyeron claras las palabras «¡Mi hija!» Decía y repetía; los pelos se me levantaron de punta, sentí escalofríos. La voz del hombre más potente, para sofocarla.

–¡Cállate de una vez! ¡Que te calles!

Escena que duró segundos y tomaba proporciones desorbitadas, hinchándose como las aguas del día anterior, voces que llenaban de repente con su horror toda posibilidad de pensar. Ahora los gritos se transformaban en carcajadas; la mujer se reía, más y más. Aquella risa hiriente recordaba a las hienas, estertores de furia que no se contenían; me adelanté unos pasos, vi al sargento acercarse a la mujer, oí chascar una bofetada y a la vez las mismas palabras repetidas como maldiciones: ¡cállate, cállate! Apreté los puños contagiado de ira, las uñas se me clavaban en las palmas, entré sin pedir permiso: ¿Qué rayos estaba pasando allí? Levanté la voz, grité yo también: ¡Oiga! Pero ¿qué hace? La mujer joven de pelo lacio negro, ojos hundidos con un brillo oscuro, de carbón. Flaca, flaca. Se ponía la mano en la cara, respiraba en un jadeo. Dijo entredientes, escupiendo palabras: «¡Asesinos, pacos de mierda!» A lo que el sargento se había vuelto a sentar detrás de su mesa, desoía los insultos. Hablaba oficial: «Ya está bueno. Le he dicho que vaya al Estadio Nacional a preguntar por su guagua. Hay allá más de tres mil criaturas recogidas; no disponemos de listas ni los chiquillos saben sus nombres, la mayoría. Si está la suya, se la entregarán. ¿Me oyó? Estadio Nacional; se pone en la cola. Ahora, fuera de aquí. ¡Fuera!»

La mujer miraba con desesperación o con odio, salió, casi furtiva, como un animal agazapado en el fondo de una espesura, vislumbrable tan sólo por el relucir de unos ojos. Se fue, llevando su sinrazón con ella. El sargento dijo: «Pobre gente, ¿qué quieren que haga yo? No tenemos listas, no las tenemos, pues. Muchas de esas mujeres se ponen histéricas; haría falta un médico. Llevo acá, en esta silla, desde ayer, sin lavarme ni cambiarme de ropa ni echarme a dormir, a puro café y tabaco...» Entonces tomó otra vez el tono rutinario de su profesión, me preguntó qué se me ofrecía. Siguieron las comprobaciones de documentos, los trámites habituales. ¿Qué sabía yo de Galvarino Torres? Y... poca cosa, era amigo mío, sí, desde un año atrás más o menos; me preparaba los lienzos siendo muy buen profesional. ¿Ningún dato?, preguntaba el policía.

–Creo que tenía familia en Combarbalá... no conozco el lugar pero una vez me contó que procedía de allí. Dijo que era un pueblo muy mísero, mugriento fue la palabra; allá nadie podía salir de la pobreza si no se iba. Unas arenas... unas cabras... y fiebres; usted lo sabrá mejor que yo. No puedo decirle gran cosa, sargento: su mujer lo abandonó hace algunos días; estaba bastante afectado... era un hombre bueno, muy bueno. Tenía su pequeño taller abajo de la Avenida Libertador, en la calle San Alfonso... eso figurará en sus documentos. Encima del taller, la vivienda. No creo que ganase mucho; trabajaba despacio y a conciencia, demasiado... De vez en cuando venía por mi casa, de visita; yo lo apreciaba...» Todo aquello sonaba estúpido, fuera de la realidad, las otras-cosas. El sargento lo que quería era acabar cuanto antes con la identificación, me hizo pasar a un aposento al lado; la caseta estaba dividida en dos partes por un tabique metálico con una puertecilla verde. Tuve que agachar la cabeza. El olor allí era indescriptible, adherente como pez; en unos estantes había media docena de cadáveres, envueltos. El policía murmuró que de ahí pasaban a la morgue, destapó la cara de Galvarino. Lo reconocí, sin ninguna duda, casi no desfiguraba. Volvimos al despachito, yo con un mareo por el olor de podredumbre dulzona; quería vomitar. Firmé unos papeles, que voluntariamente había comparecido, que identificaba... El teléfono sobre la mesa sonaba seguido, el oficial me despidió saludando de pie, con taconazo. En la puerta los dos carabineros hablaban de fútbol. Salí a la calle, respiré fuerte: a Galvarino Torres nadie lo lloraba. Era sólo una víctima entre las muchas de la inundación; en el Estadio Nacional más de tres mil niños esperaban a que sus familiares fueran a reclamarlos. A algunos no los irían a buscar nunca. Mientras, tifus, cólera, infecciones de varios tipos habían empezado a criar y extenderse por los graderíos del Estadio. ¿Eso hacía que Galvarino no fuera importante para nadie? El peso del dolor del mundo se apoyaba aquella tarde en mis espaldas; fui por el Parque Forestal hacia abajo, en dirección al Parque de Venezuela. Del río subía un olor de lodo, hasta el aire teniendo gusto a barro. En los pretiles, hombres con anzuelos de hierro y cordeles fuertes pescaban los objetos que llevaba arrastrando el agua; entre dos muchachos estaban sacando un frigorífico, lo balanceaban peligrosamente. Se armaban negocios de chatarreros en las mismas orillas del río, repescaban y vendían por unos cobres cocinas, estufas, lámparas, colchones empapados, trozos de automóviles y aún los mismos hierros de los forjados del puente. Cualquier cosa, gitanerías que no impedía nadie, ninguna autoridad.

A Galvarino yo lo iba a echar de menos, su inocencia triste y sus absurdas ilusiones. Un hombre bueno, sí, y desgraciado; la vida también había sido absurda con él. ¿Estaría ahora del lado de Dios, en la Presencia? ¿Viendo clara la razón escondida de las cosas? Lo recordé una tarde llegando a casa, las gafitas sobre la nariz, su infaltable trozo recortado del *Mercurio* en la mano. Lo que se anunciaba era una casa junto al mar, con jardín, torre y embarcadero, casilla de botes. Propiedad de gran lujo. Allí se imaginaba él poeta, casi ermitaño en su torre, inspirado para producir poemas que conmovían al mundo. Tomaba aires de misticismo, una unción. Aquellas soledades y el océano grande enfrente. El espíritu libre para volar sobre todas las alturas: «De joven quise ser poeta, don Rogelio; esto se lo digo en toda confianza. Pero ya sabe usted cómo la vida contraría a veces los elevados instintos de las personas, no se puede escapar. Así que por faltarme instrucción y los medios de conseguirla, y necesitando ganarme cuanto antes el sustento, fue por lo que me vine a Santiago, aprendí este oficio. Que no me va mal, gano mi platita, sí. Para mi señora y para mí, muy suficiente.»

Sus ahorros del Banco se los había llevado la Yoyita cuando se fue a Valparaíso, tenían la cuenta indistinta. La muy zorra podía haberle dejado el dinero por lo menos, pensé.

«En mi juventud, allá en el Norte Chico, fui buen payador. Se me daba harto bien, no crea que no; ¡de todo sacaba versos! Unas payas muy lindas, en confianza, que una vez hasta hicieron llorar a las personas.»

Aquella tarde había disfrutado lo suyo inventando la vida de un poeta en su casa de la costa, sobre un cerro alzado por encima del mar, rozado por los vientos. Su manera de hablar tomaba expresiones muy buscadas, poetizaba:

«Dios puso la tierra en las orillas del agua por amor a los hombres, don Rogelio. El agua es elemento vivo y semoviente, para la admiración y la elevación de las criaturas de Dios.»

Ahora estaba ahí, ahogado, en una orilla de barro y podredumbres, mientras el río rodaba, empujaba brazas y brazas de agua, las llevaba hasta el mar, implacable.

Caminé entre los árboles altos muy tupidos de ramas y hojas; la primavera parecía querer desmentir la catástrofe derramando colores muy risueños. Al mirar hacia arriba se veían altas claridades, el aire limpio, pero en el suelo quedaba un cieno pegajoso y el olor de la muerte. Paseé mis nostalgias y mi no comprensión de los acontecimientos que la vida traía; entonces vi a Violeta contra el tronco color de plata de un sauce. La luz encendida sobre las ramas curvas y ligeras, las cintas verdepálidas haciendo múltiples arcos. A unos pasos me detuve: ella nunca quería que me acercara. Me miró, me miraba. Me estaba mirando. Violeta. Resplandor de sus ojos tan diferente de bonito, que era igual que oír cantar a un ruiseñor. Violeta: fue sólo un momento. De aquellos encuentros salía fortalecido, con ánimos de seguir en la lucha, no desmayar aunque no entendiera nada; a veces, en los momentos de mayor complejidad y pensamientos confusos, era cuando de repente veía con más afinación, más nitidez. Y vivir, ¿no era, después de todo, sino ir ganando tiempo? Enseguida después quedaban los árboles solos; Violeta ya no se veía. Anduve por allí, tiempo sin medida de tiempo, dando vueltas, rodeando los troncos enormes mientras el tránsito de automóviles llevaba sus bramidos hacia adelante, sabiendo que ella estaba en una cercanía, que no se marchaba del todo tan deprisa. Se movía alrededor, livianamente, sin aparecer; yo la seguía sintiendo.

Muy tarde, volvieron los dos mayores cubiertos de barro, cansados y pudiendo contar mil historias de salvamentos y rescates. Con miradas de héroes. Lo que en realidad habían hecho, quitar montones de lodo con las palas que les daba el Ejército en las poblaciones más pobres. Comer un rancho frío acuclillados sobre el barro con otros compañeros, sintiéndose soldados un poco. Se fueron a dormir con la satisfacción de aquel deber cumplido, confortados por la sopa caliente de Aurora; aquella noche no quise decir nada de Galvarino Torres.

16

Cuando vino Enrique a hacernos su prometida visita estábamos al completo; no se habían restablecido las clases. Aurora cocinó una de sus comidas de fiesta, nos reunimos alrededor de la mesa grande. Almorzamos temprano; después de comer iban a ir los chicos con Enrique a Chumaiyu. El muchacho, desde que entró en la casa de la calle de las Hortensias, pareció ser pariente o amigo de largo tiempo; la gente joven habló con soltura y animación contando sus cosas, se reían mucho. Todos se veían contentos, hasta Gonzalo que solía establecer sus barreras entre la gente nueva y su persona, murallas levantadas con sarcasmos. Pero Enrique fue uno más de la casa desde el primer instante. Entonces, al campo todos querían ir, sólo que el auto de Enrique era un japonés pequeño, cabían cuatro. Clarita se exasperaba: «que nos preste papá la furgoneta, tú conduces», la que menos quería quedarse. Enrique prefería manejar su propio auto para andar en carretera; al final Gonzalo cedió, displicente. Salieron Enrique y Sebastián con las dos niñas. Me sentí de súbito viejo recomendando desde la verja que tuvieran cuidado, que no corrieran; era la primera vez que los niños tenían autonomía para marcharse sin necesidad de que los lleváramos su madre o yo. Iban tan alegres... suspiré. El muchacho Enrique resultaba muy simpático, de carácter abierto y buena educación, un chiquillo atractivo, se mirase como se mirara. Pero si se me complicaban en asunto sentimental él y Lorena... entonces no sabía si debía alegrarme, a lo que pensaba que no, no me alegraría. Mi familia la quería mantener entera, piña de piñones... esas cosas pensaba por la historia de Adrián; un año antes no se me hubieran ocurrido. Violeta, dije mirando a la copa del ceibo del jardín, a punto de abrir sus capullos rosas, Violeta, las niñas son difíciles; yo no sé... Lorena se veía linda, menudita dentro de su chaqueta, los ojos con un brillo que recordaba a su madre, aunque era más decidida que ella... no exactamente decidida sino de menor sutileza. Entré en el estudio-garaje, pinté, cavilando toda la tarde. Al oscurecer me ganó la preocupación: ¿si les hubiera pasado algo? ¿Por qué no llegaban? Quizá debí ir yo mismo, no dejar a los muchachos solos... Sonó una bocina en la calle; habíamos olvidado encender las luces del jardín, tarea de Lorena por costumbre. Habían llegado, muy contentos. «La casa, cuantas más veces la ve uno, más gusta.» Enrique traía unos planos, levantados de urgencia. Don Ramón me mandaba saludos, preguntó mucho por la inundación, también quería saber si nos interesaba alguno de sus muebles; Lorena había hecho una lista. El escritorio teníamos que comprarlo desde luego, tenía gavetas, muchos cajones para guardar todos los papeles; «es de esas maderas que huelen, huelen tan rico, y está muy bien hecho. El mueble del comedor también, que es de caoba liso con adornos de hueso de marfil.» Enrique se quedó a comer; sin hacer ninguna pregunta Aurora le había puesto sitio en la mesa. Estuvimos hablando de muebles y arreglos hasta tarde; Clara, muy pensativa, como soñolienta.

–Hija, ¿no te vas a acostar? Debes de estar cansada.

Pacita y los mellizos ya dormían desde hacía buen rato.

–Más tarde, papá. Mañana no madrugo.

Se veía que los mayores disfrutaban de tener un amigo en la casa; en aquello de ser sociables era a su madre a quien se parecían. Le pedí a Enrique que hiciera un presupuesto de obras y mobiliario y que, por Dios, tratara de no arruinarme. Sonrió:

–No seré yo quien le ponga firuletes pero tiene que amoblarla bien, don Rogelio; es una casa preciosa.

En cuanto a muebles, podían ir Lorena y él a ver algunos remates; por lo general, muebles grandes que no cabían en las casas modernas se vendían baratos. A la mañana siguiente la acompañaría al notario y al conservador para las escrituras y trámites, lo que nosotros llamamos registro de la propiedad. Sobre los planos estuvimos mirando la distribución posible; para mí decidían estudio grande con ventana y puerta dando al corredor de orientación sur, por la luz más estable. Dormitorio al lado y cuarto de baño que habría que hacer nuevo. Con otros dos cuartos de baño, y arreglar los que había, iba a resultar lo más costoso de la obra; lo demás Enrique aseguró que sería asunto de poco dinero, estando todo nuevo y sano. Respiré; aquello me tranquilizaba.

Era casi de madrugada cuando se fue Enrique; en la casa de las Hortensias quedó flotando un aire de novedad y de ilusiones. Algo distinto, como balcón abierto a otros paisajes. Los mayores comentaban qué buena adquisición; tuve que mostrarme de acuerdo pero miré de reojo a Lorena. Los días siguientes la vi renovada de alegre, más que antes del asunto de aquel Adrián a quien no había conocido y que en mí sólo era un nombre emparejado a un reproche. Haber hablado a Lorena de amor y matrimonio para después dejarla, mi niña-flor... Lorena que miraba diciendo: yo soy chiquita pero soy bonita. Que lo era de verdad; siempre lo había sido y más ahora. Florecía en aquella primavera entrada, con todos los brillos, tenía ganas de alegrarse con cualquier cosa, los ánimos sin pereza para ir y venir. Casi todos los días, después del almuerzo, marchaba con Enrique a Chumaiyu, volvían tarde, llenos de conversaciones y de cosas-que-hacer. Enrique, con toda naturalidad, se quedaba a cenar en la casa. Los sábados solían ser días de remate; muchas tardes de sábado fueron los dos, acompañados a veces por alguno otro de los mayores, a buscar nuevas oportunidades de compras: Enrique tenía hechos planos de decoración. «Acá necesitamos unas mesas bajas; para el salón hay en el remate de tal sitio una buena alfombra... que no sale cara porque es muy grande, a ver si nos la llevamos.» Con aquello trabajaban y disfrutaban, todo al tiempo. Para la obra habían encontrado competentes maestros en Pedro Domingo, el pueblecito de al lado; oyéndolos hablar de su gente, parecería que estuvieran levantando un escorial, tanta importancia le daban. Con las telas de tapicerías y cortinas pasaron agobios, había muy poco donde elegir; fueron a varias tiendas, volvían con un desánimo. Yo solamente opinaba que me gustaría todo de la mayor sobriedad, sencillo;

deberían preguntarle a Elsa que de telas entendía más que todos nosotros. Elsa vino a almorzar un jueves, después fue con los niños a ver la casa, preguntó: ¿qué pasaba con el lienzo moreno? Era barato, daba una linda luz, bien tamizada, combinaba con muchas cosas. Entonces, para el estudio, los dormitorios de los muchachos, la galería de invierno y el comedor, crea cruda: lo más fácil. Podían concentrar sus esfuerzos en la búsqueda de algo elegante para el salón y unos chintzes alegres para los cuartos de las niñas, más femeninos. Dos cosas la tenían fascinada: el arreglo de Chumaiyu y lo amistosamente que había entrado Enrique en la familia; quería ayudar en todo lo posible. Clara también. Acercándose la época de los exámenes finales, los chicos tenían menos tiempo para ir al campo, estaban muy atareados con estudios y pruebas. Clarita se disgustaba de que Enrique y Lorena fueran casi todos los días, tomaran sin ella las determinaciones. Consideraba Chumaiyu como más personal suyo que de los demás, con alguna razón. Lorena tenía la cabeza llena de planes para futuras siembras, había pensado con mucha seriedad el asunto de la labranza; Amadeo se quedaba de capataz nuestro. En lo del campo Clara no intervenía pero de los arreglos de la casa quería opinar, un poco celosa de que no le preguntaran. Los fines de semana, cuando ella estaba más libre, era cuando los otros dos descansaban, no habiendo en esos días albañiles ni trabajadores. Se quejaba: ¿cómo era que, cuando ella podía ir, no iban ellos? ¿Por qué Lorena iba toda la semana? Contesté que Lorena no tenía exámenes y ella sí.

–Quique también –replicó–. Sería horrible que se lo cargaran en alguna al final de su carrera; nunca ha tenido ningún suspenso. Tiene que terminar su cuadro para la nacional de Jóvenes Artistas, además.

Aquél hubiera sido otro de sus sueños, presentar un cuadro ella también, pero no podían concurrir extranjeros, aparte de que aún no estaba preparada para tal cosa. Tenía que aprender más, aunque adelantaba mucho. En cuanto a Enrique, dibujaba con mucha soltura; algunas veces me substituyó en la lección a Clara. Fuera de dormir en casa, estaba siempre allí, a todas horas. A mí me trataba con mucha deferencia, mirándome como a un maestro; se interesaba por todos mis cuadros. Lo único que me preocupaba, que se fuera a enamorar de Lorena, no sabía por qué; en realidad no había en ello tragedia ninguna. Enrique nos gustaba a todos, lo queríamos, pero igual la idea me fastidiaba.

Una noche antes de cenar estaban en el salón conmigo Clara, Gonzalo y Sebastián; los pequeños veían televisión y Lorena aún no había llegado del campo con Enrique. Entonces quise aprovechar para hablar del asunto que me preocupaba; el resultado me dejó más confuso todavía. Gonzalo leía uno de esos libros que lleva siempre consigo a todas partes, a veces sólo por el placer de llevarlos. Sus filosofías. Sebastián hojeaba una revista de electrónica, Clara pasaba a limpio apuntes de clase. Yo me ocupaba en ordenar una carpeta llena de croquis, planeaba el trabajo del día siguiente. De pronto pregunté qué pensaban de Enrique, así, a bocajarro. Sebastián al momento dijo que era simpatiquísimo, un tipo estupendo. Gonzalo se calló, levantaba una ceja; Clara declaraba con fervor: «Es un tesoro. Es el chico más tesoro que he conocido.» A lo que Gonzalo hizo uno de sus ruiditos sarcásticos, un chasquido de la lengua muy peculiar suyo que no anunciaba nada bueno, y lamenté haber hecho la pregunta pero tenía que seguir adelante. Me expliqué, con torpeza. Lo que yo quería saber, si ellos pensaban que estaba interesado por Lorena. Clara negó con rapidez. No. Era amigo de todos, por igual.

–Clara, pareces tonta –dijo Sebastián–. Por supuesto que está enamorado de Lorena; cualquiera puede verlo.

–Que no, nada que ver.

–Esta niña es idiota sin remedio. Hazme caso a mí, papá. Esto termina en boda, ya lo veréis. Suerte que Lorena por fin se haya olvidado de Adrián; éste es mucho mejor.

Clara se levantó, recogió sus cuadernos. Se despidió con voz temblorosa. «Buenas noches, papá. Me voy a la cama.» Pero bueno, ¿se iba así, sin cenar siquiera? ¿Por qué? ¿Y por qué lloraba? No tenía motivos, no debía picarse.

–Sebastián, discúlpate.

–Oye, perdona, Clarita. Yo no quería... –Clara ya no estaba; la oímos correr escaleras arriba, zapateando en los peldaños de madera. Sebastián se volvía hacia mí: «¡Pero si no he dicho nada! Si yo... bueno, llamarle idiota no quiere decir nada, siempre se lo llamamos...»

Le dije a Sebastián que tenían que ser más cuidadosos; su hermana ya era una señorita, se resentía de que le hablaran como antes. Desde luego reconocía que no le había dicho nada realmente insultante; tampoco yo entendía aquella reacción. Pero deberían ser más amables con sus hermanas, más corteses. Gonzalo me miró con una media-sonrisa, su aire un poco protector, sabihondo. Las cejas ya le tocaban el flequillo.

–De verdad, papá, no sé cómo lo consigues.

No comprendía; ¿como conseguía el qué?

–Cómo te las arreglas para mantener tu inocencia en medio de todos nosotros. Estás llegando a una perfección dentro de tu propio estilo, te superas.

–Hijo, eso me suena a impertinencia.

Ahora sonrió con la toda-sonrisa, satisfecho de veras, visiblemente. Complacido. ¿Lo creía yo así? Bueno, la verdad era que estaba intentado ser impertinente, le gustaba. Un género, la impertinencia, que se perdía cada día más; había que cultivarlo, no dejarlo extinguir. Antiguamente, la gente sabía decir impertinencias buenísimas, ¡tenía tanto tiempo para pensarlas! «Tengo un cuaderno donde apunto las frases buenas que leo, si quieres te puedo contar alguna.»

Decliné. Se lo agradecía; a mí, personalmente, no era un género que me interesara. Podía, además, atraerle dificultades, enemigos incluso. A Gonzalo aquello de atraerse enemigos no le preocupaba, hasta le parecía estimulante.

Lorena y Enrique se estaban retrasando mucho, llegaron cuando terminábamos de cenar; era tarde para los pequeños, se despedían con las buenasnoches. Lorena preguntaba por Clara; vacilé. Se había ido a acostar, dije, no se encontraba bien. Quería subir a verla enseguida; la pude convencer de que primero cenaran. No le pasaba nada en realidad, un poco de cansancio, hartura de los estudios, nada. Se sentaron a la mesa, traían colores del campo y el aire sano de haber estado al limpio sol de la primavera. Nos quedamos allí mientras ellos dos comían, acompañando. Enrique me pedía que fuera a ver las obras casi terminadas, la verdad que se habían dado mucha prisa; Lorena lo que quería era comprar un tractor que vendían en Pedro Domingo: «es de segunda mano pero está muy bien... a mí me parece. Sebastián podría verlo que entiende de motores; dice Amadeo...» Se interrumpió; alguien abría las puertas correderas del comedor. Clara hacía su entrada y era una Entrada. Que se había arreglado a propósito resultaba evidente: en vez del uniforme del colegio, una cosa fea enteriza igual para todas las muchachas, antiatractiva, llevaba una falda y blusa blanca muy planchada. El pelo cepillado, suelto, deshecha la trenza de cada día, tan rubio reluciente de brillo; hasta hubiera jurado que se había dado algo de color en la cara. Lorena se asombró, ¿no estaba mala? Ah, dijo Clara, era un cansancio ligero pero ya se encontraba bien. Yo evitaba mirar a los hermanos; Clara se sentaba a la mesa en su sitio de costumbre, derechita, como para que nadie la tuviera en menos. Pedía fruta a Aurora, finamente; no comería nada más que postre. ¿Había algunas cerezas?

«Cerezas de Curicó», asentía Sebastián, apoyando. Afectuoso, quizá quería hacerse perdonar. Buen chico. A lo que ella le sonreía. Pensé que teníamos dos mujeres en la casa; Clara había venido dispuesta a hacerse valer. Se mezclaba en la conversación, no introducía ningún acento disonante ni rencoroso, tomaba aires de persona grande, delicadamente, sin exagerar. Aprobaba mucho, atenta, asintiendo a lo que decían los otros. Desde luego, era necesario comprar un tractor, aunque quizá no de segunda mano. ¿No iba a ser mejor esperar un poco, conseguir uno nuevo? Y también: «Quique, yo quisiera elegir las cortinas de mi cuarto, tengo mi idea del color. Azul, no; me resulta muy frío.»

–Azul entona con tus ojos –respondía Enrique–; es un color que te va muy bien.

Vuelta a sonreír.

–Muchas gracias, eres muy amable. Pero me gustaría que lo viéramos juntos, ¿te parece?

Enrique, con toda inocencia, contestaba que claro, por supuesto.

¿Nadie más que yo veía su alma empinadita, asomada a la existencia de los mayores con la decisión de formar parte? Jugando el juego, aceptando los retos posibles, empeñada en sobrepasar las dificultades, las propias. Bien por mi niña, pensé. Me daba una ternura. Tiempo después ella me vendría a explicar aquel cambio que no fue repentino como pudo parecer sino madurado, con mucha meditación. Así. «Cuando mamá vivía, ella era el centro de nuestro mundo, todo andaba dando vueltas a su alrededor, muy bien organizado. Mamá hacía todas las cosas, era muy alegre y fuerte. Por supuesto, la adorábamos. Entonces tú, perdona, eras como una sombra. Tú mirabas a mamá siempre, como quien necesita la luz; a nosotros nos mirabas muy poco... yo no digo que no nos quisieras sino que no te ocupabas. Yo me daba cuenta de que Lorena era la que se parecía a mamá, mucho, no sólo en el físico, también de manera de ser, lista para manejar la casa y a nosotros. Animada, como ella; Lorena iba a ser Violeta segunda. Yo me parecía a ti, desde pequeñita. Entonces resultaba que yo era un reflejo no del sol; de una sombra. Era muy difícil. Pero cuando Mamá faltó y se apagaron las luces y el cielo se nos cayó encima... y entre todos decidimos que teníamos que ayudarte porque tú te habías convertido en una especie de zombi, una sombra triste que veía visiones, se me hizo más difícil todavía. ¡Yo no tenía ninguna de las cualidades de mamá! No servía... pasé una temporada horrible, sólo quería morirme a todas horas, hasta sin saber si me ibais a echar de menos. Todos lo pasamos mal, tanto que casi nos alegrábamos de venirnos aquí y empezar de otra manera, la vida diferente... pero creo que yo me sentía más desgraciada que mis hermanos. Con las clases de dibujo y Chumaiyu mejoré un poco; después apareció Quique y las cosas se me pusieron aún peores. Y... bueno, había decidido ser persona-persona, no persona-reflejo. Me empeñé, puse harto trabajo. Mientras tanto tú te estabas convirtiendo en persona-persona también; eso me ayudó. Pintaste mejor que nunca, te afirmaste como artista y en tu trato con nosotros... Tú y yo, pareciéndonos, empezamos a revivir casi a la misma vez.»

Pero esa conversación fue más adelante. Lo que noté desde aquella noche, que si Clara lloró alguna vez sería en su habitación, quitada de enmedio. Ante nosotros es cierto que hubo un cambio; guardó bien sus dificultades, las que tuviera, sólo volvió a aparecer afirmada y serena, con un sosiego lindo de mirar. Así crecía también por dentro, echaba sus raíces; de los temporales grandes o pequeños no dejó ver las huellas. En aquella tarea, además, embellecía día a día, se formaba.

Entonces, las obras se estaban acabando, faltaba poco. La casa recobraba toda su antigua belleza. Después de muchas pruebas con alberos y tierras mezcladas a la cal, dimos con el tono rosa exacto para los muros. Todos deseábamos cambiarnos cuanto antes; los pequeños detalles que faltaban tenían que ser llevaderos. Si no nos metemos dentro, no van a terminar nunca, decía Lorena. Lo que yo quería era pagarle a Enrique sus honorarios; no aceptaba. Aquello me producía una incomodidad, insistí varias veces, molesto; siempre me desagradó hablar de dinero. Él daba tontas excusas, que no había retirado su título, que le faltaba darse de alta en Hacienda... no podía cobrar. Se reía: «pero con todo lo que he gozado... ha sido lo más entretenido que hice en mi vida... ¿cómo voy más encima a cobrar...?» Yo protesté que no eran razones; entonces, ¿para cobrar un trabajo había que sufrirlo? Tonterías: yo bien disfrutaba pintando mis cuadros, algunos más que otros. Todos los vendía, era mi profesión.

–Mire, don Rogelio, vamos a colocar dos camas en cada pieza, son tan grandes. Entonces, de vez en cuando usted me invita a la habitación de Sebastián o a la de Gonzalo. ¿Qué más pago voy a querer?

Tonterías, repetí. Invitado estaba siempre; además teníamos la habitación de los huéspedes, y la de Paz que de momento iba a dormir con Lorena... sitio era lo que más sobraba. Ah, pero no. Él no quería que lo tuviéramos de huésped sino como un muchacho más de la casa.

–Si lo eres, hijo, así te consideramos todos... eso no quiere decir que me hagas un trabajo gratis. Tienes que ganar tu dinero...

Y no, no. Que no. Para él había sido un placer, una satisfacción. Por último... si no me parecía mal, lo que le encantaría sería tener un cuadro mío. El muchacho sabía quedarse con uno, comprador de los afectos. Acertaba a halagarme; lo pasé al estudio: «Elige, entonces.» Dudaba, pensó varias veces, remirando: «es que todos me gustan...» Lorena estaba allí también.

–No te los puedes llevar todos; vivimos de esto –decía riéndose–. ¿Te ayudo yo a elegir?

–Calla, habladora, que no me dejas pensar. Minutos de silencio.

Al final se quedó con una vista de Tolhuaca, la laguna. Aguas rosas, altos montes: era un buen cuadro. Me gustó su elección; hijo mío, dije, sabes escoger. A lo que sonrió: «Espero que eso me lo repita usted más adelante.» Lorena estaba de espaldas, no pude ver sus ojos; me quedé no sabiendo qué pensar. Aquella frase, ¿quería decir algo? O había sido así, dicha sin intención... Me inquietaba.

Y para despedir la casa de Las Hortensias, los hijos quisieron dar una fiesta. Vacilé, me angustiaba la idea de meternos en recepciones... Violeta, señora-de-mi-casa, faltaba. Yo quería guardarle mis lealtades: fiesta sin ella no tenía sentido. Los niños multiplicaban argumentos: que nos habían invitado varias veces, que en Madrid siempre teníamos gente en casa; a mamá le gustaba invitar y también a ellos. Y más: el colegio justo terminaba; no habíamos tenido suspenso ninguno... argumento de falacia: el nivel escolar era mucho más bajo. A Gonzalo hasta le llovieron los sobresalientes, como él se esperaba y así reconocía con aire de falsa inmodestia. Algún premio que otro había caído: Clara el de dibujo, un par de ellos Sebastián y los mellizos, pro-indiviso, una extraña cosa llamada Premio de Convivencia. Me asombré: con quien convivían era sobre todo con ellos mismos. Entonces todos merecían recompensa, lo que pedían era la fiesta y tuve que conformarme.

Lorena y Aurora se reunieron en largos parlamentos, hacían listas. Vino Elsa para aportar consejos... y vasos; tuvimos que consultarla también para otra cosa; las dos niñas querían vestidos nuevos, el que compramos a Lorena la Navidad anterior había resultado muy malo. Había que saber los sitios elegantes. «Encima del jaleo de la mudanza y la dichosa fiesta, me metéis en otra complicación», me quejé. Elsa recomendó una tienda de modas en una bocacalle de Providencia, se ofreció a acompañarlas pero lo que las niñas querían era ir conmigo. Me llevaron; en el aparcamiento, antes de bajarme del coche, pregunté cuántas cosas querían comprarse. Clara, cinco o seis; había crecido mucho. Ahora estaba más alta que su hermana. Lorena se conformaba con menos, a ella no le importaba heredar. Con eso, entramos. Fue cosa de verlas a las dos, revolviendo la tienda, probándoselo todo; me sentí un poco achicado. ¿Se iría a molestar la dueña con tanto desorden? Pero la señora sonreía: «Lindas muchachas tiene usted, señor.» Las dejé comprar varias cosas; estaban disfrutando las alegrías de los vestidos y los espejos, tan propias de su edad. Para la noche de la cena, Clara eligió un vestido azul; Lorena otro con flores amarillas. Del probador pasaban al salón, daban vueltas, que yo las admirara. Parecían princesas para estar en lo alto de una torre, como en los cuentos. Aquellas delicadezas tan bonitas, los colores pastel, las sedas suaves. Admiré debidamente, deseando sólo que Violeta las viera, estuve conforme con todas las compras: pagué. De vuelta a casa iba muy metido en cavilaciones, pensando mucho. Ellas no paraban de hablar de las cosas que habían visto en la tienda y te acuerdas de esto y qué te parecía lo otro y las faldas se llevan más largas y el vestido rosa era un poco cursi. Cuando llegamos fueron corriendo a enseñarle a Aurora las compras y yo a mi habitación. Busqué la llave del baúl de Violeta, a Lorena se la entregué. «Podéis sacar de las cosas de mamá lo que os convenga, que sea apropiado para vuestra edad. El resto lo dejáis bien guardado, con alcanfor.» Se quedaban desconcertadas, no esperaban aquello. Antes de que me respondieran me encerré en el estudio. Así, las ropas de Violeta salieron del baúl y se airearon, revivían en los cuerpos jóvenes graciosos de sus hijas; me acostumbré a verlas otra vez, a sobrellevar aquellas tristezas que venían teñidas de alegrías, mis recuerdos.

Durante dos o tres días no se pudo ni entrar en la cocina; allí todo se preparaba para la cena, se adelantaba trabajo. La vieja Teresita convocada de urgencia había acudido a colaborar, seguía hablando de su «yerna» con frases ominosas. Comíamos entretanto lo que fuera, platos fríos, bocadillos... nadie protestaba. Los niños tenían permiso para convidar a un par de compañeros de colegio cada uno. ¿Lorena a quién invita?, preguntaban los mellizos. A lo que dijo Gonzalo que Lorena invitaba a Quique y ella sonrió sin hacer comentarios, menos mal. Sebastián había instalado más luces en el jardín de atrás; Clara arregló centros con flores sencillas compradas en el mercado por la mañana. Nos reunimos unas treinta personas, la mayor parte amigos de Elsa y parientes, las edades mezcladas. Las niñas de la casa, vestidos nuevos, un poco inseguras en los movimientos al principio, ganando aplomo con la noche, atendieron a todos. Los chicos ayudaban con platos y fuentes. Enrique llegó con sus padres, nos presentaba; querían invitar a las niñas unos días a la playa donde solían veranear. Agradecí: «pero como justamente vamos a mudarnos al campo, temo que no podrá ser.» El señor de pocas palabras, la madre hablaba más, señora rubita con una distinción, vestida de gris; a quien se parecía Enrique era a ella. Acudían las niñas a saludar; las dejé que se ocuparan de los padres de Enrique. Di una vuelta entre la gente; Gerardo estaba bebiendo de más. Elsa intentaba por todos los medios hacerle comer; estaba todo exquisito, repetía. Después en un aparte me habló de él, que estaba muy mal. «Hace muchos meses que no pinta, ¿qué puedo hacer? Toma y se deprime y entonces toma más porque está deprimido. Se está destrozando los nervios y la salud... y no sé cómo soportar esta situación.» Me preocupé; quedamos en charlar al día siguiente, yo pasaría a tomar café por su casa, a aquella hora Gerardo solía echar una siesta. No dormía por las noches. La señora Memé decía que nosotros alhajábamos su casa, qué pena que nos fuéramos, igual estaba contenta de haber vendido. Pacita se colgaba de su mano, mimosa. Por dónde venía a acordarme de Galvarino Torres, lo que él hubiera gozado con la fiesta. «Yo con su amistad me honro, don Rogelio. Me enorgullezco pero no me envanezco», por encima de sus gafitas siempre puestas. Pobre Galvarino, debía apartármelo del pensamiento, nada se podía hacer ya por él. Al vecino de al lado lo habíamos invitado también. No acudió, estaba enfermo del corazón realmente, pero mandó unas flores de su jardín para Lorena. Que sin duda estaba siendo la reina de aquella fiesta; todo el mundo la felicitaba, alababa su organización y la comida, y ella sonreía sin perder nada de su aire sencillo. «Yo soy chiquita», así parecía decir siempre, linda modestia, y todo lo llevaba adelante con buen pulso, estaba siendo una verdadera dueña de casa. La cena resultaba, hasta el gazpacho tuvo un éxito, fresquito y atractivo de color. Y eso que Aurora había meneado la cabeza, dudando: «¿Gaspacho qué es, sopa fría? No va a gustar acá, no tenemos costumbre...» En el jardín se agrupaban las más jóvenes, oíamos las muchas risas. Sobraba de comer y de beber, a pesar de mis ansiedades de última hora y mi repetida pregunta, creéis que será bastante. Lorena me tranquilizó, recordándome a Violeta también en eso que era broma nuestra siempre, antes de cualquier comida con invitados. Violeta. Estaría contenta de ver su casa, encendidas todas las lámparas, los muchachos bromeando en el jardín, las niñas tan bonitas, con un revuelo como de mariposas por el salón, alas nuevas. Y sí, Violeta tenía que estar orgullosa de ellos, de los siete. Yo lo estaba también.

Los invitados se quedaron hasta muy tarde; aquello, dijo Gonzalo, era la mejor señal. Las despedidas, con muchas recomendaciones: «Y no se encierren allá, en su campo, aunque sea muy lindo. Vengan a visitarnos, no se olviden...» Era increíble cómo se corrían las voces, hasta los menos íntimos sabían los pequeños detalles de Chumaiyu. Cuando se fueron todos, ayudamos a Aurora y Teresita a recoger. Los niños subieron a acostarse, cansados y un poco revueltos, mareíto de la mucha fiesta.

Entonces, yo fui apagando todas las luces, me despedí en silencio de la casa. Una segunda etapa terminaba, que había sido buena con nosotros.

17

Y por tercera vez mudanza, en poco más de un año; ya teníamos la mano hecha a los traslados. Todo se realizó como en un baile de conjunto; igual el día se hizo largo y al llegar la noche sentíamos el cansancio agarrado en el cuerpo. Y una satisfacción; había resultado todo de buen llevar con la ayuda de Enrique que para aquel menester se vino con nosotros, trajo a Lorena y a Clara en su coche. A la mujer Corina, la de los ojos amarillentos, que no se había ido con don Ramón, la tuvimos contratada para ir haciendo limpiezas. Era bastante extraña, medio simple, cetrina y melancólica. En cuanto nos acabáramos de instalar se iría; así fue nuestro acuerdo. Pobrecilla, a ninguno de nosotros –salvo al Kim– nos gustaba mucho, daba un desasosiego con la mirada perdidiza que no se fijaba quieta en ninguna cosa. Pronto supimos que era nictálope, además.

Mi dormitorio lo habían puesto en el ala sur, lo que aquí corresponde a luz de norte, comunicado con el estudio. Estudio muy grande con salida, por el corredor, dando al campo. Comimos de emergencia, cena fría, salimos a mirar la noche fuera. Chumaiyu nos recibía con luna llena; la vimos levantarse, despaciosa, por sobre las altas montañas, redonda como un pan. Chorreó una luz nacarada encima del bosque; Clara inmediatamente bautizó: su nombre sería en adelante El Bosque de la Luna. Se veía tan luminosa. Miramos su paisaje diferente, por la declinación, del que solíamos conocer en Europa; a aquel dibujo ya nos habíamos acostumbrado. El silencio era una pompa de jabón inmensa, llevándonos a todos dentro por lo vacío del aire; un búho lo rozó, cantando en la distancia. El tucuquere, dijo Enrique, que era un amigo entre los nocturnos. Otras lechuzas anunciaban desgracias pero aquel pájaro saludaba solamente. ¿Habría un vientecito más limpio, más fragante, en algún lugar? Temprano nos fuimos a la cama, con muchas recomendaciones de que, el primero que despertase a la mañana, tenía que llamar a los otros. Madremente, la casa nos acogía; éramos recibidos por un amor de murallas de adobe, anidamiento para dormir en paz.

A punto de salir el sol me sobresaltó el canto formidable de un gallo del corral. Por la ventana lo vi, orgulloso, empinado encima de un montón de paja: saludaba al amanecer. Tomé una ducha, me vestí con prisas, pasé a lo largo de la galería tocando en todas las puertas. Un repique; desde el cuarto que Lorena compartía con Paz, el Kim ladró apresurado sus alegrías. Salí al campo: rocíos de la mañana en la pradera, tan cristalinos; sobre los tréboles delicadamente sonrosados los millares de gotas. La amanecida era el canto de muchos pájaros. La luna duraba enfrente de los montes; el aire una finura que daban ansias de aspirarlo todo. Despacio, el sol salía detrás de la Cordillera. Los chicos fueron apareciendo en el prado, más o menos soñolientos. Entonces, lo que vimos allí no lo habíamos visto nunca: el redondel pálido del sol quebrando el alba por el Levante, y a Poniente, el casi igual enorme de la luna llena. Como discos semejándose, enfrentados. Un pulso; parecían dos soles, o dos lunas, o dos astros paralelos vistos desde un planeta otro, la extraña visión. El cielo fue un límpido espejo amarillento aquella madrugada. Después de admirar, todo el mundo andaba con hambre; fuimos a sentarnos alrededor de la mesa grande de la cocina con el tablero de mármol blanco, que le habíamos comprado a don Ramón. Aurora nos había sentido levantarnos, ya colaba el café de puchero; panecitos redondos recién amasados, con el calor del horno todavía, había traído Amadeo, a caballo, de un obrador vecino. Desde el fundo Las Yuntas, que tenía lechería, había llegado un cántaro de leche lleno de espuma. Aquel desayuno primero en Chumaiyu nos supo a puras glorias, las frescuras diferentes. El Kim, a todas las horas de comer, pedía, tan empinado en sus patas de atrás; Sebastián vigilaba que no le dieran, por tenerlo educado. Amadeo se asomaba por la puerta del corredor: «A los buenos días... –y a Lorena, deferente–. Patroncita, ya llegó el hombre de la máquina.» La máquina era un tractor alquilado para levantar las hectáreas de siembra. Lorena se levantaba, en la mano todavía un pedazo de pan, mordiéndolo. Con sus pantalones vaqueros y la blusa blanca, una chaqueta de punto echada por los hombros, parecía más niña pequeña. Pero salía muy decidida: «vamos, vamos; no hay que hacerlo esperar», sin saber lo que es pereza. El papal había que sembrarlo, cuanto antes; casi ya no estábamos a tiempo. Enrique con el albañil, maestro Machuca llamado, se iba a dar una vuelta a los repasos... siempre había que retocar. Aurora decretaba cazuela de gallina para el almuerzo; los mellizos querían enganchar a su coche el caballo Tizón pero no sabían solos. Eran las vacaciones de verano, las verdaderas. Yo desembalé mis lienzos, empezaba a organizar el estudio con la ayuda de Sebastián. A lo que pocos momentos después llegaban los otros. «Vamos a ver trabajar la máquina.» Íbamos.

El disco del arado levantaba la tierra, daba sus vueltas. La superficie parda; lo de dentro se veía salir color-de-chocolate, muy jugoso. «Ésta es la mejor tierra para papas, –declaraba Amadeo, con orgullo–, y para la cualquier cosa de sembrar.» La simiente de papas venía del Sur, garantizada de Chiloé, limpia por los fríos duros de pestes y plagas; Lorena decía «los nematodos...», sabiamente. La semilla se llamaba: eran patatas enteras pequeñitas redondas, muy iguales, como hechas de fábrica. Costaba cara.

–Veremos cómo resulta el experimento, –dije con alguna preocupación. Desde que compré el campo no había hecho más que ponerle dinero y dinero.

Amadeo confiaba, que ahora, desde que lo habíamos ascendido a capataz, llevaba el don con el apellido como era la costumbre. Don Garrucha para los trabajadores, aquella promoción. Estaba satisfecho: «Eih, que resultará bien, Patrón. Ya tengo contratados a los sembradores, con sus caballerías. Pero antes lo que hay que hacer es dar un riego.» Como se regaba era por su pie, con azada y surco, el agua por el cauchil. Los queltehues se acostumbraban a nosotros, no chillaban tanto. Con sus pintas de frailecitos, pájaros ruidosos. Cuando paraba el tractor, se podía escuchar el clan-clan-clan del río. Lorena dijo que era necesario pagar a dos hombres que limpiaran de zarzas las orillas de la acequia. Enrique venía llegando, explicó que los plantoncitos de zarzamora los había traído en barco un francés a finales del otro siglo para poner cercados a unas viñas suyas, que no se las robaran, pero se aclimataron con tanto arraigo; ahora era la plaga más molesta en todo el Valle Central. Crecía y recrecía con muchas fuerzas, no había quien la erradicara. Amadeo escuchaba la historia encantado. Entonces, yo me volvía para el estudio. «¿Adónde vas, papá?» Todos querían quedarse viendo tractorear, daba un gusto. «A pintar, hijos míos. ¿De dónde va a salir el dinero, si no, para pagar tantos gastos?» Los niños se reían. «Ya lo recuperarás cuando salgan las papas», dijo Lorena queriendo tranquilizarme. Y Gonzalo, sentencioso: Más vale cuadro en mano que papas volando. Amadeo comentó que los españoles siempre decían muchos dichos y refranes, admirativo, pero aquél, él no lo había escuchado nunca. El Kim estaba empeñado en cazar un pajarito colorín; Pacita chillando corría detrás de él. ¡Las vacaciones!

A la hora de almorzar discutieron los planes para la tarde, había tantas cosas que hacer, no se ponían de acuerdo. Los chicos querían darse un baño en el río; al final fueron aunque el agua corría fría fría. Las niñas se quedaron en el jardín a pensar los arreglos; Enrique las acompañaba con lápiz y papel para apuntar. El jardín tenía demasiadas malezas, los arbustos necesitaban urgentemente poda, pero el dibujo era bueno, arriates y macizos rodeados de boj, jardín español en su estilo. Había que respetarlo. Lo que resultó, que decidieron pagar otros dos hombres para quitar hierbas y dar una cava. Suspiré: ¿cuántas papas salían de cada mata? Lorena decía como veinte. O más. Aurora dejaba a Corina fregando los cacharros, venía a ver el jardín también; se extasiaba: «Qué lindo va a quedar, don Rogelio, los buenos árboles grandes.» El toronjil perfumaba mucho, dijo que con él se hacía una infusión: agua-de-melisa. Y aquellos otros árboles tan redondeados eran boldos, también excelentes para cocer agüitas. Las bonitas palabras; a Violeta tenían que gustarle. Marcos llegó con una rodilla sangrando feo, había resbalado en las piedras del río. Mateo lo acompañaba para justificarlo si había regañina; en verdad los mellizos siempre tenían señales en alguna parte de sus cuerpos. Fueron las niñas a una cura de urgencia con Aurora. Violeta –dije–, ¿qué voy a hacer con los chiquillos corriendo por estos campos y cayéndose? Me pareció que ella sonreiría: no estáis solos. No estábamos solos; Violeta seguía con nosotros. Se me acercaba Enrique encantado con las posibilidades del jardín. «Es una hermosura, don Rogelio.» A propósito de los mellizos, ¿no sería prudente tener siempre a mano suero antitetánico?, con tantos caballos como andaban por la zona. Llevaba razón: en Pedro Domingo había una farmacia, lo pediríamos allá.

Volví al estudio, pude aprovechar las horas de la tarde. Pero cayendo el sol oí el vocerío de los niños en el jardín, salí a dar otra vuelta. Las plantas olían más, recién regadas. Paseamos un rato. Poco a poco fueron saliendo las estrellas entre ramas de árboles, la Cruz del Sur ya la conocíamos, se colocaba justo encima de un naranjo grande, muy frondoso. La noche hospitalaria, hecha de muchas paces.

A la casa, con ser tan grande, nos habíamos acostumbrado muy rápidamente. ¡Era mejor tener ancho espacio! Los niños con todo se alegraban, hacía mucho tiempo que yo no había sentido tanta risa a mi alrededor, tanta llamada a admirar, a ver. Lorena se ocupaba de su siembra con aplicación, leía libros de agricultura, revistas. Aprendiendo. Enrique se fue a pasar Navidades con sus padres, antes preguntó si podría volver para fin de año; también iban a venir Gerardo y Elsa.

Una tarde a poco de instalarnos se presentó de visita una mujer, en una camioneta roja. Venía de una chacra de río arriba; Las Quilas era como se llamaba su casa. Llegaba en nombre de la buena vecindad para orientarnos en cualquier asunto que nos pudiera hacer falta. Lo agradecí, aunque andaba escaso de tiempo, con fiebre de pintar y necesidad; pasamos al salón. En la media hora que estuvo en casa, no cerró la boca un solo instante. A lo que me dijo, era viuda, vivía en la chacra con sus dos hijas, sembraba algo, tenían unos cuantos frutales. Confeccionaban mermeladas caseras, dulce-de-leche; con eso iban viviendo las tres. Y ganando muy bien, me explicó, «buenos billetes». Pasó el rato aconsejándome lo que teníamos qué hacer. «Usté siembra maíz, tiene que esperar tiempo para la recolección. Siembra papas, tiene que esperar, siembra trigo, trébol, sorgo, lo que sea. Esperar y poner plata. Pero hace los dulces, los mete en sus envases, los carga en la camioneta y al mercado con ellos, o a la vega. ¡Billetes! En el mismito día; por eso es lo mejor.» Que por cierto un frasco de aquel dulce-de-leche, dicho manjar, había traído de regalo para los niños. Parecía ser que yo tenía muchos, según se comentaba por ahí. En esto, los niños llegaban; saludó a cada uno de beso, demasiado efusiva, nos invitó a tomar onces en Las Quilas al día siguiente. Después se fue con rapidez de huracán, descontrolada de rápida; nos dejaba con un desconcierto. Señora tan agitada y locuaz... y la voz era desagradable. Ninguno de los chicos quería ir a su casa, había asegurado llena de convicción que se iban a hacer muy amigos de «sus niñitas», de aquella seguridad desconfiaban. Me impuse: tenían que acudir. Habíamos dicho que sí en un principio, porque nos pilló desprevenidos más que nada, no podíamos faltar; la buena señora no tenía teléfono. La invitación habiendo sido hecha con tanta amabilidad –exagerada, decía Clarita, no había derecho a invitar de aquel modo– y sí, exagerada evidentemente pero de todas maneras. Con los vecinos había que llevarse bien. Más protestaba Gonzalo: que ir a casa de personas con aquellos nombres era hasta denigrante. Yo sólo me había enterado del nombre de la mujer, se presentó a sí misma como señora Coqui. Por lo visto las niñitas eran la Nené y la Beba; Gonzalo lo oyó bien, despotricaba: «Gente llamándose así ya está definida, ¡la Nené y la Beba, por favor! No puede ser.» Al final todos fuimos menos Paz, todos de malagana. La señora había organizado gran merienda en su casa a mediagua, de la anchura de un corredor. La crujía no daba los tres metros, dos cincuenta lo más; estábamos en fila como ristra de cebollas. Las niñas resultaron ser dos monstruas de gordura, las tremendas piernas, pobrecillas. No eran antipáticas. Por las sillas, butacas con tapicerías de peluche de colores indefinibles, había tapetes de ganchillo y pañitos de ganchillo también en los muchos platos con rebanadas de pan untadas con todas las hechuras de la casa: confituras de castañas, frutillas, duraznos, guindas, higos... sin faltar su renombrado dulce manjar de leche. Después los niños comentaron que no era de extrañar el tamaño de las dos muchachas a lo que Gonzalo rugía: «¿Y entonces las piernas? ¡Eso es bastedad de nativitate!»

La señora Coqui exultaba con su reunión, mucho se veía que estaba disfrutando, repartía pan con dulce y consejos, explicaba todo lo que debíamos sembrar y lo que no, qué gentes de los alrededores había que tratar y a quiénes teníamos que dar de lado. Cansadora. Como yo le dijera que de la labranza se ocupaba Lorena, con ella la emprendió: ¡Eso estaba muy bien, eran las mujeres las que tenían que seguir adelante con la agricultura! Que cuando ella empezó a hacerse cargo de su chacra, nadie de los alrededores pensaba que la podría sacar a flote. Ah, a ella no le habían echado ninguna mano. Pero las mujeres lo hacían mejor; los hombres no tenían imaginación, iban nomás a la rutina, lo de siempre. Oyéndola, pensaba que la señora Coqui era más bien hombruna, con sus pantalones azules de brin y la voz tan fuerte. Ahora me estaba dando un desagrado. La Nené y la Beba masticaban todo el rato, apenas pronunciaron palabra, quizá porque la madre las había conminado al empezar con una orden: «¡no vayan a conversar con la boca llena!», y me miraba con satisfacción como señalando, mire qué bien las educo, cuánta severidad. Obedientes las dos, comían y no hablaban. Mientras, la mamá ponía mucho empeño en averiguar las edades de Gonzalo y Sebastián sin discreción, haciendo sus cálculos visiblemente. Precisaba que sus niñitas tenían dos años menos que cada uno de mis hijos. Tal vez porque encerradas en aquella huerta de casa tan estrecha ansiaba encontrar pronto partidos para sus dos gorduras. ¿Acaso no había otros vecinos? Yo temía alguna imprudencia de los niños pero se comportaban muy correctos, sólo que a Gonzalo se le disparaba una ceja hacia arriba de vez en cuando, podía leer sus sarcasmos en aquello. Por suerte eran pensados nada más. Lorena y Clara conversaban educadamente, haciendo esfuerzos porque de las personas que la señora Coqui explayaba con nombres y apellidos no conocíamos a ninguna. Según nos dijo, con quien teníamos que hacer amistad era con don Saturnín, caballero muy caballero. Su señora siendo de familia muy antigua, lo mejor de Santiago. Con harta plata. A lo que pregunté si no era el que tenía el hijo enfermo; Amadeo nos había hablado de aquel muchacho recluido en el fundo Las Yuntas. Asintió: el niño Graciliano, un poco enfermo pero muy amoroso. Andaba loco por la Beba; claro que ella, no. No quería y, por supuesto, si la niñita no quería, entonces nada a pesar de su aprecio por don Saturnín, lo caballero que era, ella a su Beba con un chiquillo que no le gustaba no la iba a dejar casarse. Ah, no. Para sus hijas, tan bien como las educaba y aquellas manos que tenían para hacer los dulces, quería elegir. ¡Manos de monja, don Remigio! Sebastián sofocó un hipo y yo pronuncié que, perdón, Rogelio, muchas gracias. Pero no se achicaba con aquello, ni con nada: ahora que los niños se habían conocido tenían que hacerse muy, muy amigos. Siendo vecinos, entonces. En cuanto pudimos, sin que pareciera desconsideración, nos levantamos para despedirnos. ¡Ah! ¿Tan luego? Era demasiado temprano; empezábamos una amistad. Teníamos que intimar más, claro que sí.

No intimábamos nada, nos disculpamos con haber dejado en casa a Pacita. Salieron las tres hasta el cercado; fuera habíamos aparcado el coche. La señora Coqui anunció que pronto vendrían a vernos. Camino de Chumaiyu los niños se indignaban conmigo. ¡Yo tenía la culpa! ¿A quién podría ocurrírsele aceptar semejante amistad? Me defendí. Bueno, no había necesidad ninguna de mantener una relación seguida; otro día les devolvíamos la invitación y en paz. Mateo dijo que lo que él querría sería devolver ahora... todo lo que había comido. Los mellizos estaban empachados, con dolores de tripas; Lorena regañó. ¡Lo que faltaba, que no tuvieran ya ni un mínimo de modales! Gonzalo se reía solo.

–¿Y tú, de qué te ríes?

–De la Coqui, la Beba y la Nené... y de nosotros sentados allí en fila entre todos aquellos tapetitos.

Todos acabaron riendo; no podía pararlos ni aún con decir que era falta de caridad, que por lo menos agradecieran a la señora Coqui tanta molestia, la preparación de todos los platos. Al llegar a casa les pedí con firmeza un poco de compostura, por Amadeo al menos: sabía seguro dónde habíamos ido. Aquella gente era de la región; no estaba bien que los viera burlándose de ella. Pero Amadeo permanecía muy serio, preguntó si veníamos de Las Quilas. Y sí, de allí veníamos. A lo que con disgusto meneó la cabeza: «Ésa, en tiempos de don Ramón, no se atrevía a pisar esta casa... No es compañía...»

Esperé a que los niños se hubieran marchado hacia la puerta de entrada para preguntar qué pasaba con la señora Coqui, por qué no era compañía; Amadeo vacilaba. «No me gusta hablar... pero ni casada no está. Ni por el civil siquiera. Vivió con uno... tuvo esas niñitas. Él era bodeguero, se fue... quizás si por la malafama de ella... dijeron que hasta le había disparado cuatro tiros de escopeta, sólo que la falló. Acá todos hablan; de esa señora Coqui no dicen nada bueno. Que tira para los dos lados, eso dicen... ¿usté me entiende, don Rogelio? Por acá nadie la recibe, no dentra en las casas de la gente, gente... ni en las de los pobres tampoco.»

Valiérame Dios, pero ¿por qué no me lo había dicho antes? Cómo iba yo a saber... Amadeo se rascaba la cabeza, por cima del sombrero de fieltro. «¿Denantes? Si nomás ayer estuvo acá, Patrón. Son cosas feas de contar; yo qué sabía que iban a ir hoydía a su chacra...» Las niñitas no eran malas, las tan gruesas, lo que daban era una compasión, pobrecitas, con aquella mamá. Que, aparte sus cosas, era remala con la gente; nadie quería trabajarle a ella. «Anda siempre a los gritos, a los insultos, llamando a los trabajadores patasnegras, desgraciados, hijos de... Y mala para pagar, además. Es muy ladrona.»

Me horroricé. No parecía tan atroz, así a primera vista, nada más brutota, muy habladora. Queriendo amigarse sin delicadeza ninguna, demasiadas prisas.

–Amadeo, no sé qué hacer. Ha dicho que vendría a visitarnos.

El capataz tenía una mirada de reproche.

–En tiempos de don Ramón, no. No se hubiera atrevido. Quizás por pensar que ustedes siendo de afuera no iban a saber... Don Ramón era señor don, aunque estuviera viejo y sin plata. Él no transaba, no. Hasta don Saturnín, fíjese, que con don Ramón nunca pudo compararse, nada que ver, hasta don Saturnín la echó de su casa... que allá se había metido casi por la fuerza.

Pero ella me había dicho que de don Saturnín era muy amiga, justamente, protesté. Amadeo negaba.

–Que no. Él la sacó de Las Yuntas... que andaba queriendo meterle las niñitas al hijo de don Saturnín, al que es loquito... la mujer que lo cuida es prima de mi difunta, mi finada señora, así que yo sé. Esa señora Coqui siempre anda rondando donde haya plata... Si es remala, Patrón.

Quedé con un desasosiego: yo había obligado a los niños a visitarla... Ahora tenía que sacarlos de aquel embrollo y no hallaba la manera.

–No sé qué hacer, Amadeo –repetí. Él no me consolaba: pegajosa como la pez, era. A ver cómo la desconvidaba ahora que habíamos estado en Las Quilas tomando onces. No lo veía fácil. «Usté verá, pues, Patrón.»

Me angustié, amarguras de estar tan solo. ¿Ves como no sirvo para nada, Violeta? Soy un imbécil, no sirvo ni para defender a los niños de gente gentuza. No sé. Tienes que cuidar tú de ellos, Violeta.

Dos o tres días anduve amargado con la idea de la señora Coqui aquella, dando vueltas al asunto: ¿sería mejor plantarle cara? Me repugnaba hacer un feo a alguien... y además ella tenía un aspecto bastante temible. Tampoco era cosa de transigir, por los niños. Viví con la pesadilla de ver aparecer la camioneta roja que era de aquellas que llaman pick-up, con cabina y la parte de atrás como camioncito, abierta. Hasta que una tarde la vi avanzar por el camino, pensé rápidamente. Amadeo andaba por allí, lo llamé. ¿Qué teníamos en el huerto? ¿Damascos? Entonces tenía que coger algunos para la señora Coqui. Amadeo protestaba; ahora iban a estar caldeados del sol, en la mañana temprano era cuando había que cogerlos. Se le veía la mala gana. Zanjé: «Ahora, Amadeo, ya le explicaré más tarde.» ¿Y huevos había en el corral? Entonces, también unos huevos. Y tomates. Y choclo fresco, de todo lo que hubiera. Se fue con la cara cerrada, desaprobadora. Encontré a Lorena cerca de la cocina:

–Dile a Aurora que prepare una meriendacena, que saque todo lo que haya, una mesa rebosante aunque mañana nos quedemos sin comer... Viene la señora Coqui.

–Pero papá...

–Hazme caso, por favor. Después, busca a tus hermanos, que vengan todos... supongo que trae a las niñas. Tenéis que estar muy amables; Clara y tú, en cuanto saludéis, os vais a la cocina para ayudarle a Aurora.

–Pero, papá, no vas a entrar en el juego de esa bruta, otra vez. Nosotros no...

–Esta será la última vez, si lo hacemos bien.

Entonces, llegaban. Aparcaban el coche en el patio junto al mío; las niñas se bajaban con dificultad, tantas carnes. La señora Coqui venía fragosa, emprendedora, sonreía mucho. Saludaba con su voz áspera: estuvo pensando que, como recién habíamos llegado a la zona, debería invitarnos a comer el día de Navidad en su casa... haciendo de buena vecina. Las niñitas querían hacer un asado en el campo; sería una diversión para mis hijos. No contesté, el corazón me golpeaba un poco por la angustia de lo que tenía que decirle. Le rogué que pasaran al salón. Los niños en hilera saludaban, parecían tomar parte en una pantomima. Entrábamos. La Nené y la Beba lo miraban todo con curiosidad. Yo ponía gran esfuerzo en decir amabilidades, aquellos fingimientos no me salían fácilmente. Lorena y Gonzalo me miraban con extrañeza mientras yo insistía a la señora Coqui en que se quedaran a tomar onces: por supuesto que, siendo improvisación, no resultaría tan bien como en su casa pero mis hijas harían lo que pudieran. A lo que las niñas interpretaban la señal, se marchaban a la cocina; seguí la conversación en lucha con mi cortedad de genio. La señora Coqui me auxiliaba bastante, por su afición a la charla. Sebastián y los mellizos hablaban a sus niñas; Gonzalo se mantenía aparte, altanero, sin entrar en el grupo. Al cabo de un rato volvieron Clara y Lorena diciendo que se podía pasar a la mesa, un alivio. La señora Coqui alababa la casa, «la ha puesto usté mucho mejor que don Ramón, que el pobre últimamente la tenía muy descuidada»... como si ella hubiera sido visitante habitual en Chumaiyu.

Aurora se había sobrepasado. Dos bizcochos grandes, uno bañado en chocolate, galletas, jamón, emparedados de aguacate y queso... hasta una fuente de huevos revueltos con espárragos, muy cremosos. Había vaciado la despensa, la pobre, sin entender por qué lo estaba haciendo. Aquella fe en mí se la agradecía. A la Nené y la Beba se les alegraron los ojuelos a la vista de tanta vitualla... pero comían muy modestamente; seguro que la madre las había aleccionado. Si les pasaban los platos segunda vez, hacían mohínes: «No, muchas gracias, ya comí de eso.» Se les notaba la pena de no poder repetir. Los niños estaban asombrados. «Pues nosotros en su casa nos pusimos las botas», murmuró Mateo, bastante alto como para que lo oyéramos todos. Lorena frunció las cejas; la señora Coqui explicaba: «Ah, pero es que los hombres tienen que comer más que las niñitas.» Lo que, viendo a las «niñitas», parecía imposible creer. La conversación iba sin tropiezos. Levantándonos de la mesa entraba Aurora.

–Don Rogelio, dice Amadeo que dónde coloca las cosas que usté le mandó que cogiera.

Me volví a la mujer: «Señora Coqui, son unas cosillas de la huerta, unas pequeñeces... usted dirá cómo se distribuyen en su auto.»

Aquello la obligaba a salir al patio, a disponer los cestos en la camioneta. Los mellizos encontraban bueno cualquier público, llevaban a las «niñitas» a la cuadra para enseñarles su coche de caballos. Ellas parecían más sueltas con los pequeños que con los mayores, más a su aire. Con un gesto señalé a Lorena que se alejaran los demás; quería hablar con la señora Coqui: Lorena comprendía y se los llevaba. La mujer daba las gracias por los regalos del huerto, satisfecha. Amadeo se había portado con generosidad, lo que no hizo fue saludar; puestas las cosas en la camioneta, se apartaba.

–Entonces –dijo la señora– está decidido: pasaremos la Navidad en Las Quilas. Los chiquillos van a disfrutar con el asado.

Aproveché la oportunidad; ¿me temblaba la voz? Extremé la cortesía hasta el límite de lo posible:

–Mire, señora Coqui. Se lo agradezco pero nosotros vamos a pasar la Navidad en familia. Vamos a vivir en familia, también. No, por favor, no me interrumpa, déjeme terminar. No queremos llevarnos mal con nadie, menos aún con nuestros vecinos, pero no tengo la menor intención de hacer amistad con nadie tampoco. Serán rarezas mías, si usted quiere, pero igual. Entonces, ni nosotros las vamos a visitar más a ustedes ni ustedes nos van a visitar más a nosotros. Estamos en paz, ¿me comprende?

Dio una risotada fuerte.

–¡Ah, claro que lo comprendo! ¿Se imagina que soy idiota? Eso han sido chismes de su inquilino Garrucha; la gente de acá es muy mala... ya se dará usté cuenta. Todos esos campesinos patasnegras los rajarían a ustedes de abajo arriba por cien pesos. ¡No sea tan confiado en ellos, pues, don Remigio!

Dejé pasar el nombre, esperaba que sería su última ocasión de llamármelo, sólo contesté: «Es posible, señora Coqui; usted conoce mejor a estas gentes. Yo, en principio, pienso siempre bien de todo el mundo. No quiero intimar con nadie, ni pensar mal de nadie tampoco.» Lo que era verdad, en principio. Mis modales tan calmados, las palabras sin ofensa seguramente le impidieron hacer una escena como al pronto temí; me había dicho Amadeo que solía mostrarse muy grosera. Siempre la amabilidad era una buena arma defensiva. La veía desconcertada, con los ojos muy abiertos, lastimosos; me dio una tristeza súbita. Calló, un momento; creí percibir una especie de desesperación, como alguien a quien le dicen que no podrá tomar el último barco. ¿A qué formas o insultos estaría acostumbrada que aceptaba lo dicho así, resignadamente? Se le había puesto mala cara, amarilleaba. Luché conmigo para no volverme atrás; ¿y si fueran habladurías, maldades de la gente? Deshacer una fama era lo fácil. Tal vez la señora Coqui, sí, hubiera llevado una vida irregular pero no fuera mala en el fondo. Entonces, yo estaría haciéndole injusticia en lugar de tenderle una mano... Deseé dar consuelo a aquella mirada perdida, pero los niños eran más importantes y algo en el fondo de mí me decía que Amadeo tenía razón. Esos pensamientos me pasaron por la cabeza en escasos segundos; ella contestaba: «Como usté prefiera, por supuesto.» Amarga, como acíbar. Los niños salían al patio; la señora llamó, afirmaba su voz: «¡Nené, Bebita! ¡Apúrense, que estamos por irnos!» Las «niñitas» se despedían con aplicación; dos besos nos dieron a cada uno. Era de ver la cara de Gonzalo. Se metieron en la camioneta; la señora Coqui hizo una salida chirriante, las cuatro ruedas gritaron sobre las piedras del patio.

–Son más bien agradables, las niñas –dijo Lorena–. Es una lástima que sean tan tremendamente gordas, tan bastas.

–De todos modos, será mejor que no las volvamos a ver.

–¿Y cómo vas a conseguirlo? –preguntó Gonzalo, difidente.

–Ya me las arreglaré; tú no te preocupes. –Y fui a darle a Amadeo las explicaciones necesarias.

18

El regalo de Pascua fue conjunto para la familia: dos vaquitas «Hereford» de cuernos cortos, rojizas, cariblancas con flequillo rizado, lindas mascando sus hierbecitas en el hierbal, la pradera. Pensativas, en lo suyo, con mucha calma para mirarnos. Hortensia y Margarita; todos estábamos enternecidos con ellas. Su compra se había decidido en medio de reñidas discusiones: Lorena no quería sino sembrar y plantar, el ganado no le gustaba. Yo la dejaba disponer en el campo, tarea que había emprendido con dedicación, pero Sebastián y los mellizos buscaron refuerzo en Amadeo. Ellos querían ver animales, la alegría del establo habitado, tan bonita. «Amadeo, ¿no es cierto que en Chumaiyu siempre había vacas, en tiempo de don Ramón?» Amadeo miraba a Lorena con angustia, queriendo guardar sus lealtades a la vez a ella y al antiguo dueño, la honradez le obligaba a responder: «Cierto, Patroncito.» Suspirante. «¿Lo ves, Lorena?» Sebastián repetía sin cansarse las mismas explicaciones: en una casa de labor tenía que haber de todo, animales y siembra. Los animales comían los desechos, daban carne o leche. Estercolaban. «Es bueno para la tierra, ¿comprendes? Es el ciclo completo. La Naturaleza con su sabiduría.» Lorena pretendía levantar la pradera, sembrarla más adelante. Hasta que en la mesa, siguiendo la pelea, Gonzalo dijo de repente:

–No me acuerdo de cuál era Abel y cuál Caín.

Marcos, con asombro: «Caín era el malo, el que mató a Abel con la quijada de un burro.»

–Muchas gracias, sabihondo. Cierra tú la tuya, pues.

Lo que no recordaba, quién de los dos era el pastor, que había uno. Tercié: Caín sembraba la tierra, Abel era pastor de ovejas. Entonces, eso era, siguió Gonzalo. Desde el principio del mundo, la lucha se había planteado entre ganaderos y labradores. ¿Íbamos a entablar nosotros la misma batalla? No, por favor, qué pesadez. Él estaba ya harto de la conversación. A esto sonreía Lorena: «Siendo así, estoy dispuesta a ceder. En vista de que el papel que me toca es el de Caín...»

Los niños exultaban y yo confieso que también, un poco. Llamamos a Amadeo a parlamento, que nos orientase. ¿Dónde podíamos encontrar unas vaquitas lindas? Aunque ellos pretendían comprar media docena, declaré que empezaríamos con dos. Amadeo cavilaba. En la feria de San Fernando salían a remate buenas vacas. Lo que teníamos que hacer, mirar el precio de los animales en el *Mercurio*. A tanto el kilo, salía. Después, sobre esa base, acudir a la feria. Cuando ya nos habíamos decidido a hacerlo así, llegó con otra información: un corredor de Pedro Domingo le había aconsejado un fundo con buenas vacadas, de primera. Ganado cordillerano criado a plena leche, sin piensos compuestos, de sierras bravas. Bicho que no tenía vicios ni enfermedades, duro, sano para vivir, recio al calor y a los fríos. Aquellas vaquillas con su poquito de hambre, flaquitas, vendiéndose al peso costaban menos. A lo que, puestas en el llano, en los buenos pastizales, pudiendo hartarse de lindos tréboles, al punto ganaban peso, se lucían. Amadeo estaba encantado: «Mire, Patrón. Esos animalitos para buscar lo de comer allá arriba tienen que moverse harto por esos cerros. No pueden quedarse echados; crían fuerzas. Se trasladan para acá, el pasto fácil de abundancia: mejoran de condición.» Aquello sonaba lo propio; sólo hacía falta averiguar dónde quedaba el campo que se llamaba Fundo del Portezuelo. Pues, Amadeo explicó, se encontraba en los pagos dichos de La Esperanza, al Este de Chillán; la búsqueda en el mapa, laboriosa. ¡Estaba a unos cuatrocientos kilómetros! Un viaje. Amadeo murmuraba «pero teniendo auto...» Los mellizos se quedaban decepcionados. Entonces decidí: que íbamos. Salíamos tempranito para volver en el día.

Con cesta de la comida, nos deteníamos allá donde nos entrara el hambre; en resumen, una jornada de campo. Otras más largas habíamos hecho. Nos fuimos una mañana, al amanecer, Sebastián, los mellizos, Amadeo y yo. Estando ya dentro del auto volví a salir de repente; se impacientaban. ¿Adónde vas ahora? Me había olvidado mi bloc de apuntes, lo quería llevar. «Pero si ni siquiera te va a dar tiempo...»

Y, Panamericana adelante, hacia el Sur. Los campos más lindos estaba entre Talca y Linares; Amadeo señalaba con placer los cultivos: trigo, papas, maizales, viñas... Nosotros hasta de los que reconocíamos lo dejábamos decir por no quitarle el gusto. Llegando a Chillán los suelos se entristecían, se volvían más grises, pizarrosos. Allí la vida tenía que conllevar mayor dureza. Tomamos dirección hacia las montañas; caminos de cordillera siempre nos producían un asombro. Tantas veces ya la habíamos subido por distintos lugares, remontando los ríos diferentes: a cada ascensión los paisajes eran otros siendo la Cordillera la misma, múltiple de vistas y colores. Aquellas tierras eran cenicientas, no se pegaban al coche como las rojizas de más al Sur, como en Tolhuaca, no saltaban como las blancas brillantes del Norte; levantaban polvaredas detrás de nuestro paso, se volvían a posar sobre los mismos sitios, como si se movieran en un vacío, lentamente. Había pedregales, también. La vegetación era de muchos coirones que toman años para crecer y gramales de caña dura, plumerosos. Pero la belleza como siempre no faltaba a la cita; la imponencia ahí estaba cumplida, agreste. Por dondequiera que subiéramos, allá arriba el corazón se levantaba por encima del mundo. La vista abarcando tanta grandeza, para los cuatro ángulos del cielo perdiéndose. Hermosuras. Pero los niños tenían hambre, era pasada su hora de comer. Bajábamos del auto, elegíamos un pino redondo de mucha sombra; yo había llevado una botella de vino, de las viñas del río Maule, regadas, para acompañar los buenos víveres de Aurora. Amadeo se alegraba a la vista de la marca: «Rico vino, Patrón. Agarrador.» Después de comer continuábamos, estando ya en pagos de La Esperanza, sin encontrar el fundo buscado. Los caminos daban muchas vueltas; veíamos otros campos, ganaderías, pero el Portezuelo no aparecía a nuestra vista. Adelantamos a un hombre a caballo, huaso con poncho de cinco rayas, Amadeo se asomaba: «Buenas tardes, compadre, ¿podría decirnos...?» El jinete se paraba a pensar, nos dirigía, a la izquierda, a la derecha, a la bajada de la loma, allá, después de un cruce donde había una cruz de piedra... Seguimos el consejo, con vacilaciones, sin dar con el sitio, más recodos. Otro caballero nos dio igual resultado con diferentes palabras. Al fin vimos un hombre a pie, parado a la orilla del camino con un perro amarillo chico; Amadeo con el empeño de ser él quien preguntara. Recomenzaba la retahíla, cada vez alargándola con la esperanza quizá de conseguir resultados mejores: «Dígame, señor, si me podría decir dónde es donde está el fundo que le dicen del Portezuelo...» Aquél parecía más enterado: «Tienen que subir la cuestecita y luego a la bajadita van a ver una animita al borde de una vereda y luego una cruz de piedra que tiene unas matitas plantadas. El Portezuelo ahí está, mismito.» Don Diminutivo, decía Sebastián. Lo de la cruz de piedra ya lo habíamos oído otra vez, daba más confianza; quise asegurarme, harto de tanta vuelta, me incliné hacia la ventanillla de la derecha: entonces, ¿después de la cruz de piedra veíamos el fundo? «Sí, caballeros. Las casas, que son rosadas...» Insistí: «Pero dígame, por favor, ¿la casa está a la derecha del camino o a la izquierda del camino?» A lo que, con firmeza: «No, señor», fue lo que contestó el hombre para nuestro mayor desconcierto. Los niños se reían; yo empezaba a desesperar. Fuimos despacio, en marcha primera, mirando mucho. ¿Por qué en los fundos siempre decían las casas aunque fuera una sola? preguntaba Sebastián. Los mellizos por no ser menos preguntaban hasta lo que sabían. «¿Qué cosa son las animitas, Amadeo?» Por oírlo. Nuestro capataz se extrañaba, pero ¿cómo? ¿No sabían lo que eran las animitas? Tumbitas, pues; donde había muerto un muerto.

Habíamos visto muchas de aquéllas como casitas de juguete, levantando dos palmos del suelo, de barro o madera, de hoja de lata, con tejadillos dos aguas, pintadas de colores muy vivos. Adornadas de flores de papel o naturales secas, hasta contrahechas de plástico en algunas. Las había por todos lados, en el camino de Chumaiyu veíamos dos cada vez que bajábamos a Pedro Domingo. Que no eran propiamente tumbas; los cuerpos se enterraban en los cementerios, sino capillitas en señal del lugar donde había salido el alma... animitas. Daban una ternura algo nostálgica: algunas llevaban un nombre escrito. Viajando por el Norte Grande, en una única orilla de desierto junto a la carretera habíamos visto una verde, amarilla y rosada. Con lindas flores de todos los colorines, un candil seco. Una tablita rezaba: «Aquí indio Pili.» Mucho nos preguntamos quién sería indio Pili en aquel lugar solitario, cerca ya de la frontera peruana.

Por fin avistamos la cruz de piedra; detrás, a la derecha exactamente del camino, el Portezuelo. Un mayoral nos recibió, tuvimos que caminar largo trecho por lo abrupto de aquellos montes, con vistas muy anchas, grandes lejanías. Al final llegamos al cercado donde esperaban las novillitas que eran para vender. «Ahí las tienen, caballeros. Pueden elegir.» ¡Eran exactamente iguales todas! ¿Elegir para qué? Las dos primeras. Se veían asustadizas, empujándose a golpe de grupas, amontonándose. Amadeo y los niños dijeron que sí, había que escoger con cuidado; en el potrero se colaron, pasaron entre los dos troncos del cercado, agachándose. Yo saqué mi bloc, tomé algunos apuntes de aquellos picos que se alzaban por encima de los árboles altos. Después de un rato salieron, traían un olor a ganadería; dijeron al mayoral los dos números. Todas las vaquillas llevaban una etiqueta de color en la oreja, como zarcillo. El hombre dijo que salía un camión mañana justamente; dos peones las arrearon hacia una manga, camino estrecho de troncos para el aparte. Al final estaba la báscula; Amadeo observó el peso, ceñudo por el esfuerzo de aparecer lleno de severidad y astucia de comprador. Hicieron la multiplicación en la que los niños también intervinieron, pagué con un cheque y salimos de allí a campo través hasta encontrar el coche. Atardecía cuando bajábamos al llano, llegando a Chumaiyu una luna casi entera goteaba su luz sobre la casa. Me alegraba volver, volver, esa sensación de barco entrando en el puerto, y llevábamos viviendo pocos días. Estaré en Chumaiyu toda mi vida, dije para Violeta y para mí, bajito.

El día de Nochebuena cenamos en la mesa de comedor grande, Aurora se sentó con nosotros. A la cabecera el lugar de Violeta, su plato y su copa y una flor azulísima, hortensia enorme cogida en nuestro seto del jardín. Los niños al principio con una incomodidad sin querer llevar la vista hasta aquel extremo, después celebrando la comida con más soltura, como si hubieran decidido que no debería importarles. La sobremesa resultó de muchas bromas y alegrías; después bailaron con música en el tocadiscos; Aurora abría los ojos como platos con las sevillanas. En Pedro Domingo oímos una Misa del Gallo; ya nos acostumbrábamos a las Navidades con calor.

La siembra del papal fue bonita de ver. Seis caballos con seis hombres arrastrando picos de madera dura abrían los surcos, tan derechos. Detrás caminaban seis plantadores, sombreros de paja y delantales llenos de patatas pequeñas: a cada paso tiraban una en el surco, los seis a la misma vez. A lo que seguían otros seis hombres cubriendo la semilla, todos con su ritmo, su buen compás. Ya Lorena estaba cavilando levantar otra parte de tierra para sembrar maíz, en una punta de la pradera quería intentar una pequeña plantación de frutales. Barajaba sus ideas, hacía muchos planes bien meditados que Amadeo aprobaba.

La mayor complicación que teníamos por el momento era Corina. Terminado su compromiso con nosotros, no se quería marchar. «¿Adónde voy a ir?», dijo sombría mirando para otro lado como era su costumbre. Y luego, inesperadamente: «¡La madre del gavilán echa a sus crías fuera!» Nos dejó con las bocas abiertas, el puro asombro: ni nosotros éramos su madre ni aquello tenía nada que ver con nada. «Esta mujer, lo que le pasa es que tiene las tejas corrías», dictaminó Aurora. ¿Qué quería decir con aquello, que no estaba bien de la cabeza? Y: «Justamente, pues, don Rogelio.»

La hubiéramos dejado en casa, ganaba un sueldo modesto, para que ayudara sólo que servía de poco. Tenía miedo de tocar cualquier aparato eléctrico, ni el teléfono descolgaba. Que no, que una vez le había dado la corriente, ella no estaba para morir quemada, con lo que no podía planchar, pasar la aspiradora, ni apagar una luz siquiera. Bebía. Lo descubrimos algún tiempo después de trasladarnos a Chumaiyu; una noche se encerró en su habitación dando gritos terribles: «¡La madre del gavilán, el gavilán!» Después mugía, gruñía, relinchaba, ladraba, haciendo todos los ruidos animales, un repertorio. A la mañana siguiente Lorena le habló con severidad: si volvía a beber tendría que marcharse al punto, sin más contemplaciones. No contestó ni demostró ningún pesar; la que estaba desesperada era Aurora: «No parece humana, parece bicho.» Más tarde supe que aquel hecho de imitar ruidos de bichos se consideraba como maldición, daba a entender que padres o antepasados cercanos suyos habrían tenido trato de sexo con animales; de haber conocido yo aquella superstición hubiera intentado desarmarla. Así las cosas, no podía entender la poca solidaridad de Aurora; a nosotros Corina nos daba lástima. Al final Amadeo pudo persuadirla de que se fuera mediante que yo le daría un mes de gratificación; él mismo la llevó en el auto a Pedro Domingo. «Don Ramón también le dio un despío; ahora tiene harta plata. Con toda esa plata puede ir a casa del hermano... tiene un hermano también, don Rogelio.» Respiramos todos; Aurora dijo que en las casitas de los trabajadores, cerca de los linderos de la finca, buscaría una muchacha que viniera a ayudar algunas horas. No tuvo tiempo: un sábado había llevado Amadeo a Corina al pueblo; el lunes apareció otra vez en la casa caminando. Nos resignamos, la dejamos ocupar su antiguo dormitorio; lo que se resolvió, cerrar el armario de las botellas con llave. Con todo, se las arreglaba para beber de cuando en cuando. No nos miraba ni apenas nos dirigía la palabra y, curiosamente, con quien pasaba horas murmurando era con los perros y las vacas como si entre ellos hubiera un lenguaje secreto.

Día de Fin de Año llegaron los Silva con Enrique; en la habitación de los huéspedes las niñas habían colocado ramos de flores. Enrique compartía el dormitorio con Sebastián. Gerardo andaba regular solamente, no bebía mucho pero no estaba siendo él mismo. Para que se decidiera a pintar se nos ocurrió la idea del concurso: él y yo, Clara, Enrique y Elsa, que también había hecho su Escuela de Bellas Artes, pintaríamos la misma vista a la vez. Tomamos cinco lienzos pequeños de igual tamaño; por suerte yo había hecho buena provisión de telas. Después de dar muchas vueltas al tema, nos decidimos por la fachada de poniente, la casa desde el jardín. Ahí pasamos cuatro mañanas enteras; fue la primera vez que Gerardo tomó los pinceles desde hacía muchos meses y protestando de que lo suyo no era aquello sino la pintura abstracta. La colección la colgamos en la galería, frente a las puertas del salón, donde siguen los cinco cuadros para recuerdo de aquel Año Nuevo. El de Enrique de buen dibujo, un poco demasiado arquitectónico, el de Elsa un voluntario naïf con mucha gracia. Clara demuestra sus grandes condiciones, frescura de colores sólo suya augurando un buen porvenir de pintora. El de Gerardo únicamente mancha, mancha de maestro sin ninguna duda, se ha quedado a medias, menos que boceto. Enrique, cada vez que pasa por la galería dice que el mío no debería estar en el mismo muro que los otros, que los empequeñece. Los niños se ríen, que lo dice por diferentes razones... por razones de coba al jefe, que se supone soy yo. Y yo los veo bien así como están, los cinco juntos.

Los mellizos, según declaró Gerardo, ya habían amortizado el dinero del fundo, más que con las horas de coche; las bicicletas quedaron en un granero, olvidadas. Aprendieron a enganchar y desenganchar, a cepillar a Tizón y frotarlo con paja, a darle de comer. Lo bañaban. Lo atiborraban de zanahorias y pan con azúcar; hasta con sus dineros de la semana mandaron a comprar cebada y avena para alimentarlo mejor. El alimento buena falta le hacía por el mucho tiempo que pasaba tirando del coche, mezcla de tilbury y mediafortuna con la caja de mimbre, pero estando el animal acostumbrado a pastar sólo hierbas, tanta comida terminó por darle cólicos; en medio de una noche tuvimos que llamar al veterinario. El pobre caballo era mansurrón muy noble, debía de tener cerca de veinte años. Los mellizos lo adoraban. Ellos eran, además, los que diferenciaban a la vaca Margarita de la Hortensia, se enorgullecían con aquello; para los demás eran indistinguibles hasta que los animalitos parieron; ahí, al perder su juventud, se acusaron sus diminutas diferencias. Por turno Marcos y Mateo pasearon a su tía Elsa y a los hermanos, como quien hace un gran favor.

Después de dos o tres semanas Enrique se tuvo que marchar a la playa de Cachagua donde veraneaban sus padres; se veía que dejaba Chumaiyu a disgusto, solamente llevado por un amor filial y el sentido de sus obligaciones. «Don Rogelio, ¿da usted su permiso a las niñas para que vengan a pasar allá unos días con nosotros?» Yo el permiso lo daba; la cosa era que quisieran ir. Lorena dijo que lo hablarían por teléfono, ella hasta que no viera brotado el papal no se movía del campo, como si necesitara su mirar para echar las hojas. Enrique se fue, tristón. Gonzalo dijo que por ser hijo solo, sin hermanos, se encontraba a gusto en nuestra familia, a lo que Elsa sonrió, conspiradora. «Creo que está muy interesado por Lorena», me dijo privadamente. También yo lo pensaba; con tanto cariño como le habíamos cobrado a Enrique, aquello me dejaba un desasosiego. Elsa lo llamaba «celos de padre», a ella le encantaba el asunto: que los Zúñiga eran personas excelentes, al único hijo le habían dado esmerada educación. Él un chico sano, de buenas costumbres y la carrera prácticamente terminada; lo que le quedaba, presentar su Memoria y proyecto final, siendo cosa de poco. «Yo lo encuentro muy amoroso, además.» En mis dudas llegué hasta la cocina, pregunté a Aurora qué opinaba de aquello. Meneó la cabeza: «No lo sé, don Rogelio. Hay que esperar a ver cómo se aclara la cuestión... Pero que se encariña una con el chiquillo, sí.»

Y, bueno, esperar para ver.

Elsa me preguntó si lo que yo había dicho –que se quedaran en casa todo el tiempo que les conviniera– era de corazón. Que lo era, le aseguré; por mi parte, cuantos más días quisieran estar con nosotros, mejor. Los niños también se alegrarían, querían a los «tíos». Entonces se quedaron casi hasta el final del verano; a Gerardo parecía estar sentándole bien la temporada. Se reía con los chicos, jugaba a los naipes con ellos, paseaba. Bebía menos. Lo que no hacía era ponerse a pintar, un pesimismo extendiéndose encima de su vida, como una sombra. Elsa decía que, quizá, si hubieran tenido hijos... con los niños de casa se aclaraba algo su humor negro. Él se había criado en una familia muy numerosa. Los hijos, ¿no le daban sentido al porvenir? Las continuidades. Le pregunté si ella los echaba de menos; sonrió, con una tristecita pequeña, casi sólo un gestito en los labios diminuto. «Yo creo que nosotras somos más conformadas, nos acomodamos a la vida...» Le conté: Violeta, cuando nos casamos, me hizo prometer que si no teníamos hijos adoptaríamos a unos cuantos; con uno ella no se contentaba.

–Siempre estás recordando a Violeta, ¿no es cierto? –dijo, melancólica–. Eso me causa admiración... y no sé si algo de envidia, también.

Recordar no era el alcance exacto, ni necesitaba recordar: nunca la tenía olvidada. Violeta permanecía en mí, en lo constante de mi vida, inamovible. Aparte de eso la seguía viendo algunas veces, lo que no comentaba ya para no incomodar a los niños, por no ver sus miradas con aquellas extrañezas pensativas como si cavilaran sobre mi cordura. Mis visiones las callaba, guardándolas para mí solo.

Una tarde estaba regando el jardín, me había acostumbrado a esa ocupación agradable con el tiempo de calor. Pasaba muchas horas pintando, regar me descansaba; a quien no le gustaba aquello era a Amadeo, lo encontraba impropio. «Deje nomás, don Rogelio, si a mí me da tiempo cuando acabo en el campo... no es trabajo para un caballero como usté.» El agua venía por la acequia, cantarineando sus murmullos; un cauchil de ladrillo distribuye, con tres compuertas de hierro. Se riega por su pie, abriendo y cerrando una u otra, guiando con la pala. Desde chico me gustó andar descalzo, jugar con el agua... aún me sigue gustando y regar es lo mismo.

Entonces, yo regaba el jardín. El olor de la tierra mojada, de las hojas de boj y de las flores, se establecía alrededor, un perfume quieto. Era la hora en que refrescaba, volaban muchos pájaros. Se alargaban las sombras de los árboles. Nuestro seto de hortensias, más alto que yo, pide mucha agua; la dejaba demorarse a lo largo del surco bien cavado. Al borde de un caminillo, que ya habíamos limpiado de hierbas y cubierto de arena fina de río, se encuentra otro de los orgullos de la casa, una hilera de diamelos arbustos despidiendo un olor tan delicado, entre jazmín y rosa. El diamelo es una flor que se abre oscurita, azul parecido al de la vinca pervinca, más intenso. A lo que, creciendo, se va a volver pálida como si envejeciera y fuera poniéndose canosa, hasta morir de un blanco levemente tintado de violeta-de-Parma. Que entonces, perdiendo el color su fuerza, es cuando más huele. Aunque me gusta pintar flores, pensaba que el olor de ellas es lo más bello por ser tan transitorio, aparece y se va, se pierde. Nadie puede guardarlo; mientras hay pinturas de flores hermosas y fieles, los perfumes nunca son como el olor de verdad, jamás le alcanzan. Yo no recordaba haber conocido diamelos antes de éstos y Violeta me dijo que sí, los habíamos visto en Málaga hacía años. El año, justamente, que nació Sebastián. Ahí me di cuenta de que estaba entre las flores, casi transparente. Siempre sabía, y no sé por qué sabía, que no debía acercarme a ella ni tocarla. Hablamos: ella me hablaba y yo respondía. Instantes y cuando ya no estaba no pude repasar la conversación, sólo lo de los diamelos y el año que nació Sebastián. Detrás de mí oí los pasos sobre la arena de Elsa y Gerardo que venían de dar un paseo; ella lo obligaba a caminar un poco, a la caída de las tardes. Me preguntaron con quién estaba hablando y contesté «con Violeta», sin pararme a pensar. Gerardo soltó una risa de nervios descompuestos: «Vaya, conque no soy el único chalado, menos mal», y Elsa dijo con voz tirante «cállate, Gerardo». Suspiré. Sabía que no me iban a creer y tampoco tenían por qué creerme. «Violeta estaba ahí hace un momento. Recordándome que habíamos visto diamelos en Málaga, años atrás, un verano.» Ahí mismo. La vi y la había visto otras veces; hablé con ella. Gerardo ya se estaba disculpando, pedía perdón. Fuimos, despacito, hacia la plazoleta con las butacas de mimbre; cerré el cauchil del agua que se fue por la acequia engrosada. Nos sentamos.

–Nadie me cree –dije–. Ni mis hijos siquiera.

Gerardo hizo un gesto vago que podía significar cualquier cosa.

–¿Qué quieres que te diga? Yo no creo mucho en casi nada.

Durante un rato nadie habló, yo pensaba en Violeta. Elsa se había quedado meditativa, después dijo: «Yo sí te creo... no que lo entienda, no. Mi tía Erica, que vivió veinte años en el Norte...» Gerardo interrumpió, irritado. Que no hablara de su tía, la vieja más impertinente que había conocido nunca. Me enfadó: ¿por qué la cortaba así? No tenía derecho a ser desagradable con Elsa siempre paciente, que no perdía nada de su amabilidad hacia todos nosotros. Siguió, tranquila:

–No iba a hablar de mi tía Erica, sólo de una historia que ella contaba. Allá, en el Norte, pasan muchos sucesos de aparecidos. Pero si no quieres que lo cuente...

Intervine, con alguna firmeza. Claro que sí, debía contarlo; a mí me interesaba desde luego. Ella se dejó convencer, contaba.

La tía Erica había pasado muchos años en las minas con su marido que era ingeniero; eso ocurría en el Norte Chico, a la altura de la Pampa de Algarrobal. Por Vallenar, más o menos: entre Vallenar y Copiapó. Entonces eran los buenos años de la minería y del salitre. Vivían en un poblado, con los trabajadores, dos o trescientos, tenían como una ciudad en miniatura, con mucha sencillez, rústicamente pero bien completa. Con Iglesia, pulpería, administración, botiquín y viviendas. Un cura venía todos los domingos y fiestas de guardar a decir misa, el párroco del pueblo más cercano –o menos lejano, vista la escasez de poblaciones–; el pueblo se llamaba Castilla. Un tal José Mayordomo, minero, sufrió un accidente... uno de esos derrumbes. Sucediendo la cosa un viernes, lo llevaron a su casa donde estuvo sin conocimiento hasta el domingo. El domingo murió. José Mayordomo había sido novio muchos años de una muchacha de El Totoralillo que se llamaba Filomena. Menita. Pero la madre de ella no la dejaba casarse porque... algo así como que era la única hija que le quedaba soltera y ella estaba inválida; siempre se opuso a la boda. La cosa, que la Menita esperó trece años con todas las paciencias hasta que la madre acabó por morirse; entonces se casaron ella y José Mayordomo y se fueron a vivir a la oficina... así se llamaban en aquella época las instalaciones de minería. El minero, hombre dicho por todos de gran rectitud a quien nunca se escuchó palabra de queja por la demora larga en el matrimonio, fue un marido excelente y lo mismo de buen compañero, querido por todos en la mina. Pero llevaban poco tiempo casados cuando ocurrió lo del derrumbe y después la muerte del pobre José Mayordomo. A la Menita todos en la oficina la apreciaban, se le ofreció un trabajo como mujer de la limpieza. Durante toda la semana barría y limpiaba la casa del ingeniero jefe y los despachos pero los domingos salía por la mañana muy temprano, en el invierno aún antes de amanecer, y caminaba varias horas, se adentraba sola en la Pampa de Algarrobal. Volvía de noche, noche, rendida de caminar a través de aquellos desiertos tan temerosos por la soledad. Tierras donde no se ven señales de vida ni rastros de pájaros siquiera, nada más algún cacto de vez en cuando, pinchudo y solo. Cuando le preguntaron adónde iba, dijo que a ver a su marido. Al principio menearon las cabezas con lástima, después, como seguía yendo sin faltar ni un domingo hiciera el tiempo que hiciera, la tomaron por loca, que la pena le debía de haber extraviado la razón. Sólo que cumplía bien con el trabajo, no se metía con nadie. Fuera de la fantasía de ver a su marido, a todo lo demás contestaba acorde; con el tiempo dejaron de preocuparse por ella, aquella ventolera ya se le pasaría. Un lunes por la mañana, se presentó a la tía Erica pidiendo hablar con ella unos momentos. Le dijo que José Mayordomo había avisado: en la galería seis iban a tener una explosión. No le hicieron caso, la volvieron a mandar a sus escobas y, el miércoles por la mañana, dos días después, la explosión ocurrió. El maldito gas: murieron cinco hombres. Entonces se corrió la voz que la Menita había dado la alarma anticipadamente, hasta hubo un amago de revuelta que los jefes sofocaron. Había sido casualidad, dijeron; nadie podía prever. A partir de aquel momento, mientras los jefes seguían ignorándola, los mineros, dados a toda extraña creencia y superstición, empezaron a hacerle consultas. «Pregúntale a José Mayordomo si la Soledad va a dar a luz un niño o una niña». El lunes Menita contestaba «que la Soledad va a tener dos guaguas, dos mujercitas.» Llegaba el momento y la mujer daba a luz mellizas. O también: «me ofrecen un trabajo en tal sitio, pregúntale a tu marido si me convendrá». Y contestaba sí o no. Anunció que el marido de la tía Erica se iba a caer del caballo; se cayó y se rompió una pierna. Dijo que el encargado de la pulpería no era de fiar y a la semana siguiente surgió un brote de disentería por alimentos en malas condiciones. Así, cuanta cosa avisaba se cumplía, de modo que la gente la tenía como oráculo, un poco bruja buena; todo se lo preguntaban. Si tal muchacha sería confiable para casarse, si el padre de un Fulano de Tal, que vivía en el Sur, estaba en buena salud, todo. Y entonces intervino el cura. Fue a verla y le dijo que su primera obligación era asistir a la misa los domingos, aquellas caminatas pampa adentro eran un peligro y un pecado por cuanto le impedían oír la misa. Llevaba un año sin aparecer por la iglesia que se abría sólo los domingos. Menita argumentaba que había esperado trece años para casarse por mor de su madre, para mantenerse en la obediencia, y que con aquello estaba cumplida de misas. El cura se enfadó mucho, la conminó a que asistiera a la iglesia por lo menos el Domingo de Resurrección, fiesta muy señalada de importante. No podía faltar. A lo que Menita contestó: «si Nuestro Señor le da permiso a José Mayordomo para que venga conmigo, entonces iré». Y el cura se enfadó aún más, dijo que hablaba herejías y no podía ser. El Domingo de Resurrección Menita salió al amanecer como de costumbre. Pero cuando estaban reunidos en la iglesia, y la misa era a las once de la mañana, la vieron avanzar por el pasillo central con José Mayordomo, del brazo. Fueron a arrodillarse en el escalón del comulgatorio, delante del primer banco que era el de los jefes. Todos pudieron verlos a los dos juntos.

Así lo contó Elsa: «Mi tía los vio y conocía a José Mayordomo desde hacía quince años. Creo que el cura y los jefes estaban blancos como el salitre; los que menos se extrañaron fueron los mineros, ellos teniendo costumbre de cosas así, además que desde un primer momento habían creído las palabras de Filomena».

–¿Qué pasó después? –pregunté–. ¿Hablaron con José Mayordomo?

–No. Nadie habló con él. Terminando la misa, todos se arrodillaban para la última bendición, como se hacía antes, y cuando se levantaron ya no estaban allí, ninguno de los dos. Nadie los vio salir, pero todo el mundo los había visto entrar.

Elsa me creía. Aquello me daba una tranquilidad, que no me tomaba por loco ni embustero. No que me lo dijera con esas mismas palabras, sólo que si yo lo decía así tendría que ser verdad, sencillamente.

–¿Por qué no? –dijo Gerardo–. Imposible no hay nada. Ahora lo que necesitamos es un buen trago.

Ella suspiró; a Gerardo el trago nunca se le olvidaba mucho tiempo seguido. «¿Te traigo algo, Rogelio?» Yo, por acompañar, pedí de lo mismo que sirviera a su marido; fue para la cocina en busca de copas. Cuando se alejaba, él volvió a disculparse; no sabía lo que le estaba pasando en los últimos meses; ni a sí mismo se soportaba, lo que quería decir no podía decirlo, decía lo que no quería decir, puras huevadas. Le aseguré que no tenía importancia; rachas que pasábamos todos. Me quedaba pensando en la historia de Elsa, tan compadecida con mi propia historia.

19

Una mañana entró Lorena como un viento en mi estudio. «Ven a ver. El papal... ya está naciendo. Tiene hojitas pequeñitas.» Rehusé: hacía demasiado calor y estaba dando los últimos toques a un cuadro, esos tan delicados que necesitan toda la atención. «Hija mía, a la tarde, cuando refresque. Ahora estoy muy ocupado. Dale la vuelta al disco, ya que estás ahí.» Seguí hasta la hora del almuerzo; Gerardo y Elsa leían en el salón que estaba fresco en las mañanas. Todos los niños, menos los mellizos, habían acudido a ver el papal. Los mellizos un día nos iban a dar un disgusto; Lorena se preocupaba. Con la autonomía que les daban el Tizón y la Cesta apenas los veíamos sino a las horas de las comidas. Les había prohibido que se alejaran más de lo que el caballo podía reconocer para volverse, a su querencia; no me hacían mucho caso. Pasaban una pequeña borrachera de libertad. La suerte, que el caballo fuera, por decirlo así, tan buena persona. Sebastián protestaba, ¿es que la Cesta era de los mellizos solamente? Entonces, él quería una motocicleta o, mejor, el permiso de conducir, ya tenía edad. La culpa de esto la tenía Enrique, había enseñado a conducir, en su auto, a los dos mayores. Encargué a Amadeo que buscara un par de caballos, de esos potritos tranquilos de la tierra que hasta uno se podía montar sin que sostuviera las riendas nadie; no se movían del sitio. Caballos pequeños, buenos pies asegurados para los caminos de cordillera; incluso yo querría montar cuando estuviera menos agobiado por el trabajo. Eran baratos, todos los campesinos a nuestro alrededor los criaban, ni siquiera necesitaban doma. Nacían ya sabiendo lo suyo, la obligación de ser mansos. Gonzalo pasaba sus horas acompañando a Lorena o con un libro en el jardín, a la sombrita de algún árbol; a veces conversaba con Elsa también, que era muy lectora. Clara dibujaba todos los días, empeñosa, con Aurora aprendía a coser y hacer punto de tejido. Los días pasaban asemejados, tranquilidades nuestras tan sin variación.

Por la tarde, con la fresquita, fuimos a ver el campo Elsa y yo con los niños. De repente todos los caballones de tierra verdeaban, ligeros. Las hojitas minúsculas parecían haber nacido de la noche a la mañana, todas de una vez. Y el trazado tan lindo, rayas paralelas juntándose en la lejanía; el arroyo a un lado con su cortejo de aromos y de sauces. Esplendores de la tierra: decidí llegarme a la tarde siguiente con lápices y bloc de apuntes. «¿No crees que Gerardo se podría animar?», pregunté a Elsa. Y no, la Naturaleza nunca lo inspiraba. A Lorena le brillaba un orgullo en los ojos; qué precioso estaba, decía. Repetía. Todos se lo alabamos, era una gloria ver las plantitas brotando tan iguales, ternura para admirarlas, producía como un agradecimiento. Amadeo, feliz: «¿Vio, patrón? No pueden estar más lindas». Gonzalo se reía. «Parece que hayan salido solas, por el asombro que demostráis. Si se siembran patatas, lo normal es que broten.» Pero cariñosamente, sólo por burlarse de Lorena un poco.

Enrique había telefoneado varias veces, preguntaba por las niñas. A finales de enero repitió su invitación con mucha insistencia. Que la playa estaba excelente, el agua no demasiado fría y allá se iban a divertir harto, garantizado. A lo que las dos contestaron que bueno. Iban. Quedó en recogerlas con el auto. Tal día en Santiago, Estación Central a tal hora. Me daba extrañeza que quisieran irse; en verdad lo sentía. Elsa me había convencido: «Están en la edad... Les hace bien.» Antes decidió llevarlas un día de compras a la capital; necesitaban calzado, trajes de baño, ropitas interiores... «Tienen que llegar allá bien encachadas de todo, elegantes. Tienen que dar el golpe las españolas...» Aurora apoyaba, sí pues, que se vieran lindas entre todas. «Y bailan esa cueca de allá de su tierra, que es tan alegrita...» Que eran sevillanas; las niñas habían bailado delante de ella en Nochebuena. Y Elsa: «Y miran bien a todos los muchachos, a ver si hay alguno en condiciones...» Ah, no, si tenían que buscarse novio, entonces no iban, decía Lorena.

–Antes de casarme con tu tío Gerardo, no conocí a ningún muchacho sin pensar si acaso serviría para novio mío.

Se reían, las cosas que dice tía Elsa, pero ella aseguraba que era la pura verdad. «Hay que estar a lo noviable, hijitas... Y el día de la vuelta le mandan unas flores a la señora María, la mamá de Enrique, que así es como tienen que llamarla, señora María, como se dice acá.» Por eso no había cuidado; la gente joven pronto se hacía a las maneras de hablar diferentes, tomaba las costumbres sin esfuerzo.

Entonces, las llevamos a Pedro Domingo una mañana temprano con sus maletas y los ojos llenos de brillos. Hice mil recomendaciones, que no tomaran mucho sol, atención al mar que allá tenía olas muy fuertes, que fueran amables con todo el mundo y que disfrutaran al máximo... Gonzalo estaba de mal humor. De pronto, Lorena pareció arrepentirse. Si preferíamos no iba; le daba lo mismo, de veras. A lo que con apresuramiento contesté que había aceptado, sobre todo, por ella. El tren paraba nada más un minuto, visto y no visto, en el apeadero sin importancia; las despedidas tenían que ser, por fuerza, cortas. Entre todos las empujamos adentro con prisas, las maletas siguiendo. Se marchaban, mientras decían adiós desde lo turbio de los cristales, se habían ido. Elsa, los niños y yo nos quedábamos con un vacío, no sabiendo qué hacer. El pueblo, la calle sola una cuestarriba, al final un altito con una plazoleta; detrás se veían campos mal labrados con poco aprovechamiento; la frondosidad la daba sólo el río. Las casas eran pobres; una, algo menos modesta que las demás, más pintada y arreglada, tenía un letrero, «Municipalidad» y un mástil de bandera. Los mayores quisieron acercarse a ver si podían proporcionarles permiso de conducir, muy convencidos por las lecciones de Enrique. Los demás paseamos hasta la plaza a ver unos niños que jugaban con volantines, cometas pequeñas muy caseras. Corría allá arriba un airecito alegre, los chiquillos hacían combates, jugaban a enganchar unas con otras, fiesta de los colores; pensé que tenían un buen cuadro. Cuando bajábamos la calle salían del Ayuntamiento Sebastián y Gonzalo, cada uno con su permiso de conducir. Me asombré, pero ¿cómo? ¿Así se los daban sin más? Era temeridad. Gonzalo protestó que se habían cumplido todos los trámites: fotografías que por si acaso las habían llevado, documento de identidad, que lo tenían, y el examen. Ahora, para éste el funcionario había dicho que cómo los iban a examinar si allá no tenían auto. «No hay más que el yip de los carabineros y no lo prestan, pues... si lo prestaran, querría todo el mundo.» Los niños dijeron que ellos tenían allí nuestro coche pero el hombre meneó la cabeza, negando. «Quien tiene que facilitar el vehículo no son ustedes, es la Municipalidad.» Entonces preguntaba: ¿sabían manejar sí o no? ¿Sí? Listo nomás, pagaban doscientos pesos y al tiro se lo daban. Los niños estaban fascinados, pensando que el funcionario era quien no sabría manejar posiblemente; Elsa les daba la razón. Fuimos hasta Chumaiyu hablando de marcas y modelos; Gonzalo tenía el dinero de su padrino para comprarse un auto. «¿Me lo dejarás?», pedía Sebastián y Gonzalo con mucha seriedad contestaba «me figuro que no.»

Unos días después llegaron los caballos, potrito y yegua alazanes; Amadeo se los había comprado a unos crianceros de la zona. Con la novedad y la discusión para ponerles nombre, que en casa siempre había sido asunto para apasionados debates, la urgencia del automóvil se fue pasando. Al final los caballos se llamaron Aromo y Mimosa, dos nombres del mismo árbol.

Habíamos empezado a conocer los árboles diferentes, andábamos preguntando a cada paso. Aprendimos a distinguir el boldo del litre que, pareciéndose tanto, uno procura infusiones muy benéficas y del otro, a decir de las buenas gentes del país, hasta la sombra es peligrosa. El que duerme debajo del litre puede enfermar, morir incluso. Luma, árbol-crespón que da flores grandes rojas como rizadas plumas de avestruz, maitén, arrayanes y mirtos de muchas clases, los grandes robles del hemisferio que tienen hoja caduca: en otoño producen enormes ramalazos rojizos en los bosques tan verdes. El canelo, árbol sagrado para los araucanos, el copihue con sus campanillas rosadas o rojas, tantos y tantos.

A las niñas las echaba de menos, pero telefoneaban que estaban bien, divirtiéndose mucho; Lorena preguntaba por el papal y el papal crecía despacito, parejo. Clara no preguntaba nada, sólo mandaba muchos abrazos. Antes de que ellas volvieran se marcharon los Silva, Gerardo con mejor aire, color más sano, pero bien no estaba; Elsa se preocupaba mucho por él. «Fíjate, Rogelio, una de las cosas que tiene es que está convencido de que se va a morir de cáncer... su hermano mayor se murió hace tres años, tenía la misma edad que Gerardo ahora.» Pero aquello, dije, podía solucionarse. Lo que debería hacer, ir a un médico que lo tranquilizara. Elsa me desengañó; de médicos Gerardo no quería ni oír hablar, era demasiado aprensivo. Ella deseaba hacerlo ver por un siquiatra, no lo conseguía arrastrar a ninguna consulta. El terror a la muerte, mezclado con el convencimiento de lo inútil de su vida, lo estaban amargando cada vez más. Me rogó que hablara yo con él, más bien que intentara hacerlo hablar, darle algún desahogo. «A ti te aprecia mucho, de veras.» ¿Me apreciaba? Quizá. Pero de aquellas conversaciones no sacábamos nada en claro. Sus porqués yo no los entendía. Gerardo se encontraba en un camino que no llevaba a ninguna parte. Entonces, no quería avanzar. Ni retroceder: en un extremo una muralla y en el otro un vacío. ¿Pintar? ¿Para qué? Uno jamás podría alcanzar alturas de Goya o Picasso, decía, a lo que yo replicaba que se trataba de alcanzar la altura de Gerardo Silva, aquello para él tenía que ser un objetivo. El para qué volvía a surgir: ninguno de nosotros iba a pasar al siglo veintiuno, si era que había siglo veintiuno. Como pintores, quería decir. Llegar al año dosmil físicamente, siempre y cuando ningún loco apretara el botón rojo, claro, podíamos llegar. Yo por lo menos debería, que él ni eso. Era lo de menos, igual nos teníamos que morir, año antes año después no importaba; la muerte nos tenía bien agarrados. No soltaba a ninguno. ¿Qué podía hacer un pobre tipo cuando no era tan idiota como para conformarse con un ir viviendo, un cretino bienestar de necesidades cubiertas, ni tan santo como para creer que esta puta vida no importaba y había que alegrarse pensando en una vida mejor, futura? ¿Qué se hacía? Sólo los imbéciles eran los que vivían felices, o los tan santos, iluminados. De modo que su actitud era la de un condenado a muerte, sin esperanza. Le hablé de Elsa que se merecía alguna consideración. Desde que faltaba Violeta parecía haber heredado yo aquella amistad leal y bondadosa. Tampoco la referencia a su mujer daba ánimos a Gerardo. Elsa, sí. Muy amorosa y muy paciente, sí, la pobrecita. Ninguna queja pero no se iba a poner a pintar por darle gusto a ella, ¿cierto?

Eso sólo se hacía por uno mismo, cuando salía de dentro. «¿Qué quieres? No me nace. No tengo ganas, ¿para qué voy a pintar? No se llega a nada, de todos modos.» ¿Que no tenía derecho a perjudicarse la salud con el alcohol? Tonteras. Hoydía parece que la tenían tomada con el alcohol, el tabaco y el pan con manteca, cosas que habían sido llevaderas siempre. Cuestión de moda no más. La salud asegurada no la teníamos tampoco... nos íbamos a morir... y quién podía saber cuánto quedaba. Me dolió la dificultad de ayudar; se le dijera lo que se le dijera, sus pensamientos por dentro le seguían igual, empecinados, ningunas palabras lo alcanzaban realmente. Al final le dije a Elsa que la idea de ir al siquiatra era la mejor. Suspiró: ya sabía y también que no lo iba a convencer. «Tengo miedo del invierno...» Los claros ojos, la tez un poco marchita me dieron una compasión, como punzada dolorosa. «Querida Elsa, recuerda que vuestra habitación está aquí siempre lista para vosotros.»

–Gracias Rogelio. Quién sabe, si no se encuentra mejor, quizá volvemos. Te doy una llamadita por teléfono y... De todos modos vamos a estar al habla.»

Unos tíos de Elsa los habían convidado a pasar una temporada en su campo del Sur. En Mulchén, ciudad linda en medio del abrazo de dos ríos, ciudad-isla con casas de madera muy pintadas, jardincitos pequeños cuidadísimos. Pero –me dijo– sus tíos eran muy alemanes de carácter, gentes que entendían de trabajo duro sin darse tregua. Tenían poca paciencia para pesimismos ni nostalgias, el arte entendido como pasatiempo bonito para los domingos por la tarde. «Ellos opinan que Gerardo es un flojo, que todo esto forma parte de una bohemia suya y lo que no quiere es trabajar . Lo encuentran hasta poco hombre, afeminado... Me da pena que lo vean así...» Trabajar no podía mientras le durase aquel estado de ánimo, la dejadez. Que lo trataran con desprecio no era arreglo, como tampoco lo eran mis buenas o malas razones. La pintura era como el amor; ¿acaso para amar se necesitaban motivos? Y no. Se amaba porque sí, porque no se tenía otra salida, igual que se situaba uno delante del lienzo, o –imaginaba– delante del papel o del pentágrama, empujado.

Con Gerardo de momento había que poner buena cara, procurar que no bebiera mucho... y poco más era lo que se podía hacer. Le dije a Elsa que no se preocupara demasiado, baches que había que pasar, aún sin saber si iban a ir a peor o mejor; era difícil. Cuando se marchaban, Gerardo me dijo: «Gracias por tus paciencias, viejo. He sido una lata de huésped.»

–Sácate de la cabeza todas esas ideas tontas y vuelve pronto por aquí para que pintemos juntos.

Se fueron y me metí de lleno con los cuadros para Nueva York. Ramón escribía, divertido de que estuviéramos en un campo, mucho se alegraba de lo que le habíamos contado. Pero advirtiendo: nada de entregarme a la holganza y a pasar el día tocando troncos y hierbas; la exposición tenía que estar a punto. Él mismo iba a venir a ver los cuadros y organizar el transporte. De camino nos veía a nosotros; encontraba a faltar a «su familia». Lo de «tocar troncos y hierbas» era una vieja broma nuestra, tuve que explicársela a los niños. Desde chico tenía la pasión de poner mis manos en todas las cosas; los primos se reían de mí, las tías regañaban. Ya crecido aprecié: también se miraba con las manos; después vi esa costumbre mía compartida por muchos amigos pintores. Me hizo gracia que Ramón lo recordara; empecé a prepararme para su venida, anticipando alegrías y conversaciones futuras.

Estaba trabajando bien. Las calmas del campo serenaban el espíritu, daban sosiego a mis horas: pintaba muchas seguidas. Al atardecer me ocupaba en el jardín un rato. Las noches se extendían muy quietas, el silencio grande. En todo el alrededor no se veía más luz eléctrica que la de nuestra casa; las estrellas acudían a su reunión en la oscuridad, con alegría brillaban agrupadas encima de los huertos. Y de poder hundir la vista en una oscuridad verdadera, lejos de las falsas noches de las ciudades, parecíame que hasta entendía mejor la luz. Por entonces aprendimos a conocer las geometrías diferentes del cielo del hemisferio, a distinguir constelaciones; con aquello nos sentimos en tierra nuestra, perteneciendo al lugar. A veces, desde el hueco de un árbol cercano cantaba el tucuquere, pájaro que nos había saludado el día de nuestra instalación, búho-bueno que no llama desgracias. A lo que temían los campesinos era a ciertas lechuzas, al quilque ladrón de gallinas y a un tiuque de malasuerte de quien dice la leyenda que mató al pechirrojo por el puro gusto de hacer daño y su grito es ¡yo-no-fui! ¡yo-no-fui!.

Pinté mucho en aquellos primeros meses. A ratos, embebido en un cuadro, me venía a la memoria el recuerdo de Gerardo que no podía pintar, con un peso. ¿Cómo había llegado a tal situación sin que nadie se hubiera dado cuenta antes? Gonzalo había pasado unos días en su casa con motivo del examen de entrada en la Universidad; a su vuelta dijo que Gerardo era muy diferente de cuando había estado en casa en Madrid; pasaba todo el día de mal humor. Ahora sacarlo del pozo iba a ser más difícil. Violeta había comentado una vez «las alegrías de Gerardo suenan tan ficticias...» Quizá llevara años escondiendo tristezas, con un disimulo; quizá nunca hubiera creído en su destino. Elsa no se merecía aquella pesadumbre, tan animosa siempre, tan tranquila... una gran mujer. Parecía imposible que tenerla al lado no fuera motor para seguir adelante. Entonces, ¿cómo estaría Gerardo si no la tuviera? El pobre debía de sentirse muy mal para que Elsa no resultara alivio. ¿Yo, con mi amor ausente, llevaba en la vida mejor reparto? Violeta seguía siendo mi apoyo. Así. Porque las personas aunque ya no existan viven en uno... alta manera de seguir viviendo, y ella mientras yo durase no moría nunca. A alguien había escuchado una vez la sugestiva idea: que en el mundo no había nada nuevo que no hubiera sido desde un principio. Átomos de afuera no nos llegaban, todo estaba ya aquí. ¿No hizo Dios al hombre, dice la biblia, del barro de la tierra? Los antiguos indios americanos creían que habían sido hechos de maíz, pero igual éramos material del Planeta. Cuando el mundo existió fue la tierra, el agua, el aire; cada diminuta parte de nosotros estaba y seguirá estando. Las personas componiéndose de elementos que existen, se hacen, se deshacen, limos que permanecen siempre. Nada se pierde ni se destruye. ¿Entonces qué pasaba con las ideas y los sentimientos, ésas como llamaradas del corazón y la cabeza? Imaginaba las hechuras cambiantes, los sentimientos inamovibles, fija la firmeza de querer. Violeta había cambiado de forma, su amor permanecía intacto, zarza que siempre arde, nuestra, conjuntamente. Uno fuimos, no éramos dos ya desde el primer día. Uno. Ahora su apariencia se me hurtaba, nuestras dulces alegrías convertidas en nostalgias pero morir, ella no había muerto. Esos pensamientos no me producían consuelo sino sólo una especie de piedra donde apoyarme para no girar desesperado en un vacío; lo que nunca quise, en ningún momento, fue estar en el lugar de otra persona. Mis soledades yo las daba por buenas, mis recuerdos siempre venían conmigo.

Y volvieron las niñas, una mañana de alegría. Las traía Enrique en su coche; pidió permiso para quedarse lo que faltaba del verano, pensaba trabajar en su Proyecto Final, si a mí me parecía bien. Me parecía; todos en la casa nos alegrábamos de tenerlo. Las niñas traían bonitos colores del mar y horas de sol, venían muy lindas. Clara con el pelo más rubio, casi blanco en las vetas, la cara de mucha animación. Lorena fina y bonita, cada día recordaba más a su madre. Exclamaban de todo como si hubieran estado fuera un año en vez de tres semanas; a Pacita la encontraron hasta más crecida, más fuerte. Los caballos eran una preciosidad. ¿Los mellizos habían hecho muchas escapadas en la Cesta? ¿Se habían perdido por fin alguna vez? ¡Corina seguía en la casa! El papal estaba hecho una maravilla, Margarita y Hortensia más gordas. Se organizó el gran almuerzo; Aurora contenta de tenerlas en casa otra vez. «Las extrañamos harto, pero si estaban entretenías...» Y sí. Se habían divertido muchísimo, conocieron a gente joven supersimpática. Pero nos echaron de menos: «de veras, papá.» La señora María, que la llamaron tía María finalmente, era amorosísima, siempre animándolas para que fueran a todas partes; tuvieron varias fiestas. Y el tío Enrique también muy simpático, sólo que a la vez mezclaba lo serio con las bromas... una nunca sabía. Parecía así, severo, y entonces decía cosas con mucha gravedad y era que se estaba riendo pero por dentro solamente... Intimidaba, un poco. Clara había hecho grandes descubrimientos. Primero, que las flores silvestres tienen todas cinco pétalos. Sí, de verdad. ¿No lo sabíamos? Sebastián protestaba, no seas bruta, niña. No se picaba. ¿Cómo, todas no? Bueno, entonces casi todas, la mayoría. Después, que todas las caracolas tienen el giro hacia el mismo lado; ¿sería el sentido de la rotación de la tierra? ¿Aquellas formas tan lindas, tenían que ver con las vueltas del mundo? Lorena y Enrique se reían: «No empieces otra vez con eso, bastante lata nos has dado ya en la playa.» No, pero en serio, ¿no lo encontrábamos lo más bonito? Todas las caracolas... Gonzalo la miraba fijo, con su aire de ironía; temí que le dijera alguna impertinencia de las que le gustaba cultivar. Por suerte callaba; las dos niñas querían contar muchas cosas: «Y hay unas rocas ahí mismo cerca de la playa en donde nos bañábamos, ¡con pingüinos! Varios pingüinos, una familia entera.» Gonzalo solamente murmuró que aquello no hablaba muy bien en favor de la temperatura del agua, a lo que asentían: sí que estaba fría, friísima, pero se acostumbraba uno. Sebastián quería saber qué variedad de pingüinos y los mellizos si hacían reverencias, que lo habían leído en alguna parte... Enrique aclaró: «Los que hacen reverencias son los cormoranes.» Entonces, ¿los pingüinos llevaban traje de etiqueta? Aquellos eran australes, pequeñitos; se ponían encima de las rocas de cara al viento, cerraditos los ojos. Esperaban mucho, bichos de toda paciencia. Lindos de ver. En la arena de la playa uno no tenía más que agacharse y recoger almejas machas, canastos enteros. Después la cocinera de la tía María, Virginia la vieja que había sido niñera de Enrique y por eso se llamaba la Nana Gina, las lavaba bien; les echaba sólo limón. Con lo que, al rato, se ponían como lenguas rosaditas y estaban tan buenas. ¡Lorena era una exagerada para comer machas! Aurora se quedaba en el comedor a escuchar, seguía la conversación con la mirada, de uno en otro. ¡Aquellas alegrías! A mí de tenerlas otra vez en casa me entraba una felicidad, mis lámparas prendidas. Paz preguntaba si se iban a marchar otra vez, ella había dormido con Aurora y no había pasado ningún miedo. Y Enrique: «La próxima vez tienes que venir tú también, Pacita.» Pero la niña no lo veía aquello muy factible, «es que yo no tengo vestido de fiesta, que el que tenía se me ha quedado muy pequeño...» ¡Cómo estaban creciendo todos! Aurora aseguraba que era por los aires del campo, tan saludables, y la cantidad de leche que bebían, de las vacas de don Saturnín; la traía por las mañanas un empleado suyo a caballo. Nuestras vaquitas para la primavera tendrían que criar; Amadeo andaba alerto, avisaría al veterinario cuando fuera el momento preciso y el buen hombre llegaría con sus frascos de semen de nevera, de toros yankis con mucho renombre. De don Saturnín nos había contado Amadeo desde los primeros días; tenía una buena propiedad, Las Yuntas, a cuatro o cinco kilómetros a campo través, montada de todo: lechería, siembra, plantación de viña y naranjal, pero no vivía allí. La familia estaba en Santiago; quien vivía en el fundo era un hijo que tenían loquito, atrasado de nacimiento, de esos que mueven mucho las manos y se ríen tontamente. No lo querían tener en la capital, por el quedirán. Don Saturnín acudía a dar una vuelta por el campo de vez en cuando, a las cuentas y órdenes y revisarlo todo; la madre y los hermanos no aparecían nunca por estos pagos, no venían a ver al niño Graciliano. Que estaba bien cuidadito, el tan pobrecito y bueno; la Nana y su marido vivían con él y no dejaban entrar a ninguna persona en la casa. Cuando la señora Coqui se empeñó en visitarlo con sus hijas, fue capaz de convencer a la guardiana de que tenía permiso; apenas el dueño volvió las echó a la calle de malos modos. Ni a Graciliano le permitían tampoco salir de Las Yuntas, que no supiera nadie que existía siquiera. Todos estos detalles y otros muchos eran información de nuestro capataz; no había cosa en fundo, chacra o aldea de los alrededores que él no supiese.

La sobremesa se alargaba; todavía hacía calor. Aurora había traído la bandeja del café, protestando de Corina que otra vez había bebido y estaba en la cocina gimiendo: balaba como oveja. Lorena decidió que hablaría con ella inmediatamente, recobraba sus deberes de ama de casa sin pesar ni pereza. ¿Qué íbamos a hacer, pensé, el día que se marchara para casarse? Por suerte, no parecía aquejada de ninguna prisa. Los niños se revolvían en sus asientos por la quietud tan larga; Mateo, portavoz de los mellizos, pedía permiso para levantarse de la mesa. Los tres menores salían con el Kim detrás, rabito contento, y yo quería haber seguido con mi trabajo en el estudio pero Clara pedía que nos quedáramos conversando un poco más, ¡hacía tanto tiempo que no estábamos juntos! Gonzalo y Sebastián hablaban de automóviles con Enrique, tomaban aires de entendidos, que si modelos japoneses o alemanes fabricados en Brasil, más baratos. Lorena volvía con noticias de la cocina: aquella mujer no estaba en condiciones de escuchar ninguna reprimenda, seguía con sus balidos sin oír a nadie; qué pesadez, comentaba, y se sumaba a la conversación de los muchachos. Todo lo de Gonzalo tenía para ella un interés. Clara se empeñaba en hablar de caracolas con el mismo giro, de izquierda a derecha; eran levógiras, sí. Quería también enseñarme los dibujos que había hecho en la playa, Enrique le había dado lecciones; corría a buscar su álbum. Estaba dibujando muy bien, adelantaba día a día, lo repasamos juntos. Ahí se dio cuenta de que yo alejaba el papel. «¡Papá! ¡Tú necesitas gafas!» Y yo que no, veía perfectamente, sólo que había trabajado mucho en los últimos tiempos, se me cansaban los ojos. Los otros se habían vuelto a mí, me observaban con un temor; sentí la alarma provocada por la exclamación de Clarita. Debían de pensar que me estaba haciendo viejo de repente, se asustaban. «Por Dios, cuídate. Es que no te cuidas, sólo trabajar y trabajar...» Desde que llegamos no me había tomado el mínimo descanso, no podía ser. Era como una obsesión pintar y pintar tanto... Lo que necesitaba, unas vacaciones. Aquella preocupación por mí me conmovía, algo que no había experimentado hasta ahora, diferente. Aurora se estaba llevando las tazas, la consultaban. «¿Qué te parece, Aurita, crees que papá necesita anteojos?» Aurora creía sobre todo en las hierbas, sus agüitas benéficas calientes o frías. Por dentro y por fuera sanaban todos los males del cuerpo. Tenía remedios para todo, combinaba llantén, boldo, anís de estrella, ruda, guañil, agua-de-melisa, las ortigas silvestres, flor de apio, cáscaras de limón... A mí me había aficionado a las infusiones. Después de cenar siempre traía algún cocimiento; yo aspiraba el vapor delicado escapando de la jarra, me esforzaba en adivinar. Lo que ahora decidía, que debería lavarme los ojos con un té de tilo, palito y flor, dos veces cada día, mañana y noche. Para deshinchar, era muy reposante. Más tarde, si no mejoraba, estaría a tiempo de ir a la ciudad en busca del oculista. Intervenía Enrique: «Don Rogelio, yo pienso que sería bueno hacerse ver, por las dudas... Si le parece, pedimos hora al de mi madre, es de mucha confianza.» Qué buen muchacho, conmigo tenía siempre muchas atenciones; sentía un agradecimiento por ello, pero si lo que quería era llevarse a Lorena, entonces... Suspiré: «Bueno, hijos, si os tranquiliza iré... a mí lo mismo me da pero creo que no hay prisa de todos modos.» No me daba lo mismo, mi vista había sido excelente; resultaría penoso necesitar la ayuda de gafas, como bajar un escalón de esos que nunca más vuelven a subirse. Aurora ya estaba en la cocina preparando su infusión, a Corina la había mandado para su dormitorio, disgustada. «Esta mujer es más perjuicio que otra cosa, don Rogelio; yo no sé por qué la seguimos teniendo acá.» Pero si no se quería ir, era muy difícil echarla por las malas. Los niños preferían dejarla en casa, les daba lástima; persona tan extraña no tendría muchas oportunidades de encontrar trabajo. Lorena se preocupaba por Aurora; si se hartaba y se mandaba cambiar a otro lado... No quería pensar que nos encontráramos un día sin ella. Clara opinaba que Aurita no se iría nunca, era ya de nuestra familia. Sebastián dijo que las cosas acababan arreglándose solas, las más veces, si se les daba tiempo; ya pasaría algo que la haría cambiar de opinión y marcharse. Gonzalo ofreció una idea mejor: ¿y si la casábamos con Amadeo? Entonces se le pasarían todas aquellas histerias de querer mugir y ladrar; por último sería Amadeo quien tuviera que aguantarla. Con eso protestaron todos, pobre Amadeo tan bueno y caballeroso. A lo que Lorena descubría un pequeño secreto; con quien Amadeo quería casarse era con Aurora, quiso desde el primer momento sólo que ella lo rechazaba. La noticia armó un verdadero revuelo: ¿era verdad o de broma? ¿Cómo lo sabía Lorena? Pues a ella le había encargado Amadeo, por así decirlo, las negociaciones. Que no habían resultado con ningún éxito. Los chicos se reían; Gonzalo enseguida recordó los mensajes de Barkis a Pegotty por intermedio del pequeño Copperfield. Entonces Aurora entraba con el té de tila bien colado, templadito; tenían que callar. Enrique quería enseñar a los chicos su proyecto del que estaba empezando a sentirse orgulloso; yo me iba a curarme los ojos con la infusión. La reunión se deshacía. En todos los espejos veía a Violeta, en el de mi cuarto que era el antiguo suyo de tocador, azogado, más profundamente. ¿Qué te parece –le pregunté– crees que ese muchacho está enamorado de tu hija? ¿Te gusta? Me pareció que sonreía, ligerito.

opinión y cancharse. Gonzalo [illegible]
cachábamos con Amadeo. Entonces se le pasó la toda [illegible]
las mujeres de querer mucho y faltar por último [illegible]
de quien tuviera que aguantarla. Con eso [illegible]
pobre Amadeo también y caballeroso. A lo que no [illegible]
cuenta un pequeño secreto con quien Amadeo en [illegible]
era con Aurora, [illegible] desde el primer momento sólo que ella
lo rechazaba. La noticia tiene un verdadero [illegible]
dad o de prestar. ¿Conocía sabía Lorena? [illegible]
encargado Amadeo, por este dicho, las [illegible]
habían resultado con ningún [illegible]. Los [illegible] Gonzalo enseguida recordó los mensajes de [illegible] por
intermedio del pequeño [illegible]. Entonces [illegible]
traba con el té de [illegible] bien colado, [illegible] que
dar. Enrique quería enseñarle los [illegible] su proyecto [illegible]
estaba empezando a sentirse orgulloso y [illegible]
los ojos con la [illegible]. La reunión se [illegible]
espejos vio a Violeta en el de mi cuarto [illegible]
rayo de tocador, [illegible] más [illegible]. —¿Qué te parece? —le preguntó— ¿crees que ese muchacho está enamorado
de [illegible]? ¿Te gusta? Me parece que sonreía. [illegible]

20

El papal en flor. Como una nevada liviana tornasolándose con la luz del Poniente un poco rosa; asimismo veíamos al atardecer los altos de la Cordillera. Habían dado a la pradera un par de cortes; el heno segado, hecho fardos, exhalaba un olor penetrante y verde. Ahora Lorena se empeñaba en arar aquel pasto. «Tiene cuatro años casi, ya no rinde. Preparamos la tierra para sembrar maíz o trigo en cuanto vengan las lluvias del otoño...» Las decisiones eran suyas pero yo le pedía que sembrara otro rincón de tréboles, una esquina, por lo lindo de ver y para Margarita y Hortensia que lo disfrutaban. También Amadeo estaba conforme con aquello, admiraba a Lorena por la firmeza de su carácter. «Tan bonita, tan fina... y tiene la cabeza de un hombre sin que parezca», había confiado a Aurora. Todavía se trabajaba con máquina alquilada; mientras no termináramos de pagar el campo no nos metíamos a comprar tractor. Tuvimos fardos para vender; la cara de Lorena cuando me trajo un paquetón de billetes, y no estando demasiado limpios abultaban bastante, era para pintarla. «No que te vayan a durar mucho... habrá que pagar la máquina y la saca de la papa, que es cara porque se hace a mano... pero estoy contenta.»

Don Saturnín había arrancado unas hectáreas de viña vieja para reponer; Amadeo aconsejó que compráramos un par de cargas, era la mejor leña para las chimeneas. El dueño de Las Yuntas tenía camión propio, las mandaba a casa. Estuve de acuerdo aunque aquellos tratos me hacían pensar en el niño Graciliano encerrado en la casa del fundo sin apenas ver a su padre y alegrándose con alegrías exageradas de ruidosas cuando iban a visitarlo, como nos había contado Amadeo. Hasta sin conocerlo me dolía, como el dolor del mundo duele sólo con que exista, independiente de las personas, siendo la cosa-que-no-debía-ser... supongo que eso va en las maneras de ver la vida. Pero no se adelantaba nada con no comprar la leña y cuando tuvimos los tocones bien apilados en la bodega con buen orden, los sarmientos con sus formas extrañas, y el olor dulzón extendiéndose por los graneros hasta el patio, sentí un gustoso bienestar; estábamos preparándonos para el invierno. Como esas noches en que llueve abundantemente afuera y uno se encuentra en casa, recogido a la vera de una lumbre sin necesidad de salir, la lluvia y el viento golpeando en los vidrios para aumentar la sensación de abrigo y aislamiento en el interior, esa seguridad. Entonces me asomaba a mirar los montones de leña tan bien cuadrados; reconfortaban.

Enrique seguía en casa, cada mañana trabajaba unas horas en su proyecto, muy seriamente. Me extrañaba que no prefiriese hacerlo junto a su padre, siendo él arquitecto al fin y al cabo; un día le pregunté y me dijo que de todos modos su padre lo iba a corregir más tarde y mejor no dejarse influenciar mientras que no lo tuviera acabado. Pero se había quedado pensativo, un poco; quizás imaginara que ya me había hartado de tenerlo con nosotros, lo que no era así. Por la tarde llamó a la puerta del estudio, discretamente, murmurando un «con su permiso, don Rogelio». A lo que venía, a hablar conmigo de un asunto, si yo no estaba demasiado ocupado; ¿podría disponer de unos minutos? Y, claro, obligatoriamente disponía, qué remedio. Entonces, pues, primero no había pensado decirme nada todavía, estando la cosa muy en sus principios, pero tenía la preocupación... acaso fuera un abuso de mi hospitalidad, alojándose así en mi casa como uno más de los muchachos, y tampoco sabía exactamente cómo era la costumbre en España, tendría que disculparlo. Enfin... quería mi permiso para pololear con mi hija porque así le parecía más correcto, usted ya sabe, pololear le llamamos acá a ser novios, algo parecido pero cuando se está comenzando. En aquel preciso momento llamaba Amadeo a la puerta y otra vez, con permiso don Rogelio, sintiendo molestar, Patrón; pero el gas licuado estaba terminándose. Entonces, si me parecía bien que tomara la furgoneta y fuera hasta Santa Lucía para recargar las bombonas, las dos grandes, la señora Aurora estaba de acuerdo por no estar ocupando el gas ahora, en Pedro Domingo no había delegación. Dije rápidamente que sí y salió. Me volví a Enrique con algún embarazo. «Perdona la interrupción... Bueno, hijo mío, si tú crees que debemos hablarlo, hablemos pero no hace falta, por mí no...» En lo que entró Sebastián sin llamar a la puerta: que si podía él ir conduciendo la furgoneta con Amadeo a su lado, «como ya tengo el permiso y nunca he conducido por carretera...» Miré a Enrique a ver si se impacientaba; si quería casarse con Lorena tendríamos que estudiarle el carácter. Pero no, parecía tranquilo, algo se había sonrojado al entrar Sebastián, quizá tenía el pelo un poco más cepillo rubio que de costumbre, tieso. Le propuse que paseáramos un poco; nunca me molestaban en el estudio y mira por dónde justo aquella tarde, parecían haberse puesto todos de acuerdo qué pesadez. Conque salimos por la puerta del corredor, echamos a andar despacio por el caminito de la higuera grande. De seguro estaba más azarado que él, intentaba acordarme de mi conversación con el padre de Violeta en iguales circunstancias y no lo conseguía, buscaba mi tabaco de pipa por todos los bolsillos; tampoco lo encontraba. No sabía qué decirle; ¿debería preguntarle algo como con qué cuentas para vivir o sería prematuro, adelantar demasiado las cosas? Además que sonaba como muy antiguo, frase de otros tiempos, seguramente ya no se decía... ni creo que a mí me la hubieran dicho siquiera en su momento. Lo dejé hablar a él y no decía nada, caminaba en silencio, tal vez por respetuoso, por escucharme a mí. «Bueno, bueno», dije, muy trabado, repetí, bueno, bueno. El muchacho demostró más ánimos que yo. «Mire, don Rogelio, en realidad yo quería que usted lo supiera y me dijera si ve algún inconveniente.» Que él iba a contar con un trabajo en el taller de arquitectura de su padre y no venía con ningún apuro; las cosas por sus pasos como debían ser pero se sentía culpable por no haberme dicho nada. Yo había encontrado mi tabaco después de una búsqueda casi frenética, me notaba más asegurado. «Hijo, yo inconveniente ninguno. Lo único, una cierta tristeza, me figuro que es normal. En cuanto a ti, te apreciamos todos, los niños y yo. No, ningún inconveniente, al contrario, siempre y cuando no vengáis con prisas...» Me interrumpí para llenar mi pipa, apretando bien el tabaco. Saqué un fósforo, la prendí, di un par de chupadas; la cosa no estaba resultando tan difícil como me había temido, era sencilla en realidad. Continué, satisfecho: «En definitiva es cosa vuestra, Lorena y tú sois quienes debéis decidir lo que os conviene.» Seguí andando por el camino, Enrique se había quedado rezagado, la mirada fija en no sé qué cosa. Lo esperé. Ahora estaba francamente rojo, mucho; habló con dificultad. «¿C-c-cómo dijo? –casi con un tartamudeo–. Yo, don Rogelio, yo le estoy pidiendo permiso para pololear con Clarita.» Ahí el asombro mío; no podía ser. ¿Clarita? ¿De qué demonios me estaba hablando? ¡Pero si Clarita era una niña, una chiquilla! Exclamé de más. Enrique dijo con un balbuceo: «Po-por supuesto... no... no esperaría que quisiera pololear con un niño... perdóneme, no sé ni lo que estoy diciendo...» A lo que innecesariamente le pedí que no se anduviera con bromas, el asunto era demasiado serio. Se disculpó, el pobre, volvió a pedir perdón: estaba un poco nervioso. Yo era quien hubiera debido pedir perdón y estaba nervioso también; lo que menos podía esperarme era aquello. ¡Clara! Dios mío, qué increíble. «¿Lo sabe ella?», pregunté, una pregunta boba.

–Pero, don Rogelio, ¿cómo no iba a saber...? Fue... ha sido asunto entre los dos... conjuntamente...

¿Yo pensaba que Lorena...? Una regia muchacha, desde luego, con ella tenía muchísima amistad, en plan de compinches. Lo habían pasado muy bien arreglando la casa, eran los mejores amigos, de veras, sólo que así... amigos. «Pero Clara... usted espere y verá; Clara va a ser una mujer de una vez y yo... nosotros...» Pobre, lo comprendí; por no enterarme de nada lo había puesto en posición falsa, muy difícil. Mía la culpa. Pero Clara había cumplido diecisiete años... no eran edades. Por otro lado, sabía bien lo que quería, seguro que la decisión no había sido toda de Enrique. ¡Clara! ¿Qué iba a pensar Lorena de aquello? Aunque, en justicia, si su hermana se había enamorado de Enrique, y ahora empezaba yo a recordar una serie de cosas, tampoco podíamos oponernos Lorena ni yo. Ni nadie: asunto de ellos solamente. «Si se trata de Clara, vais a tener que esperar bastante tiempo, es demasiado joven.» Estaba de acuerdo, esperaría. Hablar conmigo sólo era porque no le parecía bien callarlo, pasando tanto tiempo en mi casa. Además tuvo miedo de que me diera cuenta... Sebastián era el que le decía bromas, a veces. Habían sido discretos, pensé; era de esperar que siguieran lo mismo, para nunca incomodar a los hermanos.

En la higuera había muchos higos que ya empezaban a rezumar dulzura como miel, por el aire venía un olor a duraznos, perfumes de las frutas en maduración. Suspiré, siempre tenía que dar aquella imagen de despiste, no me podía considerar un padre de mucho lucimiento; el cariño de los chicos, demostrado, era muy de agradecer. «Gonzalo dice que siempre me las arreglo para no enterarme de lo que pasa a mi alrededor... debe de creer que lo hago a propósito.» Enrique se apresuraba a tranquilizarme: «No, no. Es su manera de decir las cosas. Usted es el pilar de la familia, sólo que está tan embebido en su trabajo, en sus recuerdos... Todos lo admiramos por ser así, es un ejemplo...» Me atraganté. Muy cariñoso el chico pero aquello era lo que menos podía soportar, alabanzas de un probable yerno, no, de ningún modo. Me di mucha prisa en cambiar la conversación. ¿Qué opinaban sus padres del asunto? Y... Sus padres estaban contentísimos, felices de veras, siendo él hijo solo, siempre andaban con la preocupación, lo natural. Clara les gustaba mucho, desde el primer día aquel que vinieron a la comida en la calle de las Hortensias... Lorena también, se apresuraba a aclarar. Ahora las habían tratado seguido, en la propia casa, se encariñaban más con ellas. Que también por eso había preferido hablar conmigo, parecía lo justo que yo estuviera al corriente y si quería que se marchara de vuelta a Santiago... eso había dicho su madre, a él ni se le ocurrió no pareciéndole motivo pero la mamá insistía en todas las finuras de modales... entonces, si yo quería él se iba, ahora que confianza la podía tener toda. A Clara la quería de veras, no se le pasaría por la mente... yo comprendería lo que quería decir. Lo entendía, sí, y tampoco se me había pasado por la cabeza. De pronto notaba, la sensación de desagrado cada vez que pensaba en Enrique y Lorena juntos ahora había desaparecido; seguramente mi desasosiego tenía que ser por Clara. Aquella noche que se fue a su habitación llorando y apareció al cabo del rato arregladita y bien dispuesta. Me demoré, pensé despacio. Recuerdos míos. Nuestra pequeña historia,

Violeta con los niños, sus infancias tan lindas. La vida pasando, cinta que se desliaba con sus colores alegres o tristes. O alegres y tristes a la vez. «Tendrías que haberla visto cuando aprendió a caminar; su madre se sentaba en una butaca y yo enfrente. Clarita iba de uno a otro con mucho empeño, cuidadosa de sus pasos. Era muy seriecita, muy tierna.» Violeta le abría los brazos en los dos pasitos del final, la abrazaba, y la niña recibía el apretón, enseguida se volvía hacia mí, caminaba de vuelta. Enrique esperaba a que yo quisiera seguir hablando, no me daba prisa. Paseamos un rato callados, después dijo: «¿Entonces es que sí...? ¿Tengo su autorización?» La tenía. Y con que Clara llegaría a ser una mujer importante yo estaba de acuerdo, pero por el momento era una chiquilla con sus aires de gravedad y sus intentos de hacerse mayor. Crecer, ¿no era difícil? Para algunas personas más que para otras, había gente que sólo se dejaba seguir viviendo. Clara no era de esa gente, su empeño estaba en adelantar. Además, tendría que terminar sus estudios, hacer Bellas Artes... ya se vería. ¿Cuántos años tienes tú? Veintidós, me dijo; no esperaba casarse antes de dos o tres pero con quien quería casarse iba a ser con Clara y nadie más; en aquello estaba firme. Que nunca antes se había enamorado, tontear sí pero nada de importancia, bobadas de colegial sin seriedad ni propósito. «Usted, ¿qué edad tenía cuando se enamoró de la señora Violeta?» Sin pensar contesté: yo no me había enamorado con ninguna edad, a Violeta lo que hice cuando la encontré en una fiesta de compañeros fue identificarla. Reconocerla, con la toda certeza. Ella era Ella. Punto. «No sé si me entiendes, desde antes de la vida hasta después de la muerte. ¿Tú crees que lo tuyo con Clara es algo así, de ese estilo?» Y, bueno, tanto no sabía, era difícil precisar. Pero, ¿cada uno no quería según su manera de ser? No había personas idénticas ni pensamientos idénticos tampoco; para su forma de querer, como él quería a Clara era para toda la vida, permanentemente. En lo continuo de los años largos, verla ir creciendo y madurar y envejecer... siempre a su lado. Ésa era su idea. «Don Rogelio, si me metiera en mayores alturas, no estaría hablando de mí ni de nosotros. Estaría imitando su sentir de usted y eso no sería honrado. ¿Le parece...?» Me parecía. Lo que me parecía, que a aquel muchacho lo mandaba Violeta para su hija. Y el encuentro había sido por la compra de Chumaiyu y Chumaiyu descubrimiento y empeño y amor de Clara. Las cosas se venían entremezcladas, causando las unas a las otras, aquel tejido que llevaba el dibujo de nuestras existencias. Todo con su porqué: no estábamos solos. Quise decirle: tú a Violeta le gustarías; callé. Él llegaba recién a la familia, no tenía que entrar en nuestras añoranzas; pertenecía a otra época de la vida de Clara que debería ser solamente alegre. Lo que comenté, mirando al campo, esta casa os ha reunido, tú la arreglaste. Enrique dijo: «Sabe, en la casa tengo un diccionario de lengua araucana, siempre me ha interesado saber qué querían decir muchos de nuestros nombres, la toponimia sobre todo. Cosas que deberíamos entender y la gente no se fija, no se preocupa de averiguarlas. ¿Usted sabe, por ejemplo, qué quiere decir Andes? Lugar "por donde sale el sol". Antu es sol... lo cual demuestra que el nombre se lo pusimos a la Cordillera nosotros, al menos los de este lado, ¿no?» Recordé a Juan de Dios, el barquero de la laguna de Tolhuaca; Antumilla, entonces, ¿qué quería decir? Enrique se interesaba enseguida; Antumilla era «sol de oro», uno de los buenos linajes. ¿Conocía yo a alguien que se llamara así? Le conté de Juan de Dios, escuchaba, tan respetuoso. Teníamos que ir a verlo alguna vez, no conocía aquel lugar; Clara le había contado. Después continuaba con lo que quería decirme. «Entonces, antes de venir se me ocurrió buscar qué significa Chumaiyu; es una palabra rara, ¿cierto? Quiere decir exactamente "¿qué vamos a hacer tú y yo?" En la lengua existe el dual, formas que no son singular ni plural sino para dos personas, es bonita la diferencia. Pues el significado me pareció muy lindo, se lo dije a Clara. Qué íbamos a hacer ella y yo, el uno por el otro, en nuestra vida, ¿me comprende?»

Violeta, le dije en el fondo del corazón, ¿qué vamos a hacer tú y yo, separados? El significado era para nosotros dos. O también para Clara y Enrique. O también para todas las personas «tú-y-yo», con su vida así, dualmente.

Habíamos llegado al río andando despacio. Corría claro, con un murmullo suave; se podían ver las arenas del fondo. Agua que venía de tan lejos, cantando siempre. De las montañas altas donde nacía el sol. Nos apoyamos en unos troncos para verla pasar, aquel sosiego. Un ligero viento del Norte se levantaba, algunas nubes pasajeras, livianas, se miraron en el río. Quién supiera pintar, de verdad, excelsamente, no como pintábamos nosotros, pensé. Enrique dijo: «Creo que lo peor de esta conversación ya ha pasado, ¿cierto? Resultaba difícil para los dos.» Pude sonreír. Río abajo venían unos patos oscuros pechiblancos. Empinaditas las cabezas, un orgullo gracioso; acá y allá se zambullían buscando sus bichitos para comer. Al pasar por delante de nosotros se desviaban hacia la otra margen, con una curva acusada y unos cuás de advertencia. «Por lo menos –dije– tú no eres tímido.» Que no lo era, me hacía muchas preguntas. De nosotros, de la niñez de Clara; ¿se parecía ella a su madre? Y... no. La que se parecía era Lorena, en el físico desde luego y en la disposición para llevar adelante sus empresas, casa, campo, labor, cualquier trabajo... Clara tenía de Violeta otras cosas, como descubrir que las flores silvestres tienen cinco pétalos o el giro de todas las caracolas del mundo; en aquellas iluminaciones la recordaba. Cualquier día se ponía a viajar en los mapas también. «Dígame, don Rogelio, cómo era la señora Violeta...» Es, corregía yo mentalmente. Me quedaba pensando... no podía definirla. Ojos grises, el gusto por las palabras y por los viajes imaginados, una lealtad sin condiciones... era imposible decir. Al hablar de ella siempre me parecía estar inventando o haciendo cosas tan obvias y tan nada que ver como, por ejemplo, escribir el nombre en un muro.

A la noche la noticia se había extendido, oficial. Que Enrique y Clarita estaban empezando a ser novios, por el momento sólo eso; más adelante se vería. ¿A nadie le tomaba de sorpresa? Aurora afirmaba, le parecía bien que Enrique hubiera hablado con el Patrón, era lo más propio. «Y usté, don Rogelio, pensando que la cosa iba por otro lado, ¿cierto? Cómo le íbamos a decir, pues...» Entonces, por una vez, bueno sería sacar unas botellas de reserva antigua, había que brindar con todo el mundo; en eso estuvo de acuerdo hasta Gonzalo que se había quedado pensativo, como rumiando que Clara no debería tener un pretendiente antes que su hermana, jerarquías de la edad. «Mira que empezar estos asuntos por el número cuatro... no tenemos orden.» Brindamos; hasta más tarde no nos dimos cuenta de que Corina se había llevado dos botellas a su habitación. Los gemelos se felicitaban con alborozo: ¡vamos a tener un cuñado! Resumí: para aquello aún faltaba mucho, antes de unos años no se iba a hablar de matrimonio. Teníamos que llamar a Elsa, ¿o preferían ellos...? A Clara la miraban todos con otro respeto; de repente había pasado a un primer lugar. Ella seguía tan igualita, con sus dibujos y sus descubrimientos, como si tal cosa. Sebastián consideraba a Enrique como un amigo suyo muy especial, con quien solía compartir el cuarto: dijo que teníamos que dar una fiesta. Pero, ¿a quién íbamos a invitar? Pues no invitábamos a nadie porque ya éramos suficientes, diez con Aurora. Once, con Amadeo. Paz dijo que el Kim también y que ella no tenía vestido de fiesta. Todos hablaban de la comida que tenía que ser al aire, cordero en parrilla asado en medio del patio, lo propio de la tierra, la costumbre. Amadeo se encargaría de comprar el cordero y disponer las cosas. Cada cual muy bien vestido según lo que mandaban las circunstancias de la celebración... Tía Elsa podría venir, si le avisábamos. ¿Y Corina? Qué remedio, no le íbamos a dar de lado, pero Corina era una lata, la pobre. Estábamos en el comedor, la sobremesa larga; en esto el perro del fundo que no era de nadie, el Poroto, perro grande canelo con una mancha blanca en un costado, muy pacífico siempre, empezó a aullar. El Kim gruñó con desesperación debajo de la mesa, amagaba ladridos sabiendo que le regañábamos si hacía ruido en la casa. Quedamos escuchando con un asombro; ¿qué le ocurría al Poroto, tan soñoliento de tranquilo que solía pasar las horas echado en el patio a la sombrita de un limonero? Sería la luna llena, aventuró Gonzalo y Clara dijo que no, para la luna llena faltaban unos días. El perro callaba unos momentos, volvía a emprender aquel quejido alargado ondulante, ponía los pelos levantados de punta. «Voy a ver lo que pasa», decidió Enrique, apartando su silla, y en aquel mismo instante Corina se puso a dar chillidos desde el corredor. Cortos, uno detrás de otro sin interrumpirse; no se comprendía cuándo respiraba la mujer. El Kim se lanzó a ladrar decididamente, la voz de Aurora se oía llamando a Amadeo. Clara se levantó con prisa, tomó a Paz de la mano, «tú no te asustes, preciosa, no pasa nada». Lorena y yo corrimos hacia donde se oían los alaridos mientras los chicos mayores salían en busca del perro Poroto; era como si todo el mundo se hubiera desquiciado de golpe. Cuando llegamos Amadeo y Aurora sostenían a Corina que parecía con un desmayo, le palmeaban las manos y la cara; Aurora pidió vinagre. Lorena fue para la cocina disparada, trajo vinagre, amoníaco; le dieron a oler a Corina: boqueó. Tosía. Abrió los ojos, no miraba a nadie, la boca un poco torcida y abierta. La expresión en aquellos ojos amarillentos más perdida que nunca, ausente. Preguntábamos: ¿Qué pasó, por qué ha gritado? No contestaba ni parecía oír. Aurora y Lorena la llevaban al cuarto, la acostaban entre las dos hablándole suavecito, que se tranquilizara. Ya pasó, ya había pasado el mal rato; Aurora le iba a hacer una agüita caliente. ¿Dónde tenía dolor, dónde? ¿Deseaba tomar algo? ¿Se estaba encontrando mejorcita? Corina no respondía sí ni no, ni siquiera hacía gesto o señal de que estuviera oyendo. Bebió la infusión cuando se la trajeron, unos tragos, sin demostrar desagrado o alivio, nada, la vista detenida con una fijeza que daba angustia. Más aún, que debió de haberse quemado; Aurora recordó tarde que no toleraba los líquidos calientes y con el agobio de la prisa se lo habían dado hirviendo. La pobre mujer no reaccionaba, de la boca muy ensanchada abierta se le escapaba un hilo de saliva. Los chicos y yo esperábamos en el corredor que Lorena nos diera noticias; Clara se había quedado entreteniendo a Pacita, no fuera a asustarse y empezara a ver *La Cosa* de nuevo que había desaparecido pero nos seguía preocupando. Lorena salió del dormitorio, dijo que Corina estaba muy rara y según Aurora era que le había dado un aire, igual que hubiera diagnosticado cualquier mujer del pueblo, de mi pueblo, en aquel otro Sur tan lejano. «Pero será algo más que un aire, si no habla, no mira...» Lorena estaba angustiada; ¿podría ir alguien en busca de un médico? Enrique se ofrecía de inmediato pero mandé a Amadeo con la furgoneta a Santa Lucía, pueblo más lejano que Pedro Domingo pero más grande. Amadeo se iba, «aunque a estas horas, siendo el doctor como es...» Dio a entender que después de la consulta andaba metido en juergas con quién sabía qué compañías. Aquello no me daba confianza; el problema, que no había otro médico en los alrededores, más que en Pedro Domingo «la doctora». Entonces, ¿por qué no traía a la doctora? «No, pues. Ella se ocupa de señoras dando a luz y de las guaguas, quizás si no es ni médico siquiera. Es joven.» Nos teníamos que decidir por el hombre, el mal menor.

El perro se había callado; Sebastián dijo que cuando le hablaron al instante se tumbó en el suelo, mansito, con el cuerpo aplastado contra la tierra. Se diría que mandó su mensaje de una desgracia viniendo; entonces después descansaba. La cosa, que Corina era tan antipática con las personas, de malmirar y pocas palabras mientras que con los animales era muy cariñosa. El Kim le hacía fiestas; ella solía guardarle pedacitos de comida de su plato aunque aquello se lo teníamos prohibido. Era inapetente para comer, ansiosa sólo de vino o cualquier bebida con alcohol. Hortensia y Margarita, con su lentitud de aparente indiferencia, acudían a la cerca del prado cuando Corina salía con las bolsas de basura o a algún menester, ella les rascaba la cabeza, les daba palmadas en el cuello murmurando no se sabía qué canturreadas frases. Con los caballos pasaba igual, le venían, y el Poroto sólo salía de sus perezas al sentirla; era ella quien le daba de comer, le hablaba como a persona. Quizá por eso habría aullado; extraña mujer, que nadie podía quererla sino los animales acaso por aquella simpleza suya en el fondo inocente. No tenía maldad, sólo que a los humanos no los identificaba mucho como su especie; más tarde Trinidad nos dijo que gente así había conocido alguna, por lo general hijos de padres alcoholizados; el vino traía esas malas consecuencias.

Nos quedamos esperando al médico hasta bastante tarde todos, menos los mellizos y Paz. Amadeo lo traía en la furgoneta, venía disgustado. Se acercó al corredor, dijo con una incomodidad: «Ya está acá pero trae compañía.» No lo entendí, al punto. «Sí, pues, compañía. Lo tuve que buscar en varios establecimientos...» y Enrique, por lo bajo, «bares, seguramente». Lo que menos me podía esperar: el doctor don Cruz Maneruelas venía trayendo a una mujer del peor aspecto. Morena gorda pechugona con escote increíble, pechos como dos sandías asomando muy juntas, enorme trenza y varias capas de pintura en la cara. El doctor un hombre en la sesentena, gordo, jovial, con esas rojeces en mofletes y nariz que anuncian una vida desordenada, y un desenfado molestoso. No eran ocasiones de presentarse así, visitas a los enfermos; saludé con entera frialdad que él no acusaba. «Estaba con la amiguita, explicó, y no la iba a dejar así, tan sola.» Se rió fuertón. Los niños al ver a la pareja habían sufrido un ataque de risa, se perdieron por los corredores rápidamente. Entretanto el médico pasaba a la habitación de Corina donde seguía vigilante Aurora; yo quedaba solo con el otro personaje. Que estaba deseoso de hacer salón, además. Conversaba: «Yo me llamo Greiss Carolain, ¿y usté?» Carraspeé. Ejem... era un bonito nombre. «¿No es cierto que sí?», zureó, paloma buchona, contoneándose. A lo que me recordaba las torcaces en el pilón del patio en Santa María, currrún-cuumm. «Currunn-cummmm... Así que usté es el patrón nuevo de este fundo, currrrumcuuumm, ¿por qué no me muestra la casa? Dicen en el pueblo que la han alhajado ustedes muy linda...» La pobre daba hasta lástima, con aquella pinta; sabía Dios cuándo habría calzado zapatos por primera vez, ahora los llevaba de falso charol rojo con tira abrazadera en los anchos tobillos. Su procedencia debía de ser muy humilde, seguro le encantaría contar en el pueblo que había estado de visita en Chumaiyu, no sabíamos por qué la gente se fascinaba con venir a la casa. Lo que yo tenía era la casi certidumbre de que los niños desde detrás de alguna puerta me estaban espiando; creí escuchar risillas medio sofocadas o serían, quizás, imaginaciones mías. Grace Caroline, santo Cielo. Pero me dio como remordimiento negarme; quién sabía qué clase de existencia habría llevado, la vida siendo difícil para todos. Se me ocurrió sumar a Amadeo a la expedición a modo de carabina que previniera cualquier comentario. Ahí estaba, respetuoso, esperando en el rincón de la esquina del patio; todavía se le notaba que andaba molesto. Hablé pronunciando despacio, las eses castellanas bien acusadas, un poco solemne: a ver, don Garrucha, si tendría la amabilidad de acompañarnos a la señorita y a mí, pues desea ver la casa. Todo con protocolo de extremada corrección; Amadeo se acercó, vi que aprobaba mi llamada. «Cómo no, Patrón, yo iré prendiendo las luces.» Así que paseamos los tres gravemente por las habitaciones; la mujer se exclamaba mucho, prodigaba amabilidades. ¡Qué lindo, lindísimo!, decía a todo. Lo que más le gustó fueron los cuartos de baño. «¡Ay, no! ¡Esto es igualito que en la televisión!» Por un momento sentí que Enrique no pudiera oírla y del placer de contárselo más tarde nadie me iba a privar, para que aprendieran a dejarme solo. En mi estudio observó, «así que es verdá que usté es pintor de cuadros, pues yo lo había escuchado en el pueblo». Con toda seriedad afirmé, era exacto. Se asombraba: «Y pensar que con eso se gana plata hasta para comprar este fundo tan hermoso... Nadie se lo imaginaría, ¿cierto?» Me acordé de Juan de Dios Antumilla: ¿Cuánta plata, como un chancho? ¿Más? ¿Como un caballo? Para aquella gente era una idea imposible, no les parecía trabajo serio como para obtener dinero a cambio. La mujer ya estaba haciendo la pregunta: cuánto cobraba yo por un cuadro; me escabullí. «No los puedo vender directamente, tengo un contrato...» No era tonta. Así que ¿no podía suprimir el corredor? Lástima, aquella gente intermediaria siempre se llevaba su buen mordisco. Arredondeaba la boca como queriendo morder ella también, provocativa más por reflejo perrito de Pavlov que por realmente proponérselo con interés. Intervino Amadeo, severo. ¿Querría ver la cocina ahora? Y sí, quería verlo todo aunque no le había gustado la interrupción. En la cocina se nos reunió don Cruz Maneruelas. ¿Cómo había encontrado a Corina?, pregunté. A lo que me respondió: «Pues esa mujer, lo que tiene es que le ha dado un aire.» Aurora concordaba, que eso ya lo había dicho ella. Pero, por favor, yo del médico esperaría una explicación más técnica, que sonara a ciencia un poco. No me la dio. Recuperación no preveía; lo que podía hacer por mí era hacerme un volante, que la ingresaran en el hospital. ¿Y por ella?, pregunté. ¿No podíamos hacer nada por ella? Pobre mujer, daba no sé qué sacarla de casa, enferma. El doctor Maneruelas se impacientaba: «¿Qué quiere hacer, pues? Ya le he dicho que no va a tener arreglo, lo más probable.» Ahora, si los papeles del seguro estaban en orden, la cartilla, entonces la ingresaban y nada más. «Ahí la van a cuidar bien, no se preocupe. ¿Qué obligación tiene...? Lo que necesita es casi nada, su cama, un poco de alimento... son monjitas las que atienden a las enfermas. La tratarán bien, no pase cuidado.» Vacilé: mandarla a un hospital así, sin más... aquel médico no me daba ninguna confianza. Aurora dijo que no había otra salida posible, en aquellas condiciones no la podíamos tener en casa como era debido, quizás iba a necesitar calmantes, inyecciones, cosas. Don Cruz asentía: «Ha tenido suerte; si no estuviera tan mal, capaz que ni se la aceptaban.» La suerte de la pobre Corina. Tuve que conformarme, si no había otra solución... Al parecer no la había. Aurora fue en busca de la cartilla que el doctor tomara todos los datos. Rellenó muy trabajosamente unos impresos, las manos gordotonas, torpes. «Mañana, yo aviso al Hospital y aquí, Garrucha, que la lleve en el auto.» Aquello no me gustó; ¿no se podría llamar a una ambulancia? Llevarla en un coche quizá resultara peligroso. Si había que pagar lo que fuera, yo... Don Cruz sacó otro papel, escribía. «No tiene que pagar, hay derecho, hay derecho... Entonces que venga la ambulancia, sí señor. La hora exacta es lo que no sé, dependiendo de las urgencias...» Parecía traerle sin cuidado todo el asunto; quizá los médicos tenían que ser así, desinteresados de los enfermos, para llevar adelante una profesión de tanta dureza. De todos modos el tipo aquel era especialmente desagradable, daba la impresión de ser el clásico fullero; dudé si ofrecerle una copa, una taza de café, tal vez sería costumbre; pregunté por ganar tiempo cuánto le debía. «Poca cosa, mi buen amigo, poca cosa. Teniendo en cuenta que le proporciono el ingreso en el hospital, deme diez mil pesos.» Vi la cara de horror de Aurora, calculé: al cambio unos doscientos cincuenta dólares. Más que el sueldo de ella de un mes, más que un caballo; no era poca cosa, no; era un abuso. Decidí no invitarlo ni a un vaso de agua. «Ahora don Garrucha puede llevarlo a Santa Lucía.» Escribí un cheque, rellenando la matriz de la chequera primero, despacio. La «amiguita» seguía con ojos de avidez el movimiento de mi pluma, parecía cavilar si no podría hacer mejor negocio intentando amigarse conmigo, la pobre. «Gusto de haberlo conocido, don Rogelio», dijo con aire de mucho mundo y su zureíto de tórtola; el médico la miró con malmirar, molesto de repente por su amabilidad hacia mí. Ahí me permití una pequeña venganza, le dediqué mi mejor saludó: «El gusto ha sido mío, señorita Grace Caroline; he pasado un rato delicioso en su grata compañía.» No sé ni cómo lo hice, cuando se lo contara a los niños no se lo iban a creer. La paloma buchona hizo un ruidito de gusto, salió de la cocina con la cabeza alta como una reina; al Cruz Maneruelas ni lo miraba.

–Usté es demasiado de bueno, don Rogelio –dijo Aurora así que hubieron salido–. De más.

21

Vientos marceros trajeron las lluvias primeras del otoño, que se entraba friíto, refrescador. Las estaciones cambiando siempre dan un placer nuevo a los sentidos, variación de los olores y las luces, los ruidos diferentes, lo que viviendo en el campo se aprecia con muy mayor intensidad y fuerza. Enrique tuvo que volverse a Santiago; Clara lo despidió valiente, sin una lágrima, pero se veía que lo extrañaba. Sus hermanos le daban ánimos: «Ya dentro de nada empieza el colegio; lo vas a ver todos los días.» Ella se mantenía sin demostrar tristezas, dibujaba muchas horas. Yo había conversado de aquel noviazgo en principios con Lorena, si ella estaba contenta. Mucho, dijo. «A lo primero pensé que Enrique venía por mí pero luego resultó que era Clara quien le gustaba, así que mejor para todos.» Con aquello me di por satisfecho aunque no dejaba de pensar que Clarita era una chiquilla chica todavía.

Una mujer del campo tremendamente grandona, de ojos y cutis clarísimos, venía a ayudar en las limpiezas, contratada por Amadeo; se llamaba Aída y Gonzalo la llamaba Walkiria, lo que parecía en verdad. Comía a todas horas, en el bolsillo solía llevar un pedazo de pan, mordía y mascaba despacio. Cuando no estaba masticando con aquella continuidad de rumiante, entonces parloteaba. La cosa, que la boca en ningún momento la mantenía quieta, sin uso. Mujer dada a muchas habladurías y chismes; nos acostumbramos a esquivarla para que no anduviera contándonos cuentos de unos y de otros, gentes a las que no conocíamos en su mayor parte. Gonzalo, al principio, la escuchó con algún interés, había tenido una vaga idea acerca de un libro con historias locales; pronto se aburrió. Aquello no resultaban ser historias sino murmuraciones. A veces hacía proyectos así, voy a escribir un libro con esto y con lo otro, que terminaban muriendo antes de nacer, la mayoría.

Empezaron las clases. Muy temprano salían los cinco para la estación, de lunes a viernes. Antes de marcharse, Enrique había enseñado a conducir también a las dos niñas que en pocos días aprendieron; se sentía orgulloso de ser el profesor de todos, un poco hermano mayor. Lorena fue a Pedro Domingo y obtuvo su permiso. Sebastián hasta entonces había ostentado una superioridad porque sabía conducir antes que su hermana, llevándole ella dos años. «Apuesto a que no te lo dan así como así», había dicho por desanimarla fraternalmente. Lorena volvió muerta de risa: «Además de dármelo en el momento, me han invitado a un baile.» Nos extrañamos: ¿Un baile? ¿Quién? ¿Y dónde, en Pedro Domingo? Parecía increíble que en aquel pueblecito se diera un baile. Ah, sí. Había baile todos los domingos en la parroquia y guitarreo y cantar. El secretario de la Municipalidad la invitaba... que la había visto en misa.

–Vaya, no me extraña –dijo Clara con lealtad–. En la playa todos los chicos querían salir con Lorena, era la niña de más éxito de Cachagua.

–¿Y tú, qué le has dicho?

–Le he dicho que no, muchas gracias. Que en España tengo un novio. Lo ha tomado muy bien; aquí no salen a la calle cuando «pololean». Ya lo sabes, Clarita, vas a estar encerrada.

Aquello a Clara no le importaba, pero que Lorena anduviera diciendo a todo el mundo que tenía un novio, sí. Sebastián apoyó; además no se debían decir mentiras. Lorena se había quedado pensativa, miraba lejos. Ensoñando. «A saber si lo es...» Me inquieté.

–Lorena, ¿es que sigues pensando en aquel muchacho, como se llame? ¿Quieres que te mande a Madrid una temporada, quieres viajar, quieres...? Podemos arreglar algo si tú...

Al punto reaccionó, se recobraba: «No, no, lo he dicho por decir. No quiero moverme de Chumaiyu para nada, soy feliz aquí...» Me quedé con un desasosiego; ella nunca decía por decir, no era al menos su costumbre. Pero ya una vez, en realidad dos, había preguntado a los chicos qué le pasaba a Lorena; no quería hacerlo más. Por otra parte, ahora se veía contenta con sus ocupaciones. Las papas se estaban sacando, que venían buenas, hasta ganábamos dinero. Y ya pensaba en gastarlo; en cuanto terminara la saca quería sembrar remolacha, trigo de invierno... sus planes. Había ido a visitar varios viveros con Amadeo para la prueba de poner frutales en un par de hectáreas. Ciruelos, decididamente. Esas labranzas la mantenían llena de actividad y de ilusiones.

De pronto me encontraba con tres ayudantes a la hora de conducir el auto, aparte de Amadeo que manejaba bien, además leía y escribía con soltura, servía para todo. Ante cualquier problema acudíamos a él: «yo puedo arreglarlo» era su frase favorita; su orgullo, tener siempre a mano avíos o herramientas. Así que de mañanita salían. Lorena, Amadeo o yo, uno de los tres, los llevaba al apeadero en la furgoneta; por la tarde volvíamos a recogerlos. A veces, si no iba a hacer falta el auto, Gonzalo se lo llevaba, lo dejaba aparcado en la estación hasta la vuelta. Había empezado la Universidad; los días que no tenía clase por la tarde iba a almorzar a casa de Silva, se quedaba allá hasta la hora del tren. Lo que escondía Gonzalo bajo sus impertinencias y aires de saber más no era sino una timidez difícil; a primera vista no se le conocía, podía pasar por un muchacho asegurado y hasta convencido de superioridad. Elsa se las arregló para hacerlo hablar y que tomara confianza; a las pocas semanas Gonzalo le había cobrado uno de esos cariños de veneración propios de la juventud. La amistad iba creciendo de manera recíproca, ella al ser también muy lectora disfrutaba hablando de libros. Por lo que Gonzalo contaba, Gerardo bebía menos, ahora estaba en tratamiento con un médico pero mejora de ánimo no se le veía. De aquello sacaba otra lección: que el daño del alcohol era irreparable, destruidor de la personalidad. Decidió no probar una copa, exageraba. Quería convertirnos; cuando nos veía a Sebastián o a mí tomar una cerveza hacía malos ojos, aconsejaba que lo dejáramos antes de que fuera demasiado tarde. En ocasiones, por no oírlo sermonear con aquel acento de fraile que se le ponía, no la tomábamos. Lo que le advertí, que a Gerardo no se atreviera a darle tales consejos, podía resultar el discurso contraproducente. «Temo que el pobre Gerardo no tenga arreglo», me dijo, a lo que contesté con alguna irritación: «Tonterías, todo el mundo tiene arreglo.» Yo mismo lo dudaba.

Una de las veces que el automóvil quedó esperando en la estación durante el día, Gonzalo se encontró un papel sujeto en el limpiaparabrisas. Nota que escribía una Madre María del Espíritu Santo, española. Habiendo tenido noticias de que había españoles en Chumaiyu, pedía que la fuésemos a visitar al convento de San José, donde estaba de superiora. Debatimos el asunto, lo hablamos con Amadeo. «Sí, pues, Patrón. Es la monja española, todos la conocen por acá. Tienen el orfelinato en el camino viejo de Río Arriba, que recogen niñitas abandonadas, huerfanitas.» Así que un sábado por la mañana fuimos todos menos Clara que prefería quedarse paseando con Enrique; el camino era con dirección Sureste, remontando el curso del río Maipo. Había llovido; los altos aparecían recién lavados, el aire venía pastoso con mucho olor de tierras húmedas, vegetales. El convento se veía haber sido buena estancia de labor antiguamente; estaba en un cerrito, casa típica de la región con sus corredores en el mismo estilo de Chumaiyu sólo que pintada de blanco en vez de rosa. Llegamos, desembocamos en un patio muy limpio; alrededor huertas bien cuidadas, divididas en cuadros pequeños. Una monja joven abrió la puerta y, diciéndole nosotros que veníamos a ver a la Madre María del Espíritu Santo, nos pasó a una sala amplia y desnuda: media docena de sillas de colihue, caña de la zona, nada más. Tres ventanas con rejas de hierro en un mismo lienzo de pared, hasta sin cortinas ni visillos. En un jardín de atrás, invisible, se oían juegos y voces de niñas. Me asomé a una ventana; daba sobre un corredor que hacía como pantalla medialuz. A lo lejos un fondo de árboles. Y en aquel momento, por entre el enrejado, vislumbré a Violeta. Sólo un tiempo corto, muy distintamente; al punto desapareció. Se oían pasos ligeros; entró una viejecita menuda poca cosa de ojos castaños llenos de viveza y acento de Ávila; aquella mujer hablaba como hablaría Santa Teresa, pensé. Con la costumbre nuestros oídos se habían hecho al hablar suave, un poco cantado, de la tierra que recordaba mi propio deje de andaluz; ahora los niños miraban a la Madre con extrañeza, asombrados por la reciedumbre del castellano. Los mellizos preguntaban, ¿así hablábamos nosotros antes?, y Gonzalo con su inevitable vergüenza ajena, los mandaba callar, apurado. Ella saludaba a todos, preguntaba los nombres. «Dios le ha hecho merced de esta familia tan linda.» Asentí. Aún estaba deslumbrado por la vista de Violeta, últimamente apenas la veía, se espaciaba. Que tenían un sitio muy hermoso, dije por hablar de algo. Contestó que mucho y por lo retirado muy conveniente. «Aquí vivimos, sin sobresalto, con el favor de Dios...» Así decía. Y ¿querrían mis hijas conocer la casa, ver a las niñas? Una hermana las acompañaría, que estaba en la puerta, esperando. A los muchachos les ofreció que dieran una vuelta por los huertos; detrás de la casa, en la cuestarriba, nacía un manantial muy curioso de ver. Ellos y ellas dijeron que sí, un poco intimidados; me pareció que a Gonzalo no le hacía ninguna gracia pero igual fue. Cuando hubieron salido dijo la señora: «¿Qué miraba su merced por la ventana del campo?» Hablé, casi sin querer, «me pareció... en realidad vi a mi mujer ahí afuera; a veces la veo...» Entonces me oí a mí mismo diciendo: «Mi mujer ha muerto. Murió...» y en el momento me di cuenta: era la primera vez que lo decía, que lo sacaba afuera en voz y palabras, declarado; aquella viejecita tenía que ser de mucha santidad. ¿Sólo por encontrarme frente a ella aceptaba yo la verdad que antes no había podido? Como que me desbloqueara. A lo que respondía simplemente que Violeta estaba ahora en el lugar «donde ya no hay ausencias», con lo que me llevaba a pensar que, si yo padecía su falta, ella de algún modo nos tenía a nosotros. Extrañeza de persona; yo mismo, de haberle hablado así la primera vez que la veía, me maravillaba. Después conversamos de cosas y otras, me contó del convento. Tenían cuarenta niñas, la última, criaturita de pocas semanas, había llegado unos días atrás. Para algunas conseguían familias de adopción; era difícil por la dureza de los tiempos. Ellas eran nada más cuatro monjas, vivían de limosnas, pobremente; dos señoras voluntarias acudían casi todos los días para ayudar y un campesino mayor, jubilado, pero fuerte y avezado en el trabajo de las huertas. Cultivaban la tierra, tenían chacra y algún animalito, para dar de comer. Patos, gallinas, chanchos, un par de vacas porque las pequeñitas necesitaban tomar leche. Yo, recordando las visitas de abuela Clara a los conventos de Fuentes y alrededores, llevaba un sobre preparado. «Ah, su merced sabe que las monjas somos pedigüeñas. Harto que lo somos», sonrió. Sesenta años llevaba en religión, más de cuarenta en aquella casa. ¿Y yo? ¿Cuál era mi oficio? Al escuchar que pintor, se le alegró la cara arrugadita plisada. Entonces, ¿podría pintar una Virgen para la Capilla? Hacía muchos años que solamente tenían una estampa, pequeña además. Vacilé, me defendí como pude. La cosa era que andaba por demás apurado de tiempo, teniendo que entregar una exposición antes de que acabara el mes de mayo. No insistía ni dejaba de insistir; tal vez más adelante, porque «el que posee un don, que de Dios le viene, ¿no ha de usarlo para darle a Él gloria?» Me acordé de Violeta, el Arte es la Casa de Dios... La monja seguía conversando, tan pequeña y viejita tenía una presencia, firmeza como de acero. Escucharla daba seguridad, noción de las reales importancias de la vida, en las que había que afianzarse. A lo largo del hilo de su voz las pequeñeces quedaban en su mero lugar, el mundo como tenía que ser, establecido. Hablaba con mucha sencillez, sin querer dar lecciones, era más el espíritu que se desprendía de ella que el propio valor de las palabras. La conversación se me hizo corta, y había ido sin ganas, por cumplimiento de deber hacia una compatriota perdida en aquellas ajenas sierras. Las niñas volvían de su visita; Paz había tomado a una niñita en los brazos, no le cabía más satisfacción. Nos despedimos, teníamos que estar en el campo para la hora del almuerzo. Prometimos volver.

En Chumaiyu el fuego estaba encendido en la chimenea del salón, la casa en orden con un perfume ligero de aguarrás de madera y cera virgen. Clara y Enrique nos esperaban para almorzar; la mesa puesta, el pan encima, los vasos de cristal servidos de vino y agua, la comida manteniéndose caliente en los fogones... una paz. Pero, pensé, paz más profunda era la que se sentía en la otra casa de la que veníamos, serenidades de ningún apego a las cosas del mundo y sus batallas... «Acá vivimos, sin sobresalto, con el favor de Dios.» Varias veces durante el invierno me acerqué hasta el convento de San José.

Entretanto me agobiaba con las prisas de la exposición; faltaban tres semanas para que Ramón Abad llegara. Había pedido a los niños que no me interrumpieran en el estudio, las fechas se me venían encima. Trabajaba todo el día, robaba horas al sueño; los ojos me volvían a molestar como si se me hicieran más chicos, incómodos. En el tocadiscos ponía música de Brahms; lo que estaba oyendo al empezar un cuadro, una serie de cuadros, era lo que tenía que escuchar hasta que terminara. Manías; a mí no me importaba oír durante semanas la misma sinfonía, para los chicos tenía que resultar cansador, por suerte los muros eran tan gruesos.

Clara y Enrique quisieron conocer también a la Madre María de quien tanto hablamos; Lorena había decidido llevarle de regalo al convento un par de sacos de papas de la última recolección, pequeñitas pero buenas. Así que cargaron las papas con la ayuda de Amadeo y fueron en la furgoneta los tres un domingo. Enrique, siempre atento, me dejaba la llave de su coche por si necesitaba alguna cosa. Iban contentos por el paseo; cuando salían comentó Gonzalo: «debería haber ido yo con ellos, seguro que lo harán todo mal». ¿Qué podían hacer mal, entregar dos sacos de patatas? A Gonzalo le parecía que ahora Lorena se amigaba más con Clara, lo dejaba de lado, un poco. No era así; Lorena no se fijaba mucho en aquellas cosas. Pregunté:

–Entonces, ¿por qué no has ido?

–No me han dicho que vaya... Claro, Lorena sabe que yo tengo mucho que estudiar.

En verdad, estudiaba harto, el primer año de Universidad pedía mucho esfuerzo. Volví a mi pintura; ocho días después llegaba Ramón pero ahora sentía mayor tranquilidad: alcanzaba a terminar con todo. Trabajé embebido unas horas hasta que sentí el ruido del motor del coche. Entré al cuarto de baño a lavarme las manos, tenía hambre. De seguro era pasada la hora de comer. Saliendo al corredor oía exclamaciones, las voces de los niños; me acerqué al patio. Habían vuelto, los tres estaban junto al coche, los demás haciendo corro delante. «¿Qué pasa?», pregunté. Se apartaron un poco; vi a Lorena con un bebé en los brazos, grande, dormido. Me quedé estupefacto. «Pero ¿qué es eso?» Gonzalo se volvió hacia mí.

–¿Es que no lo ves? Una niña. Si cuando yo decía esta mañana que debería haber ido...

–Se llama Marianita –dijo Enrique con una inseguridad en la voz. La niñas parecían un poco cortadas, vacilantes. Gonzalo con su sarcasmo.

–Se llama Marianita, eso lo explica todo. Que éramos pocos y la abuela parió, vamos.

–¿Qué es parió? –preguntó Paz con interés. Los mellizos se dieron con el codo muertos de risa, Clara la tomó de la mano.

–Ay, Gonzalo, cállate de una vez. Deja que le expliquemos a papá.

–Sí, que aclaren este asunto. Lorena, ¿no te pesa demasiado?

–Un poco, pero como está tan dormida...

Aurora la interrumpió, que salía de la cocina: «¿Qué ocurre, es que hoy no tienen hambre...? –se paró al ver a la criatura–. ¿Esto qué es?»

–¡Dios mío! ¿Es que no habéis visto nunca un bebé? ¿Pero qué tiene para asombrarse tanto? –Clara disfrazaba su nerviosismo de impaciencia.

Estábamos todos ahí en el patio como tontos; nadie explicaba nada y ninguno entendíamos nada tampoco. Entonces, los tres a la vez se soltaron a hablar como si de común acuerdo. Era una niña, se llamaba Marianita. La habían llevado al convento de San José dos días atrás muertecita de frío y de hambre. Resultaba que vivía sola con su abuelo en una mediagua, chacra a poca distancia de Pedro Domingo; el abuelo había muerto, no se sabía exactamente cuándo, a qué hora, en una madrugada seguramente. A lo que Marianita había quedado por lo menos dos días sola sin comer ni beber, sin que la cambiaran de ropa. «Como un perrito abandonado, papá.» Lo extraño, que no se hubiera muerto también. Por suerte un huaso de allí cerca anduvo por aquellos pagos a caballo, que iba a otra parte y oyó mugir a la vaca muy dolorosamente; pensó que sonaba como si no la hubieran ordeñado. Conocía al viejo y entró en la cabaña a ver si le ocurría alguna cosa, lo encontró muerto hasta oliendo mucho. Y la niñita allí, al pie de la misma cama, quizá se había caído de ella, porque había tirado de las ropas hacia a sí quién sabía si por abrigarse o acaso para despertar a su abuelo, toda churreteada y sucia, llorandito. Conque este señor la envolvió en una frazada y la llevó a caballo hasta el convento, antes lo primero que hizo fue darle agua mezclada con leche, demostrando mucha inteligencia. La Madre María la había examinado bien, decía que no tenía enfermedad sino hambre y suciedad y temor... la Madre entendía de niños, tenía hasta título de puericultora. Pero Marianita desde que llegó a San José no había hecho sino llorar, nerviosa de asustada. Las niñas le daban miedo, las monjas más todavía quizá por lo extraño de sus tocas; no la podían ni meter en la cunita porque aullaba de terror. No parecía estar acostumbrada a dormir en cuna y en la mediagua del abuelo no se encontró cuna tampoco. Debía de tener alrededor del año. No caminaba.

–Entonces la Madre nos lo estaba contando, dijo que si queríamos verla. Fuimos al cuarto que tienen para las pequeñitas y estaba ahí, en un corralito de madera, muy llorosa –dijo Lorena y Clara le quitaba la palabra.

–Pero cuando nos vio a nosotros de repente se calló, a Lorena le echó los brazos. Entonces ella la cogió... y yo también la tuve un ratito... sólo que si la queríamos volver a su corral lloraba otra vez con mucha pena.

–Y le preguntamos a la Madre si quería que nos la trajéramos a casa, por unos días. Dijo que si estábamos seguras de que la íbamos a saber cuidar...

–No lo dijo enseguida, lo pensó un rato y después nos hizo muchas recomendaciones. Cuando subimos al auto, Marianita se durmió; llevaba sin dormir tres días.

–Es muy linda, don Rogelio, sólo que ahora no se le ve la carita bien.

Lo que se veía, una nariz chica, pelos castaños suavecitos como plumón, la barbilla redonda. Los niños aprobaban, hasta Gonzalo después de haber escuchado la historia que, dijo, parecía una novela. Paz estaba queriendo que se despertara para ver lo guapita que era. «No, no, Pacita; tienen que dormir mucho los bebés.»

–Lo mejor va a ser ponerla en una cama –decidió Aurora– y ustedes almuercen, o el arroz graneado se me va a pasar. De momento en la mía, que la oímos desde la cocina si llora, después ya veremos.

Se fueron para adentro en comitiva como procesión, con el Kim empinándose para olisquear a la niña y estorbando. «Sal de enmedio, Kim, vas a hacer tropezar a Lorena. ¡Sal, pesado!»

Entré en el comedor, solo. Violeta, son como tú; todos los niños te han parecido siempre pocos. Pero ¿qué vamos a hacer con esta criatura?; yo no me atrevo... Al punto me tranquilizaba, veríamos a ver. Por milagro la niña no se había despertado cuando la pusieron sobre la cama, encima de una toalla con varios dobleces. Dormía, me dijeron llegando ya con las manos lavadas para sentarse a la mesa, «como un angelito». El arroz de Aurora siempre estaba bueno, a pesar del retraso del almuerzo no se había pasado. Todos atacamos con entusiasmo. Sebastián se servía un plato exagerado, los mellizos protestaban que no les iba a alcanzar a ellos. Enrique se estaba sintiendo un poco responsable: «Perdone, don Rogelio, quizá no debimos...» Lo tranquilicé, estaba seguro de que la idea no había sido suya sino de las niñas, cosas de familia.

–La pura verdad –dijo Lorena–. No te hubiera servido de nada decir que no, quizá Clara te habría hecho caso pero yo no, de ningún modo.

Clara sonreía sin contestar, estaba fortaleciendo mucho su carácter. Gonzalo preguntó: «Clara, si Enrique se hubiera opuesto, ¿tú le habrías hecho caso?» Sebastián protestaba, que la dejara en paz, buenas ganas de molestarla.

–No, pero que lo diga. A ver, hay que preparar a estos chicos para la paternidad responsable, como se llame. ¿Habrías obedecido, Clara?

Por mucho menos que eso, un año atrás habría llorado; ahora sonreía. Enrique era el que lo estaba pasando mal, se le notaba, hasta que ella dijo: «Sí, desde luego le habría hecho caso, para que te enteres.»

–Para que te enteres –repitió Enrique rojo de placer– que tu hermana es un tesoro. Linda, ella.

Tuvimos que reírnos. Lorena hacía sus planes para el cuidado de Marianita; la Madre le había apuntado en un papel lo que tenía que darle de comida, a sus horas. Le entregó algo de ropa, también, que no iba a ser suficiente. «Mañana, Clarita, si te doy una lista, ¿podrías salir antes del colegio y hacer compras?» Clara decía que seguro y me asusté; ¿hasta cuándo pensaban tenerla en casa? Me respondían vaguedades, no sabían... unos días quizá, tal vez semanas... o meses. Por de pronto, hasta que dejara de llorar y comiera bien y durmiera seguido. A lo que advertí que tendrían que hacérselo todo ellas entonces; lo que no podían era cargar trabajo suplementario sobre Aurora. En esto Aurora entraba con una fuente de carne, me había oído. «Usté es demás de bueno, don Rogelio.» Últimamente se había aficionado mucho a aquella frase, me incomodaba.

–No es que sea tan bueno; en realidad, lo que tiene es miedo de que te canses y te vayas a trabajar en otra casa –dijo Gonzalo con aire de seriedad. Pero Aurora siempre lo callaba, con su buen sentido común: «No diga tonteras, hijo. ¿O es que ésta no es mi casa?» Ahí todos aplaudieron, jaleando fuerte.

–¡Chssss! ¡Que se va a despertar Marianita!

Así que ahora teníamos un bebé, había que contar con ello en todo momento. ¡Un crío condicionaba a la familia entera! Terminado el almuerzo volví al estudio, tenía trabajo de retoques y montaje; Clara y Enrique me habían ofrecido ayuda y acepté. Llevábamos un rato en aquello cuando aparecieron los mellizos: Marianita se había despertado, ¿no queríamos ir a verla? Acudimos. En la cocina Lorena le daba una papilla de leche; comía sin llorar, abría una boquita como una flor. Era linda de veras; ojos claros un poco verdosos, nariz pequeña, muy blanquito el cutis; a la vista no tenía nada de mezcla india. Enrique dijo que era bueno; quizás una familia acomodada querría adoptarla, lo que resultaba mucho más difícil si tuviera rasgos indios. Lorena protestaba que eso era muy injusto; Enrique concordó pacífico: «Es injusto pero así es.»

La niña se veía muy tranquila, bien despierta, espurreaba la papilla pero con gusto. «¡Qué graciosa es!», decían a coro. Cada vez que Lorena le acercaba la cuchara, los mellizos y Paz abrían automáticamente sus tres bocas, como si jugaran a Antón Pirulero. Era sana, lustrosa, con piernas fuertes; parecía mentira que hubiera pasado al menos cuarenta horas sin alimento. Se le notaban ganitas de vivir, comía con apetito, sonreía, moviendo sus manos. Lo que nunca habría tenido seguramente, corte de admiradores como la que disfrutaba en aquellos momentos, incluso Amadeo estaba en la cocina encantado con el espectáculo.

A la mañana siguiente salieron para el colegio temprano; Enrique los llevaba en su auto como solía hacer cada lunes. Todos se despedían de la niña, «hasta la tarde, preciosa». Paz, muy mujercita, ayudaba a Lorena en los menesteres de cuidar y bañar a la pequeña, orgullosa de ser tan útil. Le habían puesto una cama en el cuarto de ellas dos; lo curioso, que comía y dormía como lechoncito, no lloraba. Apenas una rabieta si le entraba jabón en los ojos a la hora del baño; en el agua se veía feliz, manoteaba para salpicar, hasta la esponja la chupaba con ilusión. La casa entera andaba de cabeza con Marianita que se hizo enseguida a todos nosotros, parecía imposible. Yo barajaba mis dudas, no sabía qué hacer con ella; quedárnosla sin más no podía ser. Cuando tuviera más tiempo pensaba acercarme a hablar con la Madre, por otro lado si nos acostumbrábamos a tenerla en la casa, nos iba a costar que se la llevaran; las niñas no calibraban en qué complicación nos habían metido. La Madre había mandado llamar a una señora de Santa Lucía, en el convento no tenían teléfono, preguntando; habló Aurora, dijo que la niña estaba bien y tranquilita, no debían preocuparse. Con los días, se fue volviendo más y más alegre, decía sus palabras en medialengua, jugaba sola sentada al solcito del patio con piedrecitas o briznas de hierba. No molestaba nada. Si se cansaba de un lugar, gateaba hasta otro, llamaba ta-ta-ta. Tata éramos todos, menos Paz que era Pá y Lorena Nena. A éstas no sabíamos aún si tenía padres en algún lugar, por qué vivía sola con un anciano tan apartadamente, nada. Era nuestra niña-misterio. Hasta el Kim la había adoptado, se sentaba junto a ella derechito, las orejas muy alzadas, atento. Como dando a entender lo dispuesto que estaba a defenderla de cualquier ataque, caballeroso.

22

Llegó el día en que Ramón Abad tenía que aterrizar en Pudahuel; partí temprano por la mañana a buscarlo. Lorena ya estaba fuera, madrugaba mucho. Salía al campo con Amadeo para ver los sembrados; mientras, era Paz quien cuidaba de Marianita, con la ayuda del Kim que también se tomaba su papel de guardián de las niñas muy en serio. Aída enceraba las galerías saliveteando su perpetuo pedazo de pan y Aurora maquinaba una comida de fiesta para recibir al huésped. Bajé a los niños hasta la capital, los dejé en una estación de Metro al paso para el aeropuerto. Después tuve que esperar una hora por retraso del avión, miraba las instalaciones recordando nuestra llegada –echaba la cuenta– un año y nueve meses antes. Ah, los principios habían sido de tristezas, soledad, la falta de Violeta, mi continuo dolor. Desagrados: la horrible señora Olivia, la Verónica y la Verito; aquellas cosas y gentes las comparaba, rememorando. Ahora teníamos una hermosa casa, el campo nos proporcionaba una existencia de paz. Los chicos habían crecido, estaban adaptados, se establecía una felicidad en la familia. La que más había cambiado era Clara, no sólo por Enrique sino por el empeño de ella, sus energías encaminadas a mejorar, pero adelanto en todos ellos se apreciaba. No podía quejarme. Mi ansia de Violeta, sí, permanecía, siempre estaría conmigo; ahora la entremezclaba con otras serenidades. Y pintar, quería pintar, más que nunca. De todos modos, la visita de Ramón iba a servirme de vacaciones, estaba decidido. Pensando así, viendo pasar el cine de los recuerdos, noté una mirada clavándose en mi nuca, esa sensación; me volví casi sin proponérmelo. Ojos de acero que daban un escalofrío; yo conocía aquella cara amarga. ¿De dónde...? Claro, era Angélica Cisterna, la hija de nuestra primera propietaria, me miraba con insistencia. Un saludo de cabeza, seco, y me moví unos pasos, no tenía intención de conversar con la mujer. Pero se acercó sonriendo con su sonrisa afilada que no alcanzaba a los ojos. «Vaya, si es don Rogelio Díaz. ¿Cómo están ustedes?» Y yo que bien gracias, con brusquedad, quería apartarme. Me acorraló: alguien le dijo que habíamos comprado un lindo fundo; ¿era cierto? Y sí, era cierto, buenos días. Ah, pero ¿andaba muy apurado? De pronto amabilidosa, queriendo amigarse como fuera. «Tuvimos una relación que no fue muy buena, por las circunstancias. Pero eso no quiere decir que no podamos mantener una amistad, ahora que no hay de por medio ningún interés comercial, ¿no le parece? Al fin y al cabo, entre gente como uno siempre es conveniente...» Vaya desfachatez, aquello de la gente como uno era lo que más me humillaba. Por suerte, anunciaban el vuelo de Ramón; dije: «Disculpe, espero a alguien en ese vuelo.» Aquella mujer le dejaba a uno hasta mal sabor en la boca, acíbar. Unos minutos más tarde nos dábamos un abrazo grande Ramón y yo. «Rogelio, estás mejor que nunca. Deja que te mire, chico. Sí, rejuvenecido. ¿Y los niños? ¿Y las pinturas?» Ahí de repente lo que tenía era un deseo extraño: que los del aeropuerto me conocieran, todos, que me vieran con Ramón y yo pudiera saludarlos. Cosas revividas de la infancia que toda la vida va con uno, a veces aparente, a veces escondida. En Ramón yo siempre iba a ver la admiración de mi niñez, Santa María, abuela Clara... él era solamente quien me volvía a conectar conmigo el-que-fui, el que seguía siendo en algún rincón de mí mismo porque no había otro remedio.

–¡Qué bueno tenerte con nosotros, Ramón!

–Chico, pero si se te ha pegado hasta el acento. Cuéntame de los niños.

Por el camino tuvimos tiempo para desbrozar las novedades. Conté, contaba; con mi primo siempre he sido capaz de hablar mucho. Entre los dos hay un nudo fuerte, bien anudado, que no es sólo por el parentesco. Así que lo fui poniendo al día, todas las mejoras, la explotación de la tierra que Lorena aprendía a manejar con tanta dedicación, el novio de Clarita, la universidad de Gonzalo, las cosas nuestras. Pero hablarle de Marianita se me había olvidado. Llegando a Chumaiyu, salió Lorena a recibirnos con la pequeña en brazos y con Paz un poco intimidada. Le presentamos a Ramón a Aurora y Amadeo, dimos vuelta a la casa y aún quería ver el campo enseguida. Lorena se entusiasmaba por el interés demostrado, le daba la niña a Aurora: «¿Me la tienes un poco? Quiero acompañar a mi tío.» Fuimos. Pacita con algún azaro, no se acordaba mucho de Ramón, que la había tomado de la mano, cariñoso.. «¿De quién es la niña?», le preguntó y ella con su inocencia, «es nuestra, de nosotros...» Ramón se quedaba con una extrañeza, cavilando, por fin me preguntaba directamente: «Rogelio, ¿esa criatura de quién es?» A lo que distraído por pensar qué le estaría pareciendo el campo contesté que era de las niñas.

–¿Qué me estás diciendo, primo? ¿Quién es la madre de esa niña y quién es el padre?

–Pues es que no lo sabemos... ¡Ah! ¡Ooooh! ¿No te habrás creído...?

A su vez Lorena gritaba: ¡Tío Ramón, eres el colmo!

–Chico, yo no me creo nada; estoy preguntando y no me contestáis más que incoherencias.

–No seas idiota; es del orfelinato. La trajeron las niñas porque... porque lloraba mucho.

–La mejor recomendación. –Pero ya se reía; Lorena lo tomaba a broma también. «Mal pensado, debería darte vergüenza.»

A Ramón le había encantado la casa, los corredores, las vistas, la Cordillera... Todo lo ponderaba. «Si en este país se pudieran hacer tan buenos negocios como en Venezuela, yo me venía acá... O, quién sabe, quizá en unos años me retiro y me compro un campo cerca de lo tuyo; esto es un paraíso.» ¿Lo decía en serio? Si era de verdad, no por hablar solamente, entonces Lorena y yo nos poníamos en campaña, con la ayuda de Amadeo, buen conocedor de los alrededores y de todas las familias de propietarios. En cuanto hubiera una buena ocasión, le mandábamos aviso y... Afirmaba que sí, que de verdad le interesaba: «Yo ya me he vuelto americano, de este continente no me voy a ir nunca... Sí, quiero comprar pero bien, sin apuros... después hablaremos con tu encargado. Vivir cerca de vosotros, eso es lo que me gustaría.» Con aquello a mí me entraba una felicidad que me volvía joven. Pacita vencía su timidez, se afianzaba. «Tío Ramón, aquí hay muchos dormitorios, te puedes quedar a vivir. Cabemos muy bien.» Ramón la estrujaba, «¿Ves tú? Vosotros sois mi familia. ¡De los de allá no deseo saber nada! Que se encuentren buenos sí, pero...»

Lo que pasaba, que con la mujer de Paquito nunca se llevó muy bien; era algo rarilla de carácter. A Violeta, en cambio, la quiso mucho. Violeta, siempre ocupada y dulce, una abejita repartiendo miel; todos los que la trataron la quisieron. Después del almuerzo, Ramón se empeñaba en hablar de negocios, que eran buenos. Con tener lo suficiente, acabar de pagar el campo, vivir con una decencia, no quería mayor cosa, le dije. Más me importaba la pequeña certeza de que estaba pintando mejor. Aprobó: «Rogelio ese desinterés tuyo siempre me ha gustado, no pareces de nuestra familia.» Yo lo que quería era alegrarme de su presencia en casa. Pero cuando se armó la fiesta grande fue a la llegada de los chicos; ¡cuántos abrazos y exclamaciones! Gonzalo andaba con una satisfacción exultante, todo siendo «padrino» para acá y para allá. Exageraba pero también Ramón estaba gozando con aquello. A la hora de la cena, fue a la cocina a preguntar a Aurora por sus especialidades. ¿Sabe usted hacer la tarta de milhojas? Aurora afirmaba, contenta de saber. «Y sí, don Ramón, mañana se la hago.» Ramón le alargaba unos billetes: «Esto es para que me cocine cosas ricas, ¡soy muy comilón! Y no me trate como de la familia sino como a un convidado de mucho cumplir.» Ella se reía; ¡qué señor más caballero aquel Don Ramón! Y tan simpático, pues. Gonzalo preguntaba cuánto tiempo se iba a quedar entre nosotros el padrino. ¿Dos semanas? Ah, no. Imposible. Mínimo, mínimo, un mes, eso como muy poco. A lo que Ramón contestaba que tal vez, según como lo tratáramos. Nos revolucionaba a todos; por suerte, yo tenía mi exposición terminada, ahora me llegaba el tiempo de vacaciones. Después de la comida se quejó del frío por la falta de costumbre; armamos un gran fuego en la chimenea del salón, animaba a los niños. «Vamos, chicos, más lumbre. En casa del rico la leña de pico; Rogelio, ¿te acuerdas de los dichos de la vieja Rosario?» Le seguían la corriente, organizaban una fogata desmesurada. «Pero tío Ramón, esta leña está llena de picos, que son sarmientos.» Yo tenía que acordarme de nuestra antigua cocina de campo, aquellas reuniones con los aceituneros, lo lejos que estaba todo y lo semejantes que seguíamos siendo a nosotros mismos, en el fondo. Como si pensara a la vez que yo, Ramón pedía, a ver, en aquella casa, ¿había una guitarra? Que la había; los mellizos tenían una, tomaban lecciones en el colegio. ¡Una velada sin cantaleta qué argumento podía tener! Los niños se alborozaban; el tío aun siendo mayor que yo resultaba más joven para cantos y risas. Se apretaba el círculo frente a la chimenea, la guitarra se templaba entre las primeras bromas de la noche y empezaba la fiesta que iba a prolongarse hasta las altas horas. Las niñas mayores fueron a acostar a Paz y Mariana, los demás aguantaban levantados aunque no tenían costumbre. Yo incapaz de tomar parte disfrutaba sin embargo, estando Ramón no podía sumirme en ninguna tristeza.

La mañana siguiente nos fuimos a Santiago, teníamos que hablar con la empresa de transportes que iba a trasladar los cuadros a Nueva York; aproveché para hacerme graduar la vista en una óptica. Con Ramón los papeleos se resolvían en cosa de minutos, agitaba a la gente, la obligaba a solucionar los problemas. Después, mientras a mí me hacían leer un mismo papel interminablemente con distintos cristales, hasta que al final no estaba ya seguro de con cuáles de ellos lo veía peor, se acercó a Providencia, entró en varios Bancos para algunas gestiones. Parecía oler en el aire la situación de la ciudad, tomar el pulso a los negocios como por instinto, como cazador acostumbrado a una selva. Cuando me recogió yo salía con una dioptría en cada ojo y unas gafas ya hechas de présbita, las estrechitas corrientes, acordándome del pobre Galvarino Torres, y él con un montón de ideas sobre la economía del país. Hasta había averiguado cuál era el mejor restaurante de la zona. Yo prefería volver a casa, teníamos tiempo de más y mi experiencia de los comederos de Santiago no era gustosa. Se negó.

–No, no. Yo tengo que hacer aún por la tarde. Vamos, es ahí mismo, dos cuadras más adelante. Desde allá puedes telefonear al campo y le dices a tu buena Aurora que no nos espere.

Nunca cambiará Ramón, hasta su muerte. Cómo trajo de cabeza a todos los camareros del local y con cuánta buena gana lo atendieron, parecía increíble. Seguro, pensé, que aquella gente eran lentos perezosos la mayor parte del tiempo. Ramón probó de todo, después de almorzar pedía varios cafés, otra copa –la penúltima, aseguraba– y seguíamos de conversación. Me extrañaba; ¿no tenía que hacer algo, entonces por qué estábamos ahí perdiendo tanto tiempo? Que para mí no era perdido, de todos modos, ningún rato empleado en charlar con él.

–Ya nos vamos a ir, ahora mismo. ¿Qué hora es?

Yo no sabía la hora, de lo que se quedaba muy asombrado.

–Pero Rogelio, ¿es que no tienes reloj?

–No tengo, no. Hace ya tiempo.

Entonces, lo que no podía comprender era que se viviera sin reloj, me regalaba uno enseguida, el suyo mismo me lo daba. Y yo, tristemente: «Lo que no comprendo yo es cómo puedo vivir sin Violeta; el reloj es lo de menos.» Se quedaba sorprendido. «Perdona, pero no veo qué tiene que ver...» Expliqué: mi reloj lo había tenido desde que me casé, el reloj de bolsillo que Violeta me había regalado y era de su abuelo. El día del accidente, Violeta lo tenía con ella, lo quería llevar a que el relojero le diera un repaso antes del viaje. No lo encontramos; desde aquel día estaba sin reloj.

–Yo te regalo el mío.

–No, muchas gracias. No podría acostumbrarme a otro... ni quiero, de verdad.

Miraba su muñeca, pensativo. «Bueno, ya estará listo lo que esperamos. Andando.» Por supuesto no consintió que yo pagara, tampoco los camareros hacían gesto de pasarme la nota a mí, por costumbre debían de saber dónde estaba la mejor propina. Salimos, despedidos por repetidas reverencias; Ramón al jefe de camareros lo saludaba de mano y yo quedaba sin saber qué hacer. Se reía: «tú siempre fuiste el elegante, y yo el populachero, qué quieres».

–Déjate de estupideces. Tú siempre fuiste el simpático y yo el tímido... y no vamos a cambiar ninguno de los dos. ¿Adónde vamos?

¡En aquel rato de la mañana había comprado un coche! Un jeep, descapotable. Yo no entendía nada. Pero ¿por qué? Pues estaba muy claro: primer paso para comprar un fundo. En el campo, lo mejor era un trasto de aquellos, tracción cuatro ruedas, no se atascaba en ningún barrizal. ¡Y para cargar cosas! Aquel carro soportaba mil kilos sin cantearse. «Yo lo que creo es que te sobra el dinero», dije, aún con el asombro. Lo recogimos, azul brillante, nuevecito, con rayas de colores y un letrero enorme «Renegade», hasta matriculado; con las pesadeces que yo había tenido que hacer para arreglar los papeles del mío. Ramón pagó con un cheque conformado y salimos, carretera adelante, un auto tras el otro; llegamos a Pedro Domingo justo a tiempo de buscar a los chicos en la estación. Con el auto nuevo se fascinaron, más aún con la explicación: «Es para cuando venga acá, me lo guardáis en Chumaiyu. Eso sí, como a los carros no les conviene estar sin uso, mientras yo no esté lo manejáis vosotros. ¡Los cuatro por igual, sin pelearse! Me dejaré unos estatutos escritos cuando me vaya, para que se cumplan.» Manera de disfrazar un regalo; Gonzalo recordó que a él ya le había dado un dinero para coche. Ah, sí; Ramón se acordaba de sus dólares. Pero iba a ser mejor que no los cambiara ahora: el peso tenían que devaluarlo, no lo podían mantener en ese precio.

–El ministro de Hacienda dijo anoche en la tele que no iban a devaluar –dijo Lorena que seguía las noticias económicas pensando en el precio de sus productos del campo. Con eso Ramón se afirmaba en sus impresiones.

–¿Lo estás viendo? Ésa es señal clara de que devalúa; si me conoceré yo a los ministros de Hacienda de estos países... Hazme caso, Gonzalo, y guarda tus dólares sin cambiarlos... por lo menos un mes.

Acertó, desde luego; antes de dos semanas el peso se había quedado en la mitad; parecía imposible que lo hubiera adivinado en sólo una mañana caminando por la calle. Los chicos no dudaron; Lorena le pedía consejo para la compra del tractor, Ramón lo pensaba con seriedad: «Mira, cómpralo cuanto antes, deja una señal y dices que pagarás el resto dentro de treinta días, cuando lo recojas. Ahora mismo no te va a hacer falta, ¿verdad?, ya has sembrado. Y en el último momento, cambias los dólares.» Con aquel consejo el tractor salió casi a la mitad de su precio, no era de extrañar que los chicos a Ramón lo mirasen como a un ser superior sabiéndolo todo, así lo había visto yo desde pequeño; me hizo gracia ver mis sentimientos reflejados al cabo de los años. En el jeep andaban felices, con las probaturas, que si cruza la acequia, si se atasca en el sembrado, a ver cómo sube aquel repecho... Advertí a Ramón, que se lo iban a destrozar pero la culpa sería suya. Se encogió de hombros: «Tonterías. Esos cacharros están construidos a prueba de vándalos. No pasará nada.»

Llegó el camión de transportes, allí mismo los hombres embalaron con mucha eficacia; los cuadros salieron para Nueva York y respiré. Ahora sí que me iba a tomar un descanso... dentro de lo que Ramón me dejara: a su alrededor el movimiento tenía que ser continuo. Pero descansar era también hacer otras cosas y desde luego estar alegre.

En junio vinieron días claros, friítos, con un ligero sol reluciente de limpio, palidez celeste en el aire. Decidimos aprovechar aquel tiempo de entrelluvias para que Ramón viera un poco el país, él estudiaba con los niños el mapa. Santiago, Viña del Mar, los alrededores nuestros ya los había visto, ahora buscaba algo más pintoresco. El río Maule, doscientos kilómetros hacia el Sur, les parecía atrayente, tenía que ser. «Lo hemos cruzado por la Panamericana, tío Ramón, pero sin desviarnos a derecha ni izquierda.» La duda era si tomar el río hacia el Este, Cordillera adelante, hasta llegar a la llamada Laguna del Maule, su nacimiento, casi en la frontera argentina. La laguna tenía mucha fama por sus densísimos cañaverales y la cantidad de pájaros acuáticos pero, siendo ya junio, el camino quizás estuviera difícil, con muchas nieves. Para el otro lado estaba la desembocadura en el Pacífico, caudal mucho mayor, navegable. Finalmente eligieron ir al mar, mejor si podía ser alquilando una lancha. A lo que Ramón se agarró al teléfono, llamó a la ciudad de Talca por ser capital de la región, habló con carabineros, hoteles, municipalidad... hasta con el consulado español, que lo había; mientras no consiguió buena lancha en un sitio del recorrido no estuvo satisfecho. Lo recordé, toda su vida disfrutando de organizar las cosas. Lorena dijo que no venía, se quedaba a cuidar de Marianita, de verdad no le importaba. Todos protestaron; por último, si era que no la podíamos llevar, se echaba a suertes. Al que le tocara, se quedaba y listo. Aurora zanjó, casi enfadada: ¿Es que ella no era bastante para cuidar de un monito chico como la Marianita? Una guagua rebuena, además. Pues entonces. Pues entonces, todos íbamos, hasta Enrique porque Clara le había avisado, que se sumara al grupo. Para Ramón, cuántos más fuéramos, mejor. ¿Habría sufrido de vivir tan solo, sin familia? «Solo, solo, no he estado, primo. Viví con dos mujeres, desde que Martha me dejó. Primero, con una actriz de cine y después con otra chica, una azafata, más guapa aún; dos bellezas. Las mujeres allá, en Venezuela, son muy hermosas, mucho. Pero –suspiró– no es lo mismo.» Eso yo lo sabía, buena era tía Dolores para no averiguar las cosas y publicarlas pero no, no era lo mismo.

Sábado de mañana salimos todos en los dos coches; Mariana en los brazos de Aurora decía adiós desde la galería, abría y cerraba sus manitas de hoyuelos, tan graciosa con el pijama azul.

Tierras que íbamos pasando. En San Francisco de Mostazal siempre había otros cielos más oscuros, la luz azul y verde con muchas sombras, manchadizas; sobre los cerros nubes. Aquel paso estrecho daba como una gravedad de tristezas, inquietud de los desfiladeros. Después el paisaje aclaraba, se abría en abanicos de campos amarillos y pálidos carmines. Antes de llegar al Maule cruzamos siete ríos, lugares de muchas aguas siempre son risueños. Cerca de Talca vimos buenas plantaciones, hileras de viñedos. Qué lindos campos, se admiraba Lorena. ¿Más lindos que Chumaiyu?, le preguntamos. «Ah, no. Eso nunca.» En el jeep iban Ramón y Gonzalo, los dos mellizos; los veíamos cantar, dar muchas palmas, desde nuestro coche. Gonzalo con la compañía de su padrino dejaba un tanto su seriedad exagerada, se hacía más desenfadado, más simpático también. Pasando Talca nos apartábamos de la carretera principal, tomábamos desviación a la derecha, rumbo de Poniente por caminos de tierra, hasta el lugar donde tenían la barca esperándonos, cerca de un pueblo llamado Curtiduría. Allí aparcamos los autos, los chicos bajaron los cestos de comida. El embarcadero era bien rudimentario, la lancha, una canoa automóvil grande de quilla plana, bastante nueva y espaciosa; el dueño preguntó si queríamos conductor. Y no, era fácil de manejo, preferíamos ir solos, en familia. Sebastián fue el primero en tomar el volante; en cuanto estuvimos apartados de la orilla cortaron el motor, nos deslizábamos a favor de la corriente. Aquellas suavidades y el agua llevándonos en medio de un murmullo, despacito. Al principio no vimos a nadie, sino el tren saliendo de un túnel tan cerca del río que parecía ir a meterse en él, como una serpiente marina negra, ruidosa. Íbamos mirando las altas riberas con muchos árboles, aromos y pinos sobre todo; luego el río ensanchaba más, aparecían playitas pedregosas, cañaverales; unos lanchones madereros nos adelantaron por la mitad del río llevando carga de grandes troncos, pasaron en fila. Los hombres saludaban agitando las manos. No me pude reprimir, saqué el bloc de apuntes; el balanceo era muy ligero, a popa casi no se sentía. «Rogelio, ¿pero no ibas a descansar?» Ramón se burlaba de mí, un poco. La charla de mucha animación, todo el mundo estaba disfrutando el paseo; cuando tuvieron hambre acostamos una orilla de arenas claras. Gonzalo pasó a tierra con un cabo en la mano, buscaba una rama segura donde amarrar. Sacamos los cestos, nos sentamos en la arena; los niños se empeñaron en encender un fuego. Humeaba mucho, nos hacía brotar lágrimas pero, como dijo Ramón, en un picnic que se respete tiene que haber hoguera. No teníamos mucho tiempo para aprovecharla si queríamos llegar hasta la desembocadura; recién hubimos comido volvimos a embarcar. Vimos muchos bajíos a flor de agua, médanos, con batros en las orillas; si nos acercábamos, las garzas levantaban el vuelo, asustadizas, otras aves más ruidosas nos regañaban. Lo que se veía muy cerca de la superficie eran bandadas de muchos peces, de vez en cuando también patos en hilera protestando de nuestra presencia en aquellas aguas. El río crecía, la velocidad de la barca también conforme nos acercábamos al océano; Ramón tomó el volante en los últimos kilómetros y ni aún él se atrevió a pasar la barra, las aguas roncaban fuerte, la corriente era desmedida. Igual todos estuvimos de acuerdo en que el paseo no podía haber sido más simpático ni más hermosa la anchísima desembocadura; a motor emprendimos la vuelta, río arriba, y me dispuse a guardar los papeles. Había tomado algunas notas; Ramón me los pidió para echarles un vistazo, se asombraba. ¡Todas esas cosas él no las había visto! ¿Eran inventos míos, entonces? Que no lo eran; el pintor ve lo mismo que las demás personas, solamente lo utiliza de distinto modo, interpretando. Se lo expliqué a Ramón; ¿no recogía él cien datos por entrar en un Banco, que a mí me pasarían completamente inadvertidos? A cada cual lo suyo. Gonzalo se interesaba en la conversación; pasaba igual, decía, con los escritores: no inventaban nada. Aprovechaban cualquier conocimiento, toda experiencia, una alegría, un dolor, una conversación oída o la noticia de un diario. No creaban, recreaban usando sus propias palabras, su voz. En eso se diferenciaban los artistas, en atraerlo todo a sí, almacenar y darlo a la luz después en una forma suya. Gonzalo en los últimos tiempos hablaba mucho de querer ser escritor. A lo que su tío le preguntaba qué estaba esperando, que se pusiera a escribir, cuanto antes. Él respondió que primum vivere, deinde filosofare, pedantillo, queriendo demostrar su latín aprendido, delante de Ramón. Pero con el fondo del asunto yo estaba de acuerdo, bastante. «Hay que vivir, haber vivido, antes de poner la pluma sobre el papel. Desconfío de las precocidades, de los niños prodigio.» Enrique preguntó si a los arquitectos los considerábamos artistas, Sebastián protestaba, vaya conversación para ir en barca, cuánto mejor sería cantar algo. Ramón no estaba muy conforme conmigo: «A la edad de este niño tú estabas ya vendiendo cuadros... por unas pesetas.» Era verdad; acaso por ello había tardado más de la cuenta en hacerme un pintor de veras. No había que tener apuro, las prisas siendo enemigas de la obra bien hecha. El arte tiene que ser poso, reposado, no espumas. Mientras, los niños se peleaban por llevar la lancha; los mellizos no querían soltar el volante. Clara dijo: «a Quique ni siquiera lo habéis dejado una vez.» Me dio una ternura, defendiendo a su Enrique... dos chiquillos chicos pero tan apegados el uno al otro. Noviazgo lindo de ver; suspiré pensando que Lorena debía de encontrarse más sola ahora que Clara se nos escapaba un poco en otra dirección. Cosas normales, la vida siguiendo. Ramón apartaba a Marcos y Mateo del volante con la propuesta formal de un rato de canto; el sol se había hundido a nuestras espaldas como barco naufragado, caía una noche que nos apartaba de las altas orillas. El viaje de vuelta se nos hizo corto, Pacita llegó al auto ya dormida, la llevaba Sebastián. Se veía muy larga de brazos y piernas, de repente. En casa, Aurora esperaba con la cena dispuesta; Elsa había llamado por teléfono. Últimamente los tenía un poco abandonados; pregunté a Ramón: ¿le parecería bien si los invitaba a venir? Quizá él pudiera echarle una mano a Gerardo que pasaba por una mala racha. Mi primo consentía en todo con su mucha generosidad; sólo preguntaba si era buen pintor.

–Es bueno, ya lo creo. Abstracto, eso sí. Ahora no está pintando nada, se encuentra deprimido, pero si se pone... quizá con el aliciente de una exposición fuera del país... aquí no hay muchas posibilidades de momento.

–Llámalo, primo. Algo arreglaremos.

Marcando los números pensé que ojalá Ramón se viniera pronto a vivir cerca de nosotros.

Pocos días después, una mañana, vimos llegar por el camino un camión viejo reviejo, hasta imposible de identificar por su marca. Parecía hecho de trozos diferentes de otros camiones. Se paró en el patio con mucho ruido de hojalatas y chirridos de frenos. Por la puerta aparecía la figurilla diminuta de la Madre María; tuvimos que ayudarla a bajar desde aquella altura. Venía a informarse de Marianita, quizá a llevársela al convento de vuelta, ¿no estábamos cansados de tenerla? No, ni pensábamos ya que no perteneciera a la casa; en verdad que todos le habíamos tomado cariño. La encontró hermosa, bien cuidada; Lorena la enseñaba con orgullo y un temorcito también. «Madre, ¿no pensará quitarnos a la niña? Aquí está estupendamente.» Pasamos a la monja al salón, Ramón y Lorena venían detrás, la Madre hablaba conmigo. Pues... mucho se alegraba de encontrar a «nuestras mercedes» tan caritativos pero a la niña había que buscarle su porvenir. Ahora los papeles los tenía el señor juez; a ella le iba a entregar la custodia, oficial. Lorena rogaba: «Papá, haz algo. ¿No nos puede el señor juez entregar la custodia a nosotros, Madre María?» Y no, eso no era posible. Por otra parte, en el convento era donde tenía más probabilidades para una adopción, lo mejor para la criatura. Yo dudaba, dudaba, el pensamiento adelante y atrás, avance y retroceso. ¿Qué debíamos hacer? Al final decidía: «Madre, nosotros podemos adoptarla, es decir, yo podría...» A la vez me asustaba de mi determinación, pero la mirada de Lorena era resplandeciente. Lo extraño, que la Madre no estaba de acuerdo. No: yo tenía ya siete hijos... no era por la cuestión económica sino que había que dar una oportunidad a otra familia, quizá... La niña era instrumento de Dios, para dar gloria, era menester ver otras cosas... Cuanto más me decía que no, más quería yo quedarme con la niña, se me volaban las dudas. Ella, con su pequeña firmeza: «Haga caso su merced de la experiencia de esta vieja... he vivido ya mucho. Ustedes no la necesitan; otras personas pueden necesitarla.» Lorena se desolaba, pedía que nos la dejara un poco más de tiempo, al menos. «Todavía no se anda solita; cuando tenga unos padres para ella, entonces...» Con aquello la Madre se mostraba conforme, nos la dejaba hasta que tuviera un matrimonio listo para la adopción... quizás algunos meses. «Lo que el Señor disponga.» Respirábamos, de esta forma la cosa no sería tan brusca, aunque cada día que la niña pasaba en la casa era más nuestra. Ramón sacaba su chequera, escribía un cheque para darle: «y recen por este viejo réprobo, pero no cambie el cheque hasta dentro de unas semanas.» La monja guardaba el papel en una bolsita de paño negro, cerrada con un cordón, cosa de tanta antigüedad. «Dios se lo pague... y viejo réprobo no creo que lo sea –sonrió, con sonrisa divertida–; al menos viejo no lo es.» Ya se iba, le ofrecíamos algo de comer o beber, nada aceptaba «sino un vasito de agua, si me hacen la caridad». No sé cómo se las arregló, después que se fue hicimos el comentario, que a cada uno había dedicado una sonrisa pareciendo especial, única. La subimos de nuevo al camión rotoso y era una plumilla, ni pesaba. Se fueron; Ramón dijo: «¡Qué señora, todo un personaje!» Y Lorena «Marianita se queda, al menos por un tiempo...»

23

A Gerardo no lo encontré peor, como si la cuestabajo se hubiera frenado algo, aquella rapidez de descenso hacia una oscuridad. Pero Elsa empezaba a señalar la temporada larga de preocupaciones; su figura de costumbre rozagante, redondeada, parecía haberse encogido. Había en ella un apagamiento; se esforzaba mucho por sobrepasarlo. Con Gerardo dio paseos a caballo, se adentraban por el cerro del bosquecillo que Clara había bautizado Bosque de la Luna la primera noche; lo que allí había eran muchos zorzales. Las horas de sol las pasábamos en la galería acristalada; Lorena y Enrique la habían arreglado con sofás bajos llenos de almohadones y una hilera de macetas con plantas, resultaba como un invernadero. El invierno, en efecto, avanzaba; los fríos eran más. Al caer las tardes nos trasladábamos al salón, la chimenea daba amplio calor y luminarias de chispas; las viñas secas despedían al arder un olor dulce de mostos evaporados. Marianita se echó a caminar, patitas gordezuelas, tambaleante. La niña era la alhaja de la casa, muy persona para demostrar sus preferencias sin timidez. Chiquilla con alegría de vivir y su geniecito si la contrariaban. Uno de sus amores, inexplicablemente porque apenas le hacía caso, era Gerardo. ¿Tata?, decía embelesada mirándolo. A Lorena se le ocurrió: «Tío Gerardo, vosotros deberíais adoptarla; la Madre María no nos la quiere dar.»

A lo que él contestaba encogiendo los hombros que aquello era un disparate, lo que le faltaba. Una lástima; a Elsa le encantaba la niña.

Por aquellos días Pacita agarró un calenturón. Empezó con sus agüitas Aurora, le ponía en la habitación ollas con hojas de ecualiptus, la cuidaba mucho, pero el segundo día por la tarde decidimos buscar al médico; la niña tenía la garganta inflamada, con manchas blancas, la fiebre en vez de bajar aún subía. No sabía qué hacer, otra visita de don Cruz no me tranquilizaba; Lorena propuso que fuéramos a buscar a la médico de Pedro Domingo, se ocupaba de niños, quizá quisiera ver a Paz, conque fuimos los dos. En una casilla que tenía la entrada por detrás de la calle principal del pueblo, encontramos la consulta. Era poco más que un portalito, pintado de verde claro. En el tranco de la puerta un trozo de piedra, seguramente para no dejar que se colaran las aguas; aquello no estaba pavimentado. Un biombo blanco separaba la parte de espera de la consulta, todo con tanta pobreza y limpieza; no se podía pedir más de las dos cosas. Había una mujer con un niño en los brazos y otra muy visiblemente embarazada que extrañaba por el aspecto de vejez, no parecía edad de tener hijos. La doctora salió de detrás del biombo, en un paño blanco se secaba las manos. Aparentaba unos treinta años, delgada, pelo oscuro y ojos color café, con una intensidad de luz. Mujer sin belleza pero no sin encanto sobre todo por la mirada que acercaba distancias, veía hondo y lejos. Consintió en acompañarnos cuando hubiera terminado. «Mejor se dan una vuelta mientras; acá no sobra sitio». Una estufa de parafina era la única calefacción en aquella salita con la puerta abierta al descampado donde nacían unas hierbas tristes, ralas. Invernizas. Paseamos Lorena y yo, arriba y abajo; hacía frío. Terminamos metiéndonos en el coche, desde la ventanilla mirábamos la puerta esperando verla salir; el tiempo largo y la preocupación de Paz, allá en la casa, poniéndose peor. Salió primero la mujer gorda, hasta caminaba como vieja, sin ninguna elasticidad. Naturalezas tan prolongadas; aparentaba aquella mujer unos sesenta años aunque tal vez tuviese algunos menos; era difícil saber la edad de la gente del campo, de todos modos. Después salió la joven con el niño muy envuelto en una toca, minutos después la doctora con poncho blanco y un pequeño maletín. Me bajé del auto, ella cerraba su puerta con un candado, me ofrecí a llevarle el maletín. «¿Por qué? –parecía asombrada–. Tengo costumbre.» Era de pocas palabras, sólo escuchó los síntomas de Pacita y preguntó algún detalle, después no abrió la boca hasta que llegamos a Chumaiyu. Su nombre lo supimos cuando nos dio una receta: doctora Trinidad Gárate. Pero a Paz le hizo un reconocimiento detenido: tenía fiebre muy alta. Todos estábamos a su alrededor, en corro, nerviosos y asustados; no decía nada, se demoraba. Clara tenía a Marianita en brazos que se quería echar al suelo para acercarse a la cama de Paz. «Pá, Pá», decía. La doctora dio orden: «Saquen a la chiquita de esta pieza, no debe entrar acá por ningún motivo.» Clara se la llevaba, con su enfadito, chillando por quedarse. Todos nos angustiábamos pensando que la enfermedad tenía que ser muy grave y contagiosa. Yo barajaba con desesperación en mi cabeza difteria, meningitis, polio... casi todo empezaba así, con fiebrón y la garganta inflamada. A lo que la doctora terminaba su reconocimiento, pedía lavarse las manos. Aún no hablaba. Lorena la acompañó al cuarto de baño, sacaba toalla limpia, sin atreverse a preguntar. Volviendo dijo que ella solo veía amigdalitis; no eran de esperar complicaciones pero habría que cuidarla bien. El suspiro colectivo fue audible; nos miraba con alguna extrañeza. Del maletín sacaba un frasco de antibiótico, «Lo traje en prevención...» Cada cuatro horas con leche caliente o agüita de canela azucarada; se lo daba a Aurora, seguro que por la cara había conocido que era la de las agüitas. «Denle harto de beber, lo que más se pueda; alimento sólido, ninguno. Vendré mañana.» Mañana también nosotros teníamos que ir a comprar un frasco de antibiótico igual, devolviéndoselo, para otro niño con apuro. Era tarde, le pregunté si no quería quedarse a comer con nosotros. Se asombraba, un poco «¿Comer? No tengo costumbre...» Con lo que quedábamos sin saber qué pensar. «¿Nunca come?», preguntó Mateo, con curiosidad. Lo oyó, sonrió por primera vez. «Quiero decir en casa de los pacientes –vacilaba, antes de continuar–. ¿Podría...? ¿Les importaría si veo a la Marianita? Hace ya como tres meses que...» Ahí nos asombrábamos nosotros; ¿es que la conocía? Sí, pues; ella la había traído al mundo y la había seguido cuidando; el bisabuelo Josué se la llevaba a la consulta todos los meses, hombre concienzudo; muy encariñado con la pequeña. Entonces, ¿no era el abuelo? Y no: Marianita era hija de su nieta Mariana; quién había sido su padre nunca se supo. Mariana, muchacha muy linda que fue hasta reina de las fiestas de Santa Lucía; murió en accidente cuando la niña tenía dos meses... que ahora debía de tener quince. Accidente de automóvil, el micro de Pedro Domingo que chocó el año pasado... ¿no estábamos aún acá cuando el choque? Murieron cinco personas; el conductor iba tomado, borracho como barril. De pronto hablaba más, se suavizaba. Pregunté: «¿No quiere pasar al salón?» Venía, se sentaba muy derecha como quien nunca se abandona del todo. Clara trajo a Marianita ya con su pijama, soñolienta. Le miró la boca, los oídos, la tripita; huesos de las rodillas... asentía: «Sí, siempre fue una niñita fuerte y sana. ¿Cómo es que está con ustedes?» Le explicamos. La conversación se alargaba y Mariana hacía un bostezo muy lindo, boquita sonrosada como fresa del bosque. Cada día estaba más bonita. «¿Con quién va a dormir? –preguntó Lorena–. En mi cuarto, con Paz, no puede ser.» Clara la reclamaba y Sebastián. No, ellos tenían que madrugar para ir al colegio, decidió Elsa «Yo me la llevo esta noche.» A lo que Gerardo abría la boca con horror. «¿Cómo? ¿En nuestra habitación?» Elsa hacía fuerza; en su habitación. De la que él se podía marchar si quería, con alguno de los niños. «Tío Gerardo –dijo Lorena– no da ninguna lata, duerme como un pajarito.» Gerardo protestaba más débilmente al encontrarse sin eco: «Claro, y despertará como un pajarito también en la madrugada. Con lo mal que yo duermo, pero si Elsa se empeña...» Fueron a poner la cama de la niña en el cuarto de los huéspedes; Lorena pensó en alto, si tío Gerardo se encariñase con ella, entonces quizá... Y Clara: «Su madre murió en accidente de auto; es más hermana nuestra todavía. Papá debería adoptarla.» Le contamos a la doctora que la Madre María no estaba de acuerdo con dejarla para siempre en casa, aunque todos la queríamos. Con eso parecía mirarnos de otro modo, más simpático, hasta se veía sonriente su cara delgada, grave. Ramón le hablaba con interés. «¿En serio no quiere quedarse a comer? Ésta es la casa de la hospitalidad; debería quedarse, señorita. ¿O es señora?» Y ella: «Pues no tengo costumbre... pero acepto, muchas gracias.» Ramón protestaba, que no había contestado su pregunta. A lo que Trinidad no se intimidaba ni enrojecía ni hacía dengues. ¿Qué estaba preguntando, pues, si era soltera? Soltera, sí; solterona más bien, por sus treinta y cuatro años y la ninguna intención de casarse. Con todos los chiquillos que tenía para cuidar era suficiente; llenaban la vida. Esto lo dijo sin grandilocuencias, como quien establece algo muy sencillo, como «vivo en la callejuela del Arroyo, sin número.» Así, solamente.

En la comida habló poco, mesurado. No tenía cortedad ni se daba importancia; acabada la sobremesa, Ramón fue quien la llevó a su casa. Poncho blanco, mirada ardiente; uno se imaginaba que era militante de algo. Elsa y Gerardo se acostaron temprano, por la niña; Gerardo ponía cara de mártir. Cuando Ramón volvió de Pedro Domingo, yo estaba delante de los últimos restos de los leños, pavesas rosas, fumando una pipa. Pensando en Violeta mientras el humo fino rizado subía chimenea arriba, con un temblor. Mis recuerdos revividos, dulcemente. Alimento de suaves nostalgias. Ramón se sentó frente a mí: «El otro día la monja y hoy esa doctora; ¡cada día cae por esta casa una mujer de primera! ¿Cómo es posible?» Di una chupada a mi pipa, los ojos en el fuego muriendo. «Quizás es Violeta quien las manda.» Ramón se sumía en reflexiones. Él se había equivocado, del todo. Tratando con actrices y chicas que vivían para los puros lujos, sin real fundamento. La vida de verdad estaba en otras cosas, como por ejemplo en venirse a un pueblecillo de mierda para cuidar niños sucios y mujeres gordas ignorantes... A Trinidad nadie le pagaba; sólo un pequeño sueldo del Gobierno, mísero, insuficiente para vivir. «¿Sabes que su padre es médico en Santiago, con una buena clientela? Querría tenerla allí, trabajando con él, hartándose de ganar dinero.» Pero ella había preferido un empleo de médico rural con salario de hambre para ocuparse de gente pobre solamente; Ramón con aquello estaba impresionado. «¿Sabes cómo va a visitar las casuchas por ahí, en medio de esos campos tan solitarios? En bicicleta, fíjate, ni siquiera tiene carro... le he dicho que yo le compraba uno y se ha reído. No lo necesita, eso dice, ni podría pagarse la gasolina.»

Me hacían gracia los entusiasmos de Ramón, tan repentinos, y la generosidad absurda en el fondo de ir ofreciendo regalar automóviles a muchachas que acababa de conocer. En verdad que la doctora era mujer de mérito. Tantas otras habría, pensé, en un país donde sacrificio y pobreza eran el pan de cada día en muchas casas.

Por la mañana salió Elsa de la habitación con la niña en los brazos; se reía. Marianita había despertado muy temprano, quizá por la extrañeza del cambio de cuarto. Se había bajado de su camita, había ido a meterse en la cama de Gerardo, que la rechazó medio dormido. «Sal de acá, hueles a meado. ¡Ándate a tu cama!» La niña caminaba por el dormitorio descalza; Elsa se hacía la dormida por ver en qué paraba la cosa. A lo que Gerardo abría un ojo: «Métete en tu cama, te vas a enfriar. ¡Vamos, niña!» Al final, con resignación: «Está bien, ven acá. Pero estás hedionda, que lo sepas.» Mariana se había metido en la cama junto a él que murmuraba «tienes los piececitos fríos... estamos listos con el plan de la niñita... y tu tía Elsa durmiendo»... Después habían vuelto a dormir los dos. Elsa no, los miraba al tiempo que la luz pálida de la madrugada iba aclarando la habitación. Venía contenta; la que estaba consternada era Lorena. ¡Había sido culpa suya por no advertirle que a las doce tenía que llevarla al cuarto de baño! Marianita jamás mojaba la cama si la sentaban a sus horas, «Perdona, tía Elsa, con todo el jaleo de anoche y la preocupación...»

Paz estaba mejor, sin apenas fiebre, los chicos sacaban el jeep para ir al apeadero. Ramón avisaba a Aurora que la médico se quedaría a cenar seguramente también esta noche; había que hacer una comida rica porque la pobre doctora no tenía tiempo ni de cocinar. «Don Ramón –decía Aurora– yo lo que había pensado era hacer sopaipillas, que va a venir fría la noche.» Sopaipillas Ramón no sabía lo que eran. Pues eran unas tortitas, amasadas con harina y pulpa de calabaza dulce; se freían y se comían bien calientes, con jarabe de azúcar morena. ¿Como arepas?, cavilaba Ramón. Bueno pero ¿le gustarían a la doctora? Y «don Ramón, yo a nadie conozco que no le gusten... pero también voy a poner pollo guisado con arvejas, por si acaso.» Trinidad llamaba preguntando por Pacita y Elsa se disponía a darle a Mariana su baño y el desayuno. Lorena no quería.

–Sí, hijita, que tú has estado toda la noche en danza con Paz y la medicina cada cuatro horas. Hoy vas a descansar al menos de la pequeña.

Lorena venía a decirme bajito que el asunto de Mariana estaba empezando a marchar bien. Respondí que no debía hacerse muchas ilusiones, era muy difícil.

Entrada la mañana calentó el sol; el pitío cantó en lo alto de un sauce. Elsa dejó la pequeñita con Aurora, fue a contar historias a Paz; jugaron al retrato y al veo-veo, hasta que la niña se quedó dormida. Pronto se cansaba. En la mesa de noche le había puesto Sebastián una campanita antes de irse al colegio, para que llamara si quería algo. La casa continuaba su runrún, como colmena. Por la tarde Ramón fue en busca de Trinidad, que se quedó a cenar de nuevo como él había previsto. Gerardo no protestó más por dormir con Mariana, sólo recomendaba a Elsa, «a las doce en punto la pones a hacer pipí.» Varios días siguieron con ese régimen, la semana que tardó Paz en verse libre de sus anginas. Cuando se levantó de la cama había dado un estironcito; Lorena le prometió que si comía mucho, se reponía deprisa, la llevaría a Santiago a comprarle ropa. Al final fue Clara quien la llevó, con Enrique; Lorena no encontraba tiempo para apartarse del campo un día entero.

La doctora ya no venía; Ramón solía acercarse al atardecer a Pedro Domingo, conversaba un buen rato con ella; seguía obsesionado por aquella personalidad. Las niñas le daban bromas. «Tío Ramón, ¿vas a llevar a la médico al baile de la Parroquia? Hay baile los domingos.» Juventud insolente, comentaba Ramón de buen humor. Elsa repartía su tiempo entre Paz y Marianita, parecía mucho más feliz que en los últimos meses. De vez en cuando se metía en la cocina con Aurora; a la hora de comer llegaban a la mesa tartas de manzana, cremas, almíbares, muchas suculencias. Toda la casa había entrado en una especie de conjura para que los Silva se quedaran con Mariana. Menos yo. Me mantuve apartado del asunto pareciéndome que no se debía forzar, por lo demás, cada día la niña se nos hacía más nuestra; conservaba una esperanza: que la Madre María iba a terminar por dejarse convencer. Aparte, Gerardo me había advertido con toda seriedad: él encontraba a la chiquilla muy amorosa, muy linda, pero intención de quedársela no tenía. Ninguna. Entonces, ¿para qué andar con tantas insistencias? Pero la conspiración seguía, con mucho empeño. Gerardo bebía menos, se veía mejor, más animado; Chumaiyu le sentaba. Y dormía, a pesar de que la niña no renunciara a pasarse a su cama al despertar. Así que la cosa había resultado al revés; era Mariana quien adoptaba a Gerardo... no le servía de nada a la pobrecita. Llegó el día en que los Silva se marchaban; Ramón había ofrecido a Gerardo exponer en una colectiva, con que mandara tres cuadros era suficiente. Aceptó a medias, empujado por Elsa; sólo prometía intentar pornerse al trabajo. Que consiguiera pintar, era otra cuestión.

Se fueron un domingo; Enrique como de costumbre estaba en casa. Elsa había tenido una conversación larga con las dos niñas mayores, no nos contaron acerca de qué. Lorena comentaba: ella había esperado de las anginas de Paz dos buenas consecuencias: hija para los Silva y una mujer-como-Diosmanda para el tío Ramón, pero nada había resultado. Los tíos se marchaban sin aclarar nada de Marianita y el tío Ramón parecía haberse desinteresado de repente de la doctora; ahora se dedicaba a ver fundos con Amadeo y a cantar con los chicos por la noche, acompañándose con la guitarra. Los que guitarreaban bien y cantaban dúos con buenas voces eran los mellizos, sambitas y cuecas al estilo de acá; habían aprendido en el colegio. Los otros se conformaban con seguir; las rancheras eran lo más fácil para organizarse en coro. Por las noches, sobre todo viernes y sábados, sonaban los cánticos hasta las altas horas.

Ramón visitaba con gusto tres y cuatro campos cada día, por los alrededores. Las Yuntas –don Saturnín había dicho que todo en esta vida era cuestión de precio–, el fundo Esmeralda y el de la Misericordia que tenía lagar para pisar uva, almijares y bodega con cubas muy antiguas de roble americano; sólo las viñas eran empobrecidas, viejas. Los Quillayes, Nitrihue metido entre los faldeos de la Cordillera con grandes árboles, Santa Rosa, fundo De Los García... tierras buenas y malas; lo que no vio fue casa como Chumaiyu de hermosa y bien colocada, en ninguna parte. Amadeo aseguraba que algo iba a salir, saldría. Se iría viendo, sin apuros; él ya quedaba en el encargo, en cuanto supiera de algo lindo de veras, al tiro avisaba.

El mes se nos había pasado con demasiada rapidez; nadie quería que Ramón se marchara. El día de su partida, el coro de lamentos habría conmovido a cualquiera; Ramón se sentía emocionado. «Pero chicos, tengo asuntos en New York, en Caracas y Sao Paulo; ¿cómo voy a resolverlos desde acá?» Prometía volver lo antes posible; ahora no iba a dejar pasar tan demorado tiempo sin ver a «la familia». Ah, no, de ningún modo. «Antes de un año, en Chumaiyu me veréis otra vez.» Con eso teníamos que conformarnos... lo íbamos a extrañar. Elsa telefoneó para despedirlo, dijo que Gerardo estaba comenzando a pintar con desánimo y mal humor pero empezaba. Y, de vuelta del aeropuerto, ¿querría yo ir a almorzar a su casa? Así que cuando anunciaron el vuelo de Caracas y nos hubimos dado un abrazo muy fuerte, me volví para la casa de la calle Mar del Plata. Iba apesadumbrado; la visita de mi pariente, el que yo más quería desde que era niño, me había trasladado a otra vida de antes, la de las alegrías y la facilidad para el intercambio. Conversar con alguien de mi generación y mi familia, hermano mayor tan admirado, me aflojaba el carácter, desleía mis timideces. Lo que él llamaba «las calladeras de Rogelio»; sólo con Violeta y con él había yo hablado naturalmente; por lo demás, era conmigo mismo con quien más dialogaba. Pero en eso se había establecido mi vida, la soledad y el mucho trabajo: mañana mismo reemprendería las diez-doce horas de estudio. Pintar, seguir en la brecha. Vivir era tan sólo ganarle tiempo al tiempo y hacer algunas cosas entretanto. No tenía muchos ánimos para almorzar en casa de los Silva, hubiera preferido volver a Chumaiyu directo; si acepté fue tomándolo como una obligación de la amistad.

Llegué temprano; Gerardo había salido a comprar no sé qué cosas. Elsa se alegraba; así podríamos hablar solos los dos. El asunto siendo ¡que Gerardo había decidido adoptar a la niña! Me asombré: aquello era lo que menos me esperaba. ¿Cómo lo había convencido? Pues así, sin convencerlo, ni intentarlo siquiera. Era el consejo que Clara y Lorena le habían dado, sabiamente. «Gramática parda, Rogelio. Son tan femeninas tus hijas...» Sicología: mientras todos querían persuadirlo de que era lo mejor, Gerardo no se dejaba. No y no. Formal. Ya en su casa, Elsa no había nombrado a la pequeña ni una sola vez; el que la encontraba a faltar era Gerardo. Ahí empezó, «mira, Elsa, si de verdad tienes empeño en lo de la guagua, bueno, lo pensamos.» Elsa disimulaba: la niñita era linda, querible por demás. Pero no; para qué meterse en tantas complicaciones, además de que iba a ser mucho trabajo para ella... que con su diseño de telas ya tenía bastante. Mejor no pensar más en Marianita; de todos modos nosotros la queríamos. Gerardo argumentaba, contradecía: yo con siete hijos tenía ya demasiado; no me la iban a dejar. En cuanto a él gusto de criar un bebé no lo tenía... no le gustaban los críos en realidad. Sólo por el empeño de ella. Y Elsa, que no tenía empeño ninguno, además eran viejos para empezar con niños. La conversación la sacaba Gerardo cuatro o cinco veces al día. Hasta que estalló: «Mira, si tú no te opones, creo que no debemos dejar a la niña expuesta a que se la lleve cualquiera... quién sabe en qué manos podría caer...» Elsa no se oponía; que decidiese él lo que le pareciera mejor.

–Así es Gerardo, Rogelio. Tendríamos que haber dejado que se le ocurriera a él la idea. Pero ahora, ya está. Te lo va a decir a la hora del almuerzo; que uses mucha discreción. Yo no te he dicho nada, sabes... Elsa estaba encantada, hasta le brillaban unas lagrimillas en los ojos: «Quién me iba a decir a mí, cuando tú me preguntabas y yo sabía que te compenetrabas conmigo y mi falta de hijos... Esa niña me va a cambiar la vida, Rogelio. Y a Gerardo también, creo yo.»

Yo también lo creía, lo que estaba sintiendo era alegría junto con tristeza, esas mezclas naturales. Un niño pequeño, ¿no era el mundo empezando, otra vez y siempre? Lujo de la creación, tan indefensito y a la vez con la seguridad de que las personas a su alrededor son todas buenas, que todo se lo dan. La mirada de un niño nadie puede pintarla, el brillo de los inmortales. Ningún niño ha pensado en su muerte, por eso, tal vez, en su debilidad, tienen toda la fuerza. Llegó Gerardo. Quería darme la noticia medio en broma, descartando cualquier sentimentalismo. «¿Ya te ha contado Elsa...? Yo me hacía de nuevas: qué bien, sí, me parecía buena la decisión. Aunque para nosotros iba a ser un golpe. ¿Querían que yo hablara con la Madre? Cuanto antes mejor, no fuera a ser que ya tuviera otros padres a la vista. Gerardo estaba de acuerdo, aunque de llamarlo a él padre, nada. «Qué te parece, Rogelio, meterme yo en este berenjenal, por darle gusto a Elsa... Que no lo hago por otra cosa, fíjate.» Elsa sonreía con sonrisa pequeña; se fue a sacar la comida que tenía en el horno. Mujer como no abundan; no sé por qué todo aquello me daba una tristeza, no sólo porque se llevaran a Mariana. «Vamos a echar de menos a la niña», dije. A lo que me di cuenta, ¡Gerardo me estaba consolando! Vendrían a vernos con frecuencia; por cierto, este mismo fin de semana, ¿podría ser? Que Marianita se fuera acostumbrando a ellos. Aprovecharían también para hablar con la monja.

Temprano me fui para Chumaiyu. Los días eran cortos, el invierno arreciaba. Conduje despacio, pensando mis pensamientos... Ramón se había marchado, nos quedábamos sin Marianita... Elsa al tener la niña iba a venir menos con nosotros... Tantas ausencias. Violeta. Me acordé de la Madre María: «...tan hermosa la otra vida... donde ya no hay ausencias»...

Aquella fe, quién pudiera mantenerse en ella. Yo la recogía, se me escapaba, volvía a mí, dudosamente siempre.

Cuando llegué a casa estaban allí los niños. Tomaban onces. Me senté a la mesa, di la noticia. ¡Las exclamaciones! Nostalgias y entusiasmos a la vez. Lorena y Gonzalo se daban la mano, triunfales; Clara estrujaba fuerte a Mariana, le dejaba los mofletes coloraditos. Entonces, todos tenían que abrazarla; la chiquitina chillaba de contento. Reía. Venía Aurora al sentir el jaleo; ¡el Santo de Yumbel era quien había hecho el milagro! Que no era de extrañar, siendo santo español, que vino de España; aquel favor nos lo tenía que hacer. ¿Qué santo era?, preguntó Gonzalo.

–San Sebastián, pues.

–¿San Sebastián era español?

Claaaro. Si hasta estaba ahí, en su santuario, con todas las flechas de los indios mapuches clavadas en el cuerpo. «No se ría, don Rogelio, que es la verdá.» Y ya que la vieja no nos quería dar la niña a nosotros, era el mejor arreglo. La señora Elsa se lo merecía, tan buena y que cocinaba tan bien. Claro, mejor que a la niña nos la hubieran dejado; Aurora no perdonaba a la Madre María por negarse, no hablaba de ella sino diciendo «la vieja». Con un rencorcillo.

Todos se alegraban: era lo «segundo mejor» que podía pasarle a Mariana según Sebastián; la noticia había que celebrarla. Lo que vi, de repente, con un asombro: que Marcos agachaba la cabeza sobre el plato. Lloraba; encima de las tostadas untadas con miel caían los lagrimones. Al día siguiente fui al convento de San José para hablar con la Madre; en principio, estaba de acuerdo. Ahora, que los señores Silva fueran cuanto antes a verla.

A [illegible] que quedaba inmóvil en su silla. Todo eso que me estaba volviendo un desconocido siempre.

Cuando llegué a casa estaban a la mesa. Tomaban once. Me senté a la mesa, de la tía [illegible] y contestamos a la vez. Lorenzo y Gonzalo se daban la mano, [illegible]. Clara estrujaba fuerte a Mariana, le daba los cachetes coloraditos. Entonces todos tenían que [illegible] la chiquitita, chillando de contento. Rosa [illegible] el jaleo, el Santo de [illegible] había hecho el milagro. Que no era de extrañar, siendo santo español, que vino de España aquí a ayudarnos lo que tenía que hacer. ¿Qué santo era?, preguntó Gonzalo.

—San Sebastián, pues.

—¿San Sebastián era español?

—Claro. Si hasta estaba ahí, en su santuario, con todas las flechas de los indios mapuches clavadas en el cuerpo. No se ría, don Rogelio, que es la verdad. Y ya que la vida no nos quería dar la niña a nosotros, era el mejor arreglo. La señorita se lo merecía, tan buena y que cocinaba tan bien. Claro, mejor que a la niña no la hubieran dejado [illegible] ahora [illegible] por la Madre Marta por desgracia, no la habría de [illegible] viejas. Con un [illegible].

Todos se alegraban, era lo segundo mejor que podía pasarle a Mariana según Sebastián, la única cosa [illegible]. Lo que vi, de repente, con un asombro que Mariana agachaba la cabeza sobre el plato. Lloraba: cada una de las [illegible] juntadas con [illegible] los [illegible]. Al día siguiente iría al convento de San José para hablar con la Madre; en principio estaba de acuerdo. Ahora, que los señores [illegible] cuanto antes a verla.

24

Llegó agosto con los fríos mayores; el bosque estaba muy cambiado de color, grandes manchas de bermellones y ocres. A Marianita se la habían llevado Gerardo y Elsa. El primer fin de semana después de que tomaran su decisión, vinieron a Chumaiyu; fuimos al convento los tres juntos. La Madre María tenía que conocer a los padres antes de proceder. Nos saludó con su recio acento castellano: «Lo primero, quiero hablar con el señor padre, si sus mercedes nos dejan...» Salimos Elsa y yo, paseamos por la galería, ella estaba nerviosa, se tomaba de mi mano; la conversación se demoró casi una hora. Cuando acabó, Gerardo traía una expresión preocupada, no sonreía pero, al parecer, había aprobado el examen. Con Elsa la Madre estuvo sólo unos minutos. Entonces, muy bien. Los papeles de Marianita estaban en orden, faltaba tramitar los de los padres. Mucho se holgaba del arreglo... por la niña y por los señores. Que fuera para gloria de Dios. Habían acordado que era mejor llevarse a la niña cuanto antes... lo sentí. Pero tenían razón; estando con nosotros sólo conseguíamos atarnos más a ella. Aquel fin de semana fue de tristezas para todos, después estábamos ya más acostumbrados, menos Lorena. Por la estación tenía poco trabajo en el campo, le sobraban las horas para acordarse de la niña. Con lo que se dedicó a enseñarle a leer y escribir a Paz, que también echaba de menos a su compañerita.

A mediados de agosto, una mañana vi de nuevo a Violeta; se dejaba ver cada vez menos, de tarde en tarde. Y de todas las veces, desde un principio, fue la primera que me causó una desesperación total, sin consuelo posible. Aquella mañana yo estaba en el estudio, afuera llovía; un vaho se pegaba a los cristales por dentro, les daba como textura de esmerilados. Pintaba, acababa de empezar otra serie de cuadros después de la visita de Ramón, pero la luz era escasa y fría, un poco con tintes de estaño. Luz como peltre, fea para pintar. Como llovía era con viento racheado, remolinos de aire con agudezas de hielo y chorros de agua, la chimenea estaba tirando mal, echaba fuera cenizas a los cambios de viento, olía mucho a humo. Me incliné sobre el fuego a tomar una ramita con llama para prender la pipa, pensaba en Violeta. Creo que si alguien se muere, cuando más ganas de llorar dan es cuando está lloviendo, por esa sensación del agua traspasando la tierra. Y de pronto me vino la idea: Violeta estaba allí, por algún alrededor. Sentimiento de toda certeza. Estaba y estaba. Nada más. Dejé la pipa sin encender, salí al campo hasta sin haberme echado un impermeable encima. Tuve que luchar con el tiempo, el agua se me estampaba en la cara y el pecho, a golpes. El viento fuerte hacía tambalear. Avancé por el camino de la higuera grande con su millón de ramas nudosas, grises. Y estaba ella, toda del color de la lluvia que se filtraba por su figura: Violeta mía. Al fondo del camino en medio del temporal. Violeta. «Amor, dije, en ti estaba pensando.» Lo sabía, me aseguró que todo estaba bien o que todo iba a estar bien, no supe cuál de las dos cosas. De todas las mil palabras que quería decirle y no podía más que repetir, no te vayas, que con la ansiedad se me convertía en sólo una, notevayas, notevayas... Nada más eso y el corazón me quería reventar por todos lados. Notevayas, Violeta. Creo que estuvo más tiempo que otras veces, con el silbido del viento y el río que sonaba fuerte, ruidos grandes. Pero siempre el tiempo era poco y luego, mientras la miraba, ya se había ido. Esperé: algo de ella quedaba en la luz, en el aire. En el agua; no quería perderlo. Esperé mucho rato, los dientes me castañeaban y me di cuenta de que tenía demasiado frío. Entonces, volví para la casa, trabajosamente por lo aterido de mi cuerpo. En el corredor encontré a Lorena, me miró con extrañeza, iba a preguntar algo... callaba. Quizá comprendía o prefería no hablar viéndome así, alterado. Entré en mi habitación a ponerme ropa seca; minutos después llamaba ella a mi puerta con café caliente en una taza. Bebí, tampoco hablé. Sentía subir una tiritera a repeluznos y sacudidas. ¿Quieres aspirina? preguntó Lorena bajito. Dije que sí con la cabeza solamente. Tomé aspirina: Lorena había empujado mi butaca más cerca de la lumbre, ahí me senté, cerré los ojos. Recapacitaba: ¿era que cuando veía a Violeta me sentía peor? No, no era. Siempre salía con una fuerza renovada, mayor seguridad... al cabo de unas horas. Al momento, la tensión, la tristeza eran de terrible peso, como si tuviera que desesperarme mucho para cobrar energías nuevas. Como arde un rastrojo, se quema, para después sembrar y que la planta salga limpiamente, con la mayor frondosidad y riqueza. Pero nunca el fuego había sido tan devastador, tan doloroso; en aquellos momentos yo era rastrojo en llamas, ardía. A decir verdad, tuve un acceso de fiebre, también. Vino Aurora avisando el almuerzo; al verme inmediatamente me hizo acostar, mandado. «Y no me reclame, don Rogelio. Hijita, ¿usté entiende de pulso?» Lorena me tomaba la muñeca, reloj en mano, contaba para sí. «Ciento cuarenta es mucho, ¿verdad, Aurita?» Quise protestar, que me dejaran tranquilo, no era nada. Sólo necesitaba quedarme solo y en paz. Aurora, firme, «Usté se mete en la cama ahorita mismo. Le voy a traer un agua muy buena, de hierba-de-los-perros.» Cielo santo, el nombre daba más escalofríos aún. Pero sentaba bien; me acosté, bebí; al cabo de un poco me encontraba mejor, con menos angustias, pero la fiebre ahí seguía, igual. En la cama, con una botella de agua caliente, el ruido de la lluvia se escuchaba de distinta manera, afieltrado, como si no pudiera ser dañino. Otra vez vino Aurora con la jarrita de la infusión, quizás habían pasado las tres horas que dijo; volví a tomar. Me amodorré: soñaba con Violeta. «Todo va a estar bien», decía; traía un vestido de lluvia con cola muy larga como traje de novia hecho de hilos fríos de agua. No te preocupes por Lorena, todo está bien. ¿O no te preocupes, Lorena, todo va a estar bien? Confusión. Después se hacía de noche y en la mitad del bosque, debajo de helechos gigantes como inmensas plumas verdes Violeta bailaba un baile raro, cadencioso. Baile que era como para hacer un sortilegio. Ramón la acompañaba con la guitarra, una música muy triste. En una laguna se derramaban muchas cascadas, las teníamos detrás y no podíamos verlas, sólo las oíamos. Marianita gateaba por el suelo del bosque entre las hojas húmedas de la lluvia; los mellizos querían levantarla, le decían «ven a ver a mamá», y la doctora Trinidad hablaba con Lorena. «Habrá sido el frío –decía–, la mojadura.» La voz de Lorena no se oía, eran susurros. Pregunté: «Lorena, ¿qué dices?» y despertaba despacio, la cabeza doliéndome fuerte. Lorena estaba al lado de mi cama con Trinidad; ¿eran ellas de verdad o seguía el sueño? «Violeta», llamé y mi voz no me parecía la de siempre. La doctora sacaba un estetoscopio, calentaba la cosa de poner en el pecho con su mano. «Acá estoy, don Rogelio, para echarle una miradita.» Eran ellas; me incorporé. «No soy una parturienta ni un niño pequeño. ¿Qué hace usted aquí?» Me hacía callar; «Voy a reconocerlo, tanto si le gusta como si no.» No me gustaba. Le veía la cara de concentrarse, muy profesional, miré para otro lado, a la pared, incómodo. Lorena decía, ¿me salgo?. Que no hacía falta, contestaba la doctora; respiré, menos mal. Cuando terminó y volvió de lavarse las manos tuvo que confesar que no comprendía por qué la fiebre tan alta. Tenía algo de resfrío, sí, los bronquios interesados, el corazón más o menos, pero los más de cuarenta grados no se justificaban. Lorena, siempre tan animosa, tenía mucha cara de preocupación; los niños desde la puerta preguntaban si podían entrar. Yo estaba muy cansado, como quien acaba de recorrer muchas distancias. Entraban, todos. Sin hablar, miraban desde un lado de mi cama, aprensivos. «No os preocupéis, que no estoy enfermo», dije. Más silencio; había dejado de llover. Sebastián murmuró: «Ha cambiado el viento.» Lo que quería decir, que no deseaban saber nada de mi enfermedad ni pensar que yo pudiera estar realmente mal; desde que faltaba su madre con cualquier alifafe mío se asustaban, como si fueran a quedarse solos. Seguí por aquel camino: «¿De dónde sopla ahora?» Y Gonzalo, igualmente, «es viento del Oeste, travesía.» Travesía: a Violeta le gustaban los nombres de los vientos, los miraba en el Atlas, alisios, contralisios, monzón, simún, siroco. El céfiro y la brisa. Terral y tramontana, ábrego, mistral, forano, palabras que llaman a todos los espacios del mundo. Aquí tenemos el puelche, viento helado del Este, de los Andes, viento que trae frío de muchas nieves; la travesía llega del Océano Pacífico. Violeta, pensé. Dije: «Podéis ir a cenar, tranquilos. Que yo me encuentro bien.» Salieron; Trinidad se quedaba con ellos a comer. A lo que luego supe, Lorena le había contado que yo sufría modo de alucinaciones, creía ver a su madre; en el auto, trayéndola desde el pueblo hacia Chumaiyu, vino hablándole de eso. La disculpé; para Lorena tenía que ser un sufrimiento aquel empeño mío, una preocupación también. Temía por mi salud, que yo fuera a perder la razón; sólo con lo que ocurrió más tarde, en marzo del año siguiente, se convenció de que mi cabeza no estaba mal sino que la vida trae a veces sucesos muy extraños.

Cuando todos se fueron a acostar, Lorena y Trinidad se quedaron conmigo. La doctora decidió que pasaría la noche en una butaca, por si surgía algo. Me indigné: no la necesitaba. Aquello era ridículo, una tontería. «Me van a convencer entre todos de que estoy a la muerte. ¡Y no me pasa nada!» Lorena se sofocaba; yo no solía enfadarme. «Cálmate, papá. Ahora te voy a traer tu agüita; Aurora ha puesto la pava a hervir...» La doctora, con aceptar las infusiones, afirmando que eran cosa muy buena, se había metido a Aurora en un bolsillo que al principio no le tenía simpatía ninguna. Salió Lorena y ella me dijo: «Oiga, yo sé que usted no me necesita; quienes me necesitan son sus hijos. De modo que por ellos me voy a quedar a pasar la noche, porque duerman tranquilos, sin temor.» Entonces, muy bien, que se acostara. En el cuarto de los huéspedes. A lo que me contestaba: No. Se iba a quedar en una butaca, en el estudio. ¿No me daba cuenta? Lorena había cuidado de Pacita enferma, de Mariana a todas horas... no podía ser la que velara siempre. Sus veinte años necesitaban otras tranquilidades, algún respaldo... todo le caía a ella encima. Estaba desmejorada, con un abatimiento. «De modo que no me discuta... Y pasar la noche en una silla es cosa que la he hecho quinientas veces... o más. Soy buena para eso, de veras.» Ella y mi cansancio me callaron; con ánimos de argumentar no me veía. Lorena llegaba trayendo la bandeja del agua. Olí; flor de tilo. Y unas galletas tontas.

–A ver, doctora, ¿no podría añadir a esta taza un dedo de huisqui? Para darme fuerzas...

Y, en su opinión, un dedito de huisqui no me haría ningún daño... ni a ella tampoco, si la convidaba. Lorena se reía, con risa chica todavía incierta; se veía más aliviada. «Hija, en la librería del estudio tengo una botella, me acostumbré a esconderla cuando la pobre Corina. La encontrarás detrás de los diccionarios...» Me sirvieron un poco; aquello mejoraba la tila, bastante. Lorena se iba a descansar, agradeciendo a la doctora; en el sofá del estudio le había dejado frazadas y toallas. Trinidad preguntaba, ¿tenía sueño o prefería conversar un poquito? Sueño no tenía; había dormido toda la tarde. «Me parece que ni usted ni yo somos buenos conversadores.» Estuvo de acuerdo: no mucho en verdad. Pero, ¿no querría yo hablarle de mis alucinaciones? Lorena le había dicho... la chiquilla se angustiaba por mí. Claro, aquello era más de especialista, pero... Tomé paciencia. «Escuche, no sé lo que es una alucinación.» Entonces, me lo explicaba: creer que uno veía cosas inexistentes, una especie de engaño de los sentidos, algo subjetivo que uno tomaba por la realidad.

–Muy bien: mis sentidos no me engañan. No creo ver y oír a Violeta, mi mujer: la veo y la oigo, hablo con ella. Si usted quiere llamar a eso alucinación, llámelo. Yo tengo otro nombre: visión. ¿Sabe qué más? El nombre es lo de menos, pero que es cierto que la veo, lo es. Supongo que usted no me cree, tampoco me creen los niños... ni nadie, a no ser Elsa. Es igual.

Hizo un gesto de disculpa, con seriedad, amablemente.

–Soy bastante reacia a creer en cosas de ese estilo. Compréndalo; soy médico. Mi vida consiste en luchar con problemas reales, existiendo en toda su dureza. Enfermedad, miseria, ignorancia... Para irrealidades no tengo tiempo.

¡Dios, qué cansado estaba! Quería haberle explicado que no hay una sola realidad, no tenía fuerzas. Pensé vagamente, si ahora me durmiera, seguro soñaría que soy un bebé... o un conejo recién nacido. La doctora me miraba. «¿No me quiere contestar?»

–No puedo, apenas. Estoy como débil. Iba a decirle... espero que no será usted una de esas personas que no creen más que lo que la pobre ciencia explica.

Sonrió, sonreía raras veces.

–No sé si lo soy; desde luego siento decirle que no creo en otra vida después de ésta ni en todas esas cosas. Y la ciencia no es pobre, sólo que es incompleta.

–¿No tiene religión ninguna?

–Los pobres son mi religión... Claro, para ustedes es más fácil... aunque la vida no es fácil para nadie, de todos modos, y sé que no lo es para usted, pero creyendo en un paraíso futuro es sencillo aguantar con lo que toque ahora... Yo no puedo. Hay muchas injusticias, mucha pobreza... a mí me subleva que les digan a los pobres que deben aguantarse... Perdone, voy a empezar a hablar de política.

Le rogué que no lo hiciera, es algo que no puedo soportar. Siguió:

–Tampoco me parece usted capaz de mentir ni es un insensato. Reconozco que no encuentro explicación a sus... visiones. Pero, si no le molesta que se lo diga, sexo es lo que usted está necesitando. Buena alimentación y buenos desahogos.

Bebió su huisqui, me miró abiertamente, sin provocación. Era mujer con interés, de mirada grave y hermosa, que alejaba. «Doctora, no quiero hablar tampoco de eso, busque otro tema de conversación o váyase a dormir.» Hablamos de Ramón, creo que se había enamorado de él, de alguna forma... forma que no era suficiente para hacerle abandonar su dedicación a los pobres, su compromiso con lo que consideraba la justicia lo tenía muy enraizado. «Entonces, por favor, no lo deje que se haga ilusiones, ha tenido mala suerte con las mujeres.» Me tranquilizó, justamente por eso había dejado de verlo los últimos días que él estuvo en Chumaiyu.

–Me costó, no crea. Me gusta mucho su primo, fíjese, siendo un capitalista donde los haya, pero es una buena persona. Y muy atractivo... Yo también estoy muy sola en ese pueblo tan pequeño, apenas puedo hablar con nadie.

Volvía a llover; para escuchar el ruido de la lluvia callamos un momento. Daba una sensación de cobijo, estar a cubierto en medio de la noche, y el agua haciendo compañía al silencio. Horas insólitas nos conformaron una amistad extraña. Que ella quisiera a Ramón, y lo hubiera rechazado para no hacerle daño, nos unía también, nos incluía en una complicidad. Cambió el giro y me contó que era nativa del Norte Grande, país de los desiertos; allá querría encontrar plaza para cuidar a sus gentes, sólo que había tan pocas. De pronto se establecía entre nosotros una intimidad de confianza; casi sin darme cuenta, me encontré hablándole de Violeta, no dando ninguna descripción –sólo que Lorena se le parecía– sino que le conté cosas como el primer juego de tazas de desayuno que habíamos comprado cuando nos casamos y tenían una flor azul en el fondo, nuestros pactos secretos para soñar con los mismos lugares por las noches, aquello que ya eran nada más recuerdos... Entonces, volví a sentirme triste y quise estar solo, la mandé al estudio. «Por lo menos, descansa en el sofá; Lorena le ha dejado un par de mantas.» Me pidió, con una voz mucho menos asegurada que de costumbre; «Y si ella apareciera... si viera a su mujer, ¿querría llamarme?» Tuve que desengañarla: «No vendrá, nunca viene tan seguido ni entra en las casas. Pero si viniera, no la llamaría, no. No llamaría a nadie; querría estar a solas con Violeta.»

La mañana siguiente estaba sin fiebre, sintiéndome cansado aún, con una lasitud extendida por todo el cuerpo. Flojedades. Y la desesperación que luchaba por ocuparme entero, sin dejar lugar para otra cosa. Y a los pocos días pintaba en el estudio con toda determinación, que la tristeza viviría conmigo; no me ganaría nunca.

25

Algún tiempo más tarde, no sé cuántos días exactamente siendo, como soy, impreciso, llamaron a Lorena desde Santiago. Habló unos momentos por teléfono; al preguntarle dijo, con vaguedad, que era del Consulado. Querían comprobar nuestra dirección. Debí de haberme extrañado; ¿por qué habrían de preguntar por Lorena? No lo pensé; estaba dando vueltas a algo que no acababa de encajar en un lienzo, la cabeza ocupada. Lorena no parecía con ganas de hablar, desapareció hacia su dormitorio; las cosas de las muchachas, me dije. Paz jugaba con el Kim en la galería de cristales; hacía frío pero brillaba el sol, pálidamente. Trabajé varias horas, sin volverme a acordar de la llamada, y a mediodía oí el ruido de un auto rodeando las tapias, entraba en el patio, paraba el motor. Ni me asomé; no esperábamos a nadie. Quizá algún recado para Lorena, el veterinario, el representante de abonos... algo igual de poco interesante; seguí con lo mío que ya iba componiéndose. A la hora de costumbre entró Aurora a avisar el almuerzo, vacilaba un poco. «He puesto sitio para el caballero, no sé si hice bien. Pero como acá todo el que viene de visita se queda a las comías...» Yo había entrado a lavarme las manos, salí secándome en la toalla. «¿Un caballero? ¿Qué caballero?»

–Quién soy yo para decirle qué caballero. El que ha venido, pues, que está con la Lorenita.

Nadie la había llamado nunca Lorenita, ni de bebé, sino Aurora. Bueno, chocante que ella no me hubiera dicho nada, pero quizá como me vio embebido en el trabajo... sea como fuere, si estaba le daríamos de comer.

–Claro que ha hecho bien, Aurora. No sé quién será, pero... ¿Me miraba de una forma un poco rara, significativa, como queriendo decir más? Salí del estudio. En el comedor, un muchacho alto hablaba con Pacita; Lorena debía de haber pasado a la cocina para alguna cosa. A lo que el chico, viéndome, se adelantó; llevaba traje de franela gris, gafas de concha. «Perdona que me haya presentado así, sin más. Soy Adrián Meneses; me alegro de saludarte.» El castellano duro, de Madrid, que teníamos desoído. El tuteo; yo me había hecho al usted de la tierra, al Don, el respeto con que todos se hablan aquí. Me violentó: «¿Cómo ha dicho usted que se llama?» Lorena venía entrando. «Es Adrián, papá. No le hables de usted, que se azara. Es español.» ¿Entonces, aquél era...? Maldición que algo rugió dentro de mí; ¡venía tan frescamente, sin mayores ceremonias, después de que había dejado a Lorena plantada! Aquel tipo, ¿por quién se tomaba, el desfachatado? Callé, por mi cortedad de genio; la cara que puse no debía de ser muy buena. Dudé un momento si sentarme a la mesa o no; tenía hambre. Y no iba a ser aquel joven quien me dejara a mí sin comer, eso faltaba. Lorena se reía un poco, con los ojos; debía de hacerle gracia la situación. O, quizá, que estuviera contenta, sencillamente. ¡Hablaba como si no hubiera habido nada, ni abandono, ni penas, ni dos años por medio! Los días perdidos, de tristezas, ¿alguien los recobraba? Ah, no. Mi hija no podía estar así, al bienteveo de quien quisiera llegar, sin ninguna defensa. ¿Y la dignidad, entonces? Yo por dentro rabiaba, mientras el Adrián aquel hablaba, muy asegurado. En postura de intachable, el perla. Que lo habían mandado al Banco desde la sucursal de Madrid, como él había pedido. Que siempre estuvo queriendo venir a Chile, desde que terminó su carrera y le dieron el primer trabajo... bla, bla, bla. Lorena sonreía. ¿Ah, sí? Pues en Santiago se iba a divertir mucho. Lo que podía hacer, pedirle a Enrique que le presentara gente de su edad... las chilenas eran muy guapas. Enrique era el novio de su hermana. Adrián se asombró. «¿Clara? ¿Pero Clarita tiene novio? ¡Si es una niña!» En donde intervine: «Si fuera un niño, lo que tendría sería novia.» Lo mismo que me había dicho Enrique a mí, aprovechado. Lorena y hasta Paz me miraban pasmadas; aquella desenvoltura no les parecía mía. No lo era, en verdad. Continué: Muchacho encantador, serio, responsable... educadísimo. Lorena afirmaba: «Todos lo queremos a Enrique, lo adoramos. Es verdaderamente de la familia.» Adrián no se desmontaba con aquello, asentía, con agrado. «Cuánto me alegro por Clara, siempre le he tenido mucho cariño.» ¿Sería un pícaro desenfadado o lo decía de buena persona, sinceramente? Terminada la comida pedí a Aurora que me llevara el café al estudio. Me levanté con alguna tiesura sin poder remediarla. «Bien, yo tengo trabajo, buenas tardes.» Adrián se levantaba también, acompañando mi gesto. «¿Podría hablar contigo unos minutos?» A lo que contesté, precipitado; «Hoy no, desde luego. Quizá otro día; tengo mucho que hacer.»

Por el corredor me estaba arrepintiendo: pobre Lorena, quizá hubiera deseado que yo hablara con el tipo. Pero no podía; todo había venido impensado, con un repente. No podía. Tampoco pude trabajar, barruntando. Lorena estaba contenta, se veía, carita de amanecer roseando las nieves en la cordillera, aquel resplandor. Ojitos que decían «soy chiquita pero soy bonita». El muchacho muy alto, buenos huesos, bien parecido, bien vestido con alguna exageración. ¿Y después? No era suficiente: mi hija como una flor. Como un aromo, como un sauce fino. Pero, ¿si lo seguía queriendo? Nunca había sido de las que sueltan una idea con facilidad. Empeñosa; en eso era en lo que se parecían las dos hermanas, en lo tesoneras. ¿Aquel Adrián pensaba que podía aparecer, manitas limpias, al cabo de dos años, y llevarse a nuestra niña? Así, sin más. Estaría bueno. Si la seguía queriendo, ¿por qué no le escribió? «Siempre estuve queriendo venir a Chile...» Entonces, ¿era que las líneas aéreas estaban cerradas? ¿No encontró pasaje? Si estaba trabajando, dinero tendría. Un fresco, eso era, cara de piedra. Aurora entraba con la bandeja del café: «No se disguste, don Rogelio. La alegría de la niñita, ¿no es lo que vale más?» La miré, me llenaba la taza. «Entonces, Aurora, ¿usted cree...?» Creía, desde luego. «Ella lo quiere, pues, Patrón; me lo ha dicho cientas veces. ¡Y es buenmozo, don Rogelio! Hay que comprender... son cosas de la vida. La vida no se puede mandar. Ni usté ni yo, no podemos.»

–Pero mi hija no se va a andar enamorando de un muchacho porque sea buen mozo.

–Y... tendrá sus razones. O no tendrá ninguna, lo más seguro. Los enamoramientos no son por algún motivo... los que yo tengo vistos, por lo menos. Son porque son. Ya está. Ahora, usté tranquilito, sin llevarse malrato, no se nos vaya a enfermar otra vez. Y la niña es una reina; ¡una reina, sí señor! Ella sabrá.

Tenía Aurora mucha razón en aquello; ¿eso me consolaba? O me ponía más nervioso. De todas las veces que llamé a Violeta en mi corazón, que le pedí consejo, ahora era la más angustiada. Pero, unos días antes, cuando mi ataque de fiebre, ¿no me había dado a entender que todo iba a estar bien? ¿Qué había dicho Gonzalo hablando del asunto Adrián? Rememoré: «Mamá lo sabía, claro. Le dijo a Lorena que no debía tener miedo; que si Adrián la quería, la vendría a buscar.»

Y aquí estaba. «Violeta, ¿tú estás conforme? Violeta, ésta es la peor duda que he tenido desde que me dejaste...» La vida era difícil.

Acabé mi café, me levanté de la butaca con una decisión, fui a buscar el auto. Adrián y Lorena con Paz de la mano salían, muy abrigados, a dar un paseo; no hubiera deseado encontrármelos. ¿Adónde iba?, preguntó, extrañada. Claro, yo había dicho que tenía que trabajar, era desafortunado. «Tengo que hacer una visita.» Adonde iba, con ocurrencia repentina, era a visitar a la Madre María, convento de San José.

Me recibió la Madre, me escuchó relatar; después me dijo muy santas cosas, de sosiego. Sus serenidades las comunicaba; las aguas volvían a sus cauces, al corazón su paz tan necesaria. A todo lo llamaba por el nombre justo, delimitado. Definía. Uno no hallaba dónde perderse. Lo importante no siendo ver que un camino fuera cuestarriba, sino darse cuenta de si era el camino. Y si lo era, entonces a caminar por él, sin desánimos. ¿La vida era difícil? No; era fácil si uno daba de lado las otras-cosas, se quedaba con las de fundamento. Al despedirme, le besé la mano, una pasita con olor como a esencia de clavo. A lo que después me avergoncé enseguida pero ya estaba hecho; me alegraba. Por la carretera me acompañaba un vientecito, airoso. Los árboles se columpiaban despacio. Las hermosuras. Hubiera deseado acariciar las copas de los pinos, tan redondas bien hechas, la desnuda fragilidad de los sauces; en el llano me recibieron las palmeras. Paisajes: el cielo oscurecía, al Poniente se moría la luz de color de azafrán. En Chumaiyu los niños habían llegado, todos estaban en el comedor. Alegrías de su juventud, niños míos, se reían entre muchas bromas; la que se reía más era Lorena. Adrián tenía que encontrar un departamento, aún estaba en el hotel. Y Gonzalo, con mucha seriedad, que nosotros conocíamos a una corredora estupenda, muy responsable. «Se llama nosé cuantitas Ocharrabia; papá, ¿tú tienes el teléfono?» Tuve que reírme. «No le hagas caso, hijo, te está tomando el pelo.» Lorena resplandecía en su mirada gris como conchas de nácar. Aurora sacaba más panecitos untados de aguacate, crema de castañas, un bizcocho que olía como deben oler los bizcochos. «Ahora le traigo su tecito, don Rogelio.» Chumaiyu, había dicho Ramón, era la casa de las alegrías. Tenía que ser porque también nos acompañaban las tristezas. Lo amargo y lo dulce, conjuntados, gemelos: abuela Clara en el almíbar de albaricoques mandaba poner siempre unas almendritas amargas. «Que lo amargo realza lo dulce.» Así tenía que ser.

Por la noche, cuando Adrián se hubo ido, –y me envanezco de que lo saludé con amable entereza– vino Lorena a mi habitación. Quise disculparme, quizá había estado un poco brusco al no dejarlo hablar conmigo, pero realmente... Lorena se echó a reír. «Papá, siempre serás el mismo, de lo que hiciste mejor es de lo que te disculpas.» Valiérame Dios, que nunca acertaba. Entonces, ¿qué era lo que había hecho bien y lo que había hecho mal? Había hecho bien en decirle que «quizá otro día». Era demasiado pronto y tampoco hubiera sabido qué contestar... ni había ninguna razón para que Adrián quisiera hablar conmigo, debía de haberlo pensado por agobio de aparecer después de tanto tiempo. Mal: haber puesto al principio mala cara, de desagrado. Ella lo había recibido como si tal cosa, sin rencores. Cuando llamaron del Consulado diciendo que estaba allá y pedía su dirección, contestó que se la dieran, no faltaba más. ¿Ella, demostrar pique, resentimiento? Ah, no; eso sería quitarse dignidad, se tendría en menos. ¿Adrián quería que fueran amigos? Cómo no, si lo eran, lo habían sido desde siempre. ¿Quería que fueran novios? Ahí ya se vería, con el tiempo viniendo. Sin apuro de prisas. La explicación que él le había dado era de toda honradez. Quiso olvidarla, por la lejanía y las dificultades. Salió con otras chicas; no la olvidaba. Entonces, se arregló para que lo mandaran a Santiago. «Y, papá, podía haber ido a Nueva York o a Londres, no creas.»

Había escrito algunas cartas, las devolvieron por haber cambiado de dirección. Eso tenía que ser cierto; no habíamos dejado las señas de Chumaiyu más que en el Consulado. Ahora había venido a pedirle que se casara con él; tenía buen trabajo, ganando suficiente. «Yo le he dicho que tendrá que esperar a que los dos tengamos toda seguridad... que yo la tengo, papá, siempre la he tenido. Ningún otro chico me gusta... pero eso no se lo voy a decir ni amarrada.» Se reía, disimulando una emoción. De modo que así estaban las cosas; Lorena sabía manejarse. Era la alegría de la tristeza, otra vez: mis dos niñas... Me sentí muy viejo, terriblemente. «Sabes –le dije a Lorena–, voy a empezar a montar a caballo, todos los días un par de horas. Me estoy haciendo viejo muy deprisa.»

Llegó la primavera como siempre de un reventón, sin dar aviso. Los ríos se pusieron a cantar con aguas del deshielo; los pájaros eran millones de repente, armando sus guirigayes, los aromos florecieron lo primero, amarillos tan amarillos, un esplendor hermano del sol. La Margarita y la Hortensia parieron una ternerita cada una, la buena suerte; los últimos días había dormido con el número de teléfono del veterinario encima de la mesa de noche. El jardín se llenaba de jacintos de olor, narcisos pálidos; descubríamos cada día nuevas flores. Los iris de España tenían coloraciones que nunca habíamos visto, tonos rosas muy delicados; el bosque reverdeció, ostentoso. Enrique y Adrián venían los fines de semana que solía comenzar a mediodía del viernes, Gonzalo invitaba a una compañera de facultad algunas veces; toda la juventud se iba de excursión por esos campos y ríos. Yo pintaba, los miraba crecer.

Habíamos pasado dos veces el Día de Difuntos en la capital, sin darnos cuenta. Pero llegó el dos de noviembre; los niños quisieron ir a Santa Lucía, habiendo sabido por Amadeo que se preparaba una gran cabalgata, la de todos los años por esas fechas. Debió de caer en fin de semana; Enrique y Adrián estaban en Chumaiyu. Noviembre viniendo a corresponder con mayo boreal, dijeron que la costumbre era llevar flores, con lo que Clara empleó la mañana preparando ramos en el jardín. Temprano después de almorzar salieron los mellizos en la Cesta muy adornada con follaje, Gonzalo y Sebastián a caballo. Amadeo en el Paco, su tordo viejo de dientes tan desmesurados de grandes que parecía caballo reidor. Más tarde partimos los demás en la furgoneta, tomamos el camino de Santa

Lucía que era pasando primero por Pedro Domingo; un poco antes de llegar al segundo pueblo salía la carretera para el cementerio, cuestarriba que se veía ya como una hilera larga de muchos colorines. Los hombres a caballo con sus ponchos más vistosos, los chamantos de las fiestas, manojos de flores amarrados a las monturas, sombreros de ala ancha tan parecidos a los de nuestro Sur andaluz que eran para confundirlos. Lo que más llamaba la atención eran los enganches, de dónde habría salido tanto carro y carreta, hasta remolques de tractor tirados por percherones oscuros, grandes. En las carretas, los hombres al pescante, las mujeres detrás muy sentadas en sillones de mimbre. Los adornos, todo el orgullo de la primavera y el de las invenciones de las gentes del campo; aquellos conjuntos con la gracia en lo inocente de las mezclas de color, los atrevimientos fuera de toda regla del arte, tan vistosos. A lo que maldije de mi estupidez: allí debía yo haber tenido a mano mi cuaderno de apuntes. Pero Adrián venía apercibido, con su buena máquina de fotografías. Cambiamos asientos; Enrique tomó el volante, Adrián la ventanilla, atentos los dos cuando yo decía: ahí. Entonces, Enrique paraba el auto, Adrián disparaba. Me daba una extrañeza lo que me atendían los dos futuros, con tanto cariño; ¿yo les daría lástima? Iban a ser buenos yernos; Elsa los llamaba los «futuros perfectos». Pensé que para el año siguiente deberíamos invitar a Gerardo y Elsa a ver el espectáculo, la cabalgata era un recreo para cualquier pintor, más aún porque Elsa pintaba naïf. Íbamos adelantando la fila pegada a mano derecha de la carretera, despacio, hasta llegar al grupo de jinetes nuestros, de Chumaiyu. Los mellizos en su Cesta parecían dos crías idénticas de diosecillos, tan derechos y rubios; algunas mujeres les decían piropos al pasar. Día de fiesta. Amadeo aconsejó que adelantáramos más para tomar sitio aparcado junto a las tapias del cementerio; ahí veríamos llegar a todos. Como lo hicimos: Adrián sacó dos carretes enteros. Pegando al cementerio, en las tapias por la parte de afuera, había puestos de vino, chicha y empanadas y muchas flores vivas o de papel, como una feria. Enrique se admiraba: «Pensar que soy de acá y nunca supe esto... la joya de espectáculo...» Que lo era. Las gentes avanzaban con una gravedad sin tristeza; un enjambre de chiquillos se ofrecía a cuidar de carruajes y caballos, por unos pesos. «Su voluntaíta, caballero.» Así decían, seriecitos, las caras morenas muy lavadas, descalzos los pies en su mayoría. Yo no llevaba flores, no había querido pareciéndome que iba a sentir vergüenza de andar llevando un ramo, tontamente. Ahora lo que me sentía era una especie de intruso, con las manos vacías, el de afuera, el que no-tenía-que-ver con la función. En la puerta, delante de un puesto de flores, Adrián quiso sacar al grupo entero; Lorena insistía «pero tú también.» Un señor con chamanto de rayas azules, botas y espuelas de rodelas enormes de plata se ofreció a tomar la fotografía, muy amable. Por la mucha gente del camino pensamos que el cementerio iba a ser muy grande. ¡Y era pequeño! Con pocas tumbas, pobres, casi ninguna lápida de piedra, alguna cruz de hierro solamente; la mayoría, cruces de madera pequeñas con un terrenito chico alrededor. Árboles altos. Amadeo se había ido a reunir con los parientes nada más entrar en el recinto, entre el gentío lo perdimos de vista. Los chicos se quedaban parados: «¿Ahora qué hacemos? ¿Dónde llevamos las flores nosotros?» Aurora daba el mejor consejo: buscar una tumbita sola bien pobre, que no tuviera ramo ninguno. Por las cercanías de la tapia buscamos, fuera del centro donde estaban las más importantes. Delante caminaban Clara y Enrique, encontraban una. Llamaban. «¡Eh, aquí!» Una cruz de madera tan rústica que parecía hecha sólo con un cuchillo, un hierbal con florecitas silvestres, las que salían solas, moraditas tan livianas. Clara comprobaba: «Cinco pétalos, ¿lo veis?» Allá dejaron los ramos, rezaron un padrenuestro por el desconocido solitario. Ahora se sentían en paz con el deber, bondadosamente. Una pareja de carabineros pasaba haciendo ronda entre la gente, su servicio. Amadeo en éstas nos encontraba, hablaba con los guardias, que los conocía. «Son los del retén del puente, don Rogelio.» Saludaban, con mucha educación. «Ustedes son del fundo Chumaiyu, los señores españoles.» Amadeo apuntaba, medio obsequioso con ellos, medio burlón, como los campesinos de todo el mundo con la Autoridad: «Estos caballeros, de los vivos y los muertos lo saben todo. Saben demás.» Gonzalo, un poco por probar preguntaba, entonces, si lo sabían todo, que nos dijeran quién estaba enterrado en aquella tumbita, donde acabábamos de dejar nuestras flores. A lo que el carabinero se asombraba: ¿Estaba de risa o era que habíamos llevado las flores sin saber a quién? Ellos pensaron... como nosotros habíamos recogido a la guagüita... y después le habíamos buscado familia en Santiago... La cosa, que la tumba resultó ser de Josué Chávez, el bisabuelo de Mariana, las coincidencias. Lorena tomó la última fotografía: el día de mañana Marianita tendría aquel recuerdo, con los lindos ramos hechos por Clara. Salimos, un poco impresionados. Fuera de las tapias la gente había empezado a animarse, bebían vino y chicha. Apareció alguna guitarra, para el fin de fiesta. Nosotros emprendimos la cuestabajo, serios.

La semana siguiente trajo Adrián las fotografías. Se afirmaba en la familia, mostraba su carácter más abierto, mejor. Aquella tirantez del primer día había cedido; éramos buenos amigos ahora. Y Lorena se volvía espumas, se volvía pájaro ruiseñor, se volvía cantarito de miel. Lorena recordaba los aires de Violeta, para mí era una alegría mezclada de nostalgias. A lo que estábamos viendo, allí había otra boda entendida entre los dos. En el comedor, me sentaba a la cabecera de la mesa, los nueve muchachos me rodeaban. «Como renuevos de olivo», me venía a la memoria. Como brotes de árbol, jóvenes, vigorosos; Violeta podía estar contenta. Las miradas limpias, la buena risa fácil, las ganas de comer alegraban la casa. «Hasta ahora vamos bien, don Rogelio –me decía Aurora, confidencial–. A ver Gonzalito a quién nos trae; me tinca a mí que ése va ser más dificultoso.» Gonzalo invitaba a alguna muchacha de vez en cuando, variaba diciendo que si traía muy seguido a la misma, sus hermanas empezaban a barruntar con bromas y cuchicheos. Ahora las dos niñas estaban juntas más tiempo, conversaban mucho.

En la mesa vimos las fotografías: las de la cabalgata de flores me servían para una serie de cuadros nueva. La tenía ya en mente, pensada a lo largo de varios días. Pero la fotografía del grupo, la que había tomado el huaso de las espuelas, tenía una sombra extraña a un lado. Adrián dijo que era lástima; tenía que ser mancha del negativo o del revelador, no se sabía. Yo remiraba. Después el papel pasó de mano en mano; opinaban todos. Eso es el revelador. Es de los líquidos. Es la sombra de algo. ¿A ver? Es una mancha, desde luego. Lorena tenía los ojos en mí, una fijeza. Callé. En aquella sombra yo veía a Violeta, con seguridad. Además, era lógico que apareciera en el grupo, andaba por allá aquella tarde. Y era Día de Difuntos, día de muchos altarcitos de flor. Tarde de ánimas y de rezos comunicados con otras gentes, con todos ellos, que no eran propiamente muertos sino transformados. «¿Qué ocurre, papá?», preguntó Clara. Gonzalo y Lorena cambiaron una mirada, significando. Desdije: «No pasa nada, que yo sepa. Que todos tenemos hambre, eso es.» ¿Para qué estorbar, si podía evitarlo? Los niños querían las cosas presentes, sus realidades bonitas, no sombras ni manchas donde se reflejaran las ausencias. El miedo de olvidar era sólo mío; yo y mi soledad y mis visiones nos teníamos que mantener en nuestra propia tierra, tierra de nadie. A lo que un airecito aliviador corría por el óvalo largo de la mesa, aligeraba. El peligro habiendo pasado: «Que todos tenemos hambre, eso es.» Pues eso era. ¡A comer! Y hacer los planes para el fin de semana. El río, los paseos. ¿Me parecía que invitáramos a Trinidad a comer por la noche? Y sí, me parecía. A Trinidad le habíamos tomado un cariño. Tan seria, comprometida con su trabajo entre la gente pobre, tan austera; nunca más demostró sequedad ni nos metió en conversaciones de política, estaba muy a gusto en Chumaiyu. «Acá, me encuentro como en familia.» Como decía Sebastián, era una suerte que Chumaiyu fuera tan grande, con lo que a todo el mundo le gustaba venir a casa.

La suerte mayor era Aurora, nunca protestó por más gente que fuéramos a las horas de las comidas. «La que cocina es la billetera, no la cocinera», o también. «A mí, lo mismo me cuesta asar un pollo que cinco pollos; el horno es grande. A quien le cuesta más es al papá. Pero este don Rogelio es un pan-de-Dios; ¡generoso pal mundo!» Declaraciones que no se recataba de hacer delante de quien fuera; me daban una angustia. Las niñas solían estar siempre atentas, que «Aurita» no trabajara demasiado; Lorena ponía a los comensales a que ayudaran sin cortedad ninguna. Yo al principio me avergonzaba, viendo a Adrián y Enrique barrer o recoger los platos, después me acostumbré y ha llegado a gustarme; hace familiar, hogareño. Nuestra colmena bien organizada.

Para el verano tuvimos casa llena; vinieron los dos novios, Gerardo y Elsa con Marianita hecha un primor. Hablando medialengua; a Gerardo, por descontado, llamándolo papá. Durante el verano Chumaiyu fue, verdaderamente, la casa de las alegrías. Hasta el día tres de marzo.

26

Sí, la fecha del tres de marzo la voy a recordar siempre aunque de costumbre no sepa ni en qué día estoy viviendo, soy muy desorientado para esas cosas. Nunca he sabido de fiestas ni aniversarios; los niños suelen avisarme y se ha dado el caso, creo que en un apuro económico de los mellizos, en que me han reclamado regalo de cumpleaños sin serlo, y se lo he dado. Pero el tres de marzo no lo olvidaremos. Domingo. Por la mañana fuimos casi todos a la primera misa, muy temprano por las temperaturas altas, menos Gerardo y Elsa que no van. El calor era una losa encima de nosotros; el cielo, bóveda de piedra, compacto. El ningún aire, ni un soplo siquiera. Marcos y Mateo a la vuelta de misa querían sacar la Cesta y el caballo Tizón; Lorena no los dejaba. Tenían que ayudar, con la casa llena de gente y Aída no habiendo venido por ser domingo; así que los mellizos, a barrer corredores. Gonzalo y Sebastián barrerían los dormitorios y quitarían rápidamente el polvo más somero. Adrián y Enrique pasaban la enceradora por el salón y el comedor: cada cual a su trabajo. Elsa ayudaba a Aurora en la cocina; Clara se había levantado tempranito para cortar flores antes del golpe del calor, ponía floreros por todas partes con la idea de que refrescaban la vista; en realidad porque le gusta hacer arreglos de flores. Adrián comentaba, sobre el ruido de la enceradora, que Lorena debería casarse con un militar; entonces tendría un cuartel entero para organizarlo. A lo que Lorena sacudiendo almohadones en el salón contestaba «quizá lo haga, quién sabe». Era broma: habían decidido casarse para noviembre, mes de las flores en nuestra primavera austral. Antes del almuerzo todo el mundo quiso pasar otra vez por la ducha; el calor demasiado pegajoso. Oprimía. Amadeo había traído a la cocina un canasto de higos de la higuera grande para postre; daban un olor a miel. «Mételos en el refri», le decía a Aurora. Sábados y domingos almuerza en la casa, con ella, pero el idilio no parece prosperar. Aurora lo trata con una brusquedad extraña, ella que es dulce con todos. «Mételos tú, pues», le dijo. Yo le ayudé, estaba sacando unos trozos de hielo para ponerlos en un vaso de agua. «Qué calor, Amadeo. Nunca tuvimos tanto el año pasado... y en esta época entraba ya el otoño, si no recuerdo mal.» Amadeo contestaba:

–No, que no se equivoca ná, Patrón. Hoydía es tres de marzo, tendría que prepararse algo de lluvia. No me gusta este temperamento, no hay ni aire, fíjese. Quizás si no vaya a pasar algo malo.

Le pedí que no fuera pesimista, hacía demasiada calina para pensar, además, en males. Insistió; el tiempo estaba como para temblar, por lo raro. Aquello no era novedad, vaivencitos teníamos con toda frecuencia. Después del almuerzo nos quedamos descansando en el salón; una relativa frescura se mantenía en la semioscuridad de las cortinas echadas. Elsa, como de costumbre, había organizado a Marianita al estilo alemán: almuerzo muy temprano y siesta obligatoria en su cama. La tertulia se arrastraba, perezosa, con un adormilamiento por el sopor de después de la comida; ni siquiera las niñas se sentaban derechas. Mateo y Marcos se acabaron aburriendo, salieron a enganchar la Cesta para dar un paseo, nosotros nos demorábamos en espera de que el peso del calor aflojara. A media tarde Lorena y Adrián fueron a preparar limonadas y té helado con hojas de hierbabuena; Adrián era buen ayudador en la casa, dispuesto hasta para fregar cacharros, lo que con sus gafas de carey y el aire inevitable de banquero, a pesar de la camisa de verano, resultaba un poco incongruente. Enrique se lamentaba, que siempre lo dejaba a él en mal lugar. «La Nana Gina, que nunca me consintió mover un dedo, es la que tiene la culpa.» Se reían con eso y con todo, las bromas rebotaban de uno en otro saltando como pelota de ping-pong, ligeritas; daban gusto aquellas alegrías. Los que languidecíamos del calor éramos los mayores y las dos niñas chicas. Lenta caminó la tarde; poco antes de ponerse el sol alguien dijo que ya estaba bien de tanto holgazanear. Daríamos un paseo hasta el bosque donde la sombra nunca falta, oscura, bajo los árboles grandes. Salimos. En el patio Pacita jugaba con Mariana «a las mamás y las niñas», no quiso moverse de allí. El que se venía, alegrito, dando saltos era el Kim, como si aquel asunto fuese un juego inventado especialmente para entretenerlo a él. El perro Poroto seguía más atrás con aire de incertidumbre, comprendiendo que no era perro nuestro. El silencio espeso encima del campo; ni un pájaro piaba aquella tarde. Los queltehues mudos en el suelo como con una pesadez en las alas. Delante de la cuadra nos cruzamos con los mellizos que volvían en su coche, el caballo resudado. «¿Adónde vais?», gritaron al ver nuestra desganada comitiva.

–Hasta el bosque nada más.

Entonces, ellos iban a desenganchar a Tizón y frotarlo con paja, que venía muy acalorado; enseguida nos alcanzaban. Caminamos unos metros, despacio; las dos niñas con los novios iban delante. No habíamos llegado a la esquina del cercado de las vacas cuando, de repente, mugieron. A la vez los perros emprendían una serie de quejidos lastimosos, los caballos relincharon con grito largo. Asombro; nos paramos a escuchar unos segundos. «Dios mío, ¿qué es esto?», dijo Lorena y Gerardo al mismo tiempo gritó: «¡Va a temblar!» Mientras gritaba, ya estábamos en ello: era el terremoto. Venía y había venido y de pronto nos encontrábamos metidos en un infierno; una sacudida, otra más fuerte aún y al instante un ronquido sordo amontonado de lo hondo de la tierra, salvaje entrechochar de las piedras del río, mientras el suelo seguía sus remezones de furia en lo abrupto del campo arrugándose, saltando pedazos de terrones, era como estar de pie encima de un mar embravecido, océano en tempestad, y el horizonte angustiosamente cerca en una infinita polvareda. Ahí la confusión, todas las cosas sucediendo a la vez atropellándose, superpuestas. Que el cielo y la tierra quisieron juntarse, doy fe; aquello parecía el fin del mundo y sin saber cuánto iba a tardar en consumarse. Las tapias que rodean la casa se bambolearon a modo de gelatinas, ablandadas, el Bosque pareció de repente legión de gigantes a caballo queriendo venírsenos encima, rápidos, vivos, como en un ataque de antigua guerra. Los perros contra el suelo se aplastaban, gimientes. Sebastián había gritado: «¡Las niñas!» y salía disparado hacia el patio; Gonzalo y Gerardo detrás de él. Clara con un mareo se venía al suelo, la sostenían Lorena y Enrique; todos los demás corrimos hacia la casa sin saber dónde pisábamos; Elsa se torció un tobillo y tuve que ayudarla. Corría, a saltos, apoyando el pie apenas, agarrada a mi brazo. Llegando al patio vimos derrumbarse el alero de la cuadra y uno de los muros mientras la casa entera iba y venía, adelante y atrás, arriba y abajo, y el horror no se iba a terminar nunca. Sebastián tenía a Paz en brazos, abrazada; Gerardo había cogido a Marianita que berreaba a chillidos. Aurora a toda prisa por el corredor venía gritando que dónde estábamos todos, quién faltaba, Amadeo llegaba por el camino, lívido, sin su sombrero, con todos los pelos levantados de punta. Una mirada alrededor, rápido el recuento, ¿estábamos? ¡Los mellizos faltaban! Gonzalo metía a Elsa con Paz y Mariana en el jeep y los demás gritaban ¡Marcos, Mateo! con un enloquecimiento. El río un cañonazo continuado, no se acababan nunca las sacudidas, el terremoto no paraba. Amadeo cerraba y abría la boca igual que si estuviera hablando, no le salía ningún sonido, señalaba la cuadra con la mano que temblaba y Aurora sollozó: «¡Virgen Santísima, los mellizos! ¡Están en la cuadra!» La cuadra se había derrumbado, con Mateo y Marcos dentro; alguien había oído relinchar al Tizón. Nos precipitamos allá, llamando. No respondían. Parecía que el temblor había amainado, reemprendía otra vez y no sabíamos si era el mismo terremoto o era otro segundo, todo se mezclaba. Los escombros del alero tapaban la puerta, la pared se había corrido hacia atrás, hasta el pilar central que la detenía en la caída. Los mellizos seguían sin dar señales. Enrique dijo: «No pueden oírnos, estos muros son muy anchos, de noventa centímetros. Hay que desescombrar.» De pronto la tierra parecía haberse quedado quieta, ¿estaba? Nos encontrábamos mareados. Todos empezamos a quitar cascotes, trozos de tejas y ladrillos de adobe, grandes, desesperadamente, hiriéndonos las manos. Clara y Lorena ayudaban también, sin dejar de llamar a los niños. Me fijé en un trozo de adobe enorme, entre la mezcla de barro se veían las briznas secas de paja; no supe por qué aquello me daba un dolor insoportable. De pronto, algo oí, grité: «¡Un momento, por favor! ¡Quieto todo el mundo!» Se pararon, tendí el oído. «¿No escucháis nada? ¿Nadie oye nada?» Atendían, en una inmovilidad súbita. Lorena dijo: «Será el río.» Y Enrique, «Sonó algo así como un pájaro...» Pero no; lo que yo estaba sintiendo era una voz, muy definida. Suave, como suspiro; no distinguía las palabras. Inmediatamente, me calmé. «Tranquilos todos. Está mamá con ellos, no les pasará nada.» Era Violeta; tuve la entera seguridad. «¡Oh, no! –gimió Lorena–. ¡No empieces con eso otra vez!» Los demás me miraban asombrados, por mi tranquilidad. Enrique vaciló. «Igual tenemos que quitar el derrumbe», dijo. Y yo: «Claro, pero no tengáis miedo. Estarán bien; Violeta está con ellos.» Lorena lloraba pero yo tenía que decir mi verdad, al menos aquella vez; a las niñas y Aurora las hice retirarse, que fueran a la casa. Enrique dijo que no. «No deben entrar en casa, es lo más peligroso.» Yo creía que ya el peligro mayor había pasado. «No lo sabemos, don Rogelio. Ha sido muy fuerte; puede repetir en cualquier momento, será lo más probable que repita.» Igual Aurora se fue para la cocina, a preparar algo; Clara y Lorena entraron también a sacar colchones fuera; íbamos a dormir en el patio por si acaso repetía. Trabajamos con todo empeño, más de dos horas, quitando cascotes; apenas avanzábamos. Oscureció, un cielo cárdeno y extraño. Tembló otro poco, nada comparable a lo de antes pero desagradaba al no saber cómo iba a resultar de fuerte; cayeron algunas tejas más, la pared de la cuadra se corrió unos centímetros. Gonzalo dijo que iba a buscar velas y encender el televisor; quizá dieran instrucciones. «¡Sácatelo afuera con un alargador, por la ventana! – gritó Gerardo–. Nadie debe quedar dentro de la casa.» Adrián protestó que aquello era absurdo; si repetía, sería más flojo. Gerardo se enfadaba, estaba enervado: «Nosotros entendemos de estos asuntos más que ustedes –dijo, molesto–. Por algo hemos nacido en este país de mierda. Gonzalo, haz lo que te he dicho.» Todos querían calmarlo, hasta Enrique, que no estaba nada contento con aquello del «país de mierda». De todas formas, no había electricidad; después Amadeo trajo su televisor, que se enganchaba en la batería de cualquier automóvil. A la luz de varias velas terminamos de quitar los escombros; la puerta se veía pero estaba atascada. Todo el tiempo que duró nuestro trabajo, seguí oyendo la voz de Violeta, como una canción cantada muy bajito. «Amadeo, la motosierra –mandó Enrique–. Vamos a aserrar esa puerta.» Amadeo temblaba demasiado. «Yo voy –dijo Sebastián–, sé dónde está.» Arrimando la cabeza a la puerta, gritó: «¡Eh, mellizos! ¿Podéis oírme?» Entonces escuchamos la voz de Mateo, como un hilo. «Siiii.» «¿Estáis bien los dos?» Sí, estaban bien pero el caballo no. Sebastián fue corriendo a avisar a las niñas que los mellizos habían contestado y a buscar la sierra de motor. Mientras, Enrique les gritaba instrucciones. ¿Podían ver la puerta? No veían nada, estaban a oscuras desde el principio. «¡Vamos a romper la puerta! –gritó Enrique–. ¡Procuren no ponerse cerca, por el ruido de la sierra se tienen que guiar!» Entre Sebastián y él aserraron. Gonzalo y Gerardo fueron a dar una vuelta a Elsa y a las niñas; las dos pequeñas seguían en el jeep. Elsa, cojeando, ayudaba a las mayores a sacar colchones a la hierba del patio. El televisor estaba en el suelo, prendido. La luz, por descontado, no funcionaba y el teléfono estaba mudo. Aurora había hecho agua de tila en un fueguito de astillas, no se atrevía a utilizar el gas. Por fin se abrió un boquete en la puerta de la cuadra; salieron Marcos y Mateo, despeinados y llenos de polvo pero enteros. Un poco mareados, también. «¿Con quién estabais? –pregunté.» No contestaban; insistí: «¿Quién hablaba ahí dentro con vosotros?» Y callaban. Gerardo dijo que los dejara en paz; no se encontraban bien. El caballo Tizón estaba muerto, tal vez un golpe o, seguramente, el susto; los chicos debían de estar muy apenados. La cosa es que no querían hablar, tiempo habría de interrogarlos cuando se hubieran tranquilizado. Adrián los llevó hasta los colchones, se tumbaron después que Aurora les hiciera beber tila con azúcar. Amadeo quiso desmontar la puerta para poder sacar a los caballos; entre él, Enrique y Sebastián lo consiguieron. En lo que yo, cuando hubieron salido los que andaban por su pie, entré con una vela, revisé la cuadra, buscando. ¿Evidencia de que había estado Violeta? Pero sí la tenía... La voz era prueba segura. Igual busqué y miré hasta que Enrique hizo un ruido desde la abertura de la entrada, carraspeo suave. «Don Rogelio, disculpe, pero hay mucha paja ahí dentro... Un incendio es lo que menos estamos necesitando ahora. Véngase con nosotros...» Buen chico, Enrique; mi afecto se llegaba hasta él en aquellos instantes, en él descansaba, que había trabajado lo suyo en el rescate de los mellizos, el que más junto con Sebastián. «Tienes razón, hijo mío.» El Tizón era una sombra oscura pegada al suelo; para los chicos iba a ser duro. Todos sentíamos de repente un cansancio enorme. Amadeo preguntaba, la voz insegura: «Patrón, ¿Le parecerá bien que me quede en el patio con ustedes esta noche? Por no estar solo...» Pobre hombre, estaba muerto de miedo. «Por supuesto, quédese, Amadeo. Hay colchones para todos.» «No, yo de colchón no tengo necesidad; con una frazadita que me dejen.» De lo que teníamos necesidad todos era de un buen trago, coñac o pisco o lo que hubiera. El patio parecía campamento de gitanos, con los colchones en el suelo y varios trastos más por ahí. Enrique midió los aleros con la vista, pidió que alejaran los colchones un par de metros por si acaso. Siempre aquel por si acaso... No estábamos tranquilos. Aurora había traído leche caliente para todos los pequeños, no descansaba nunca. «¿Qué va a querer, don Rogelio?» Dije que todos necesitábamos algo fuertecito, remontador. Suspiró. «Ay, don Rogelio, tragos hay, de lo que quieran. Pero vasos no ha quedado ni uno, los armarios de la cocina son un puro estropicio.» A lo que Lorena recordó que teníamos los vasos de plástico de las excursiones; debían de quedar bastantes, más de una docena. Entró en la cocina a buscarlos, Adrián la acompañaba. Después del día de bochorno la noche se había puesto fría; las estrellas se juntaban en el cielo, muchas. Las dos niñas pequeñas dormían en el jeep. A Elsa el tobillo se le había hinchado bastante; todos teníamos las caras desencajadas, los pelos revueltos, un hambre nerviosa por el susto. Comimos panes con mantequilla, jamón cocido, queso, bizcochos... qué sé yo. Todo lo que sacaban de la cocina se iba devorando. Bebimos, de más. El que no pudo pasar bocado, se tomó sólo unos cuantos piscos, fue Amadeo. Sebastián entró con él, fueron a buscar el colchón del cuarto de Corina y una manta. Entre tanto el televisor seguía dando detalles del terremoto, avisos. Continuó durante toda la noche. Hablaba de pueblos derruidos enteros, grandes daños materiales y pocos muertos; por la hora y la estación la mayoría de las gentes estaban fuera de sus casas. Suerte, en medio de todo, que hubiera sido domingo por la tarde y verano. Enrique se angustiaba por sus padres que estaban veraneando, seguía las relaciones que la televisión daba, provisionales, ciudad por ciudad. En la Costa la sacudida debía de haber sido más violenta. Por fin dijeron: Cachagua, ningún muerto, un herido en la calle tal, mucho destrozo en las casas cercanas a la playa. Respiró; al menos no había ocurrido nada irremediable. Gerardo y Elsa también estaban atentos; todos lo estábamos en verdad. Me acerqué al colchón de los mellizos. «¿Por qué no queréis decirme con quién estabais allá, en la cuadra?» Cerraban los ojos sin contestar. Al fin, nos fuimos recostando unos y otros, a ratos. Dando una cabezada. A lo largo de la noche, la tierra volvió a temblar varias veces más, no muy fuerte. Lo que se sentía era una impotencia aterradora, una inmensidad nuestra pequeñez para hacer frente a los furores de la tierra. Y la duda de si acabarían o irían a peor. Los perros se querían arrimar a las personas, por el miedo que les había quedado, se arrastraban hasta poner la cabeza sobre los colchones; el Poroto tenía pulgas y lo apartábamos. El Kim no quería estar dentro del jeep con las niñas, daba gemiditos nerviosos. La noche tenía como sabor a metal, ningún viento. De vez en cuando se sentía un muro crujir, rodar una piedra. El resto, un silencio grande, la hondura del mundo. Elsa había dicho que las niñitas no deberían dormir cerca de los novios, por el qué dirán, pero no importaba; no era dormir como se duerme sino extender un poco el cansancio sobre los colchones, quedarse traspuesto, ahora o luego, siestas cortas. Las estrellas muy cerca. Los que echaban buen sueño lado a lado eran los mellizos; se veían más largos así y tan iguales. Con depender tanto uno del otro resultaban más aniñados. Clara solía decir que eran mellizos doblemente, por haber nacido en junio y ser Géminis su signo. Gerardo no dormía; sentado en su colchón, piernas cruzadas estilo moro, fumaba muchos cigarrillos, encendía el siguiente con la colilla del anterior. Y estaba bebiendo; aquella noche no se le podía reprochar. A los ratos, alguno de los chicos se recordaba, incorporándose de golpe, miraba alrededor para tomar seguridad. Yo no dormí. Pensaba en todas las gentes que habían quedado sin casa aquella noche. Esperaba que en San José no tuvieran problemas, con tantas chiquillas. Pero en quien pensaba más seguido era en Violeta. Violeta de las sombras, en la oscuridad de aquella cuadra derrumbada, hablando. Voz como el murmullo de un río, como canto de pájaros, como el chasquido blando de un fuego de leña... Susurro de viento que agrupa nubes, en una lejanía... Era su voz. Que lo era. Por cierto lo tuve sin la menor duda. Entonces, Gonzalo había preguntado, siempre aquellas difidencias:

–¿Cómo vas a oír tú una voz si los mellizos no nos oyen siquiera a nosotros, que estamos gritando? ¿Cómo?

A lo que los demás se figuraban que acaso los mellizos estuvieran sin conocimiento, hasta sin vida. Yo los tranquilizaba: «Están bien; Violeta está con ellos.» Yo, el siempre desorientado, el que no se enteraba de las cosas. Violeta está con ellos. Tenía que estar pero ¿por qué los mellizos no querían decirlo? Siendo los que nunca me habían intentado convencer de que creía cosas imposibles, como los mayores. Los mellizos, no. Y al salir de la cuadra no me apoyaron, guardaban un silencio como quien guarda distancias, desasidos de todo. Juntos ellos. Ahora dormían un sueño pesado, sueño de rocas en lo hondo de un valle. Inamovibles.

Claridades de la madrugada vinieron a apuntar, del lado de la cordillera, empujaron lo oscuro, despacito, hacia el Poniente. La luz de los albores, pálida y fría, esperancita creciendo al par de la mañana. Entonces, el día nos traía un alivio, disipaba temores. Volvimos a escuchar trinitreo de pájaros; en el corral, un gallo cantó fuerte. Aurora se había levantado, entraba en la cocina a colar el café. Amadeo ensillaba su caballo que había dormido en el cercado con los otros, afuera; iba a buscar el pan, volvía de vacío: «No amasaron hoy; el horno se derrumbó.» Contó que las casillas de los campesinos habían sufrido daño, casi todas. Del fundo Las Yuntas bajó un hombre a caballo trayendo las cántaras de leche; allá todo estaba bien, sin mayores daños. Las niñas se desperezaban, entraban en la casa a tomar una ducha; los muchachos metieron los colchones. Las pequeñas dormían acurrucaditas dentro del coche, niñamente, con el abandono de la infancia, sin inquietud. Fuimos para la cocina a tomar desayuno; en lo que desayunábamos volvió a temblar, quinta vez o sexta, ya no contábamos ni gritaba nadie. Mirábamos al techo con aprensión, seguíamos. Sólo temblores flojos. Gerardo aseguraba que era mejor así, que la tierra fuera liberando sus energías, las plataformas marinas acoplándose. Daba un estremecimiento, sobre todo al pensar en tantos edificios resquebrajados que ya con cualquier sacudida podían venirse al suelo. Amadeo dijo que en Santa Lucía se había armado fuego grande, le habían contado; el hombre amarilleaba de los miedos de la noche. Aurora sacaba con resignación platos y tazas rotos de los armarios, la porcelana había salido muy diezmada, de la cristalería nos quedaban muy pocos ejemplares. En el estudio varios lienzos se habían caído; nos dedicamos a poner orden en la casa con la ayuda de grandes y pequeños. El teléfono seguía sin funcionar; Gonzalo y Enrique fueron a Pedro Domingo a enterarse de los daños, preguntar por la doctora. Trajeron periódicos y malas noticias; el pueblo estaba muy dañado por el terremoto y el incendio que había sido allí y no en Santa Lucía. Trinidad andaba en bicicleta cuando empezó el temblor, volvía al pueblo después de visitar a una mujer en un campo cercano. No se supo bien de qué manera, una rama de árbol le golpeó la espalda, tenía un hombro roto, posiblemente la columna vertebral. Habían conseguido dar aviso a su padre; en la mañana una ambulancia se la llevaba a Santiago, al Hospital. Estaban trabajando en la línea del teléfono, por la tarde quedaría restablecida. Había vuelto la luz. Los periódicos daba desánimo sólo echarles una ojeada; el televisor continuaba relatando detalles del siniestro, con instrucciones. Todo el día se nos fue en los diversos arreglos; lo que tranquilizaba era ver a los animales siguiendo su rutina de siempre, como entregados a la Providencia; Hortensia y Margarita mascaban sus tréboles con calma, las terneras mamaban, los caballos estaban en el pasto, sueltos. Había que enterrar al pobre Tizón. Los mellizos andaban raros, sin querer hablar más que pocas palabras, sin querer ducharse ni cambiarse la ropa. Lorena protestaba y ellos se marcharon al campo, pasaron en el cercado de los animales casi todo el día. Almorzamos en la cocina cualquier cosa y Aurora anunció que haría una comida-como-Dios-manda para la cena. Todos en el comedor, aunque fuera con los platos desparejados. El televisor decía que la mitad de la población dormiría al aire libre otra vez la siguiente noche; nosotros pensábamos dormir en nuestras camas, visto que la casa se comportaba bien. Sonó el teléfono y hubo alegría general; por fin, no estábamos ya incomunicados. Era Ramón, preguntando noticias de todos nosotros, de Trinidad. Se oía muy mal, la transmisión era por Buenos Aires, con retraso de unas frases a las otras y eco redoblado. Ramón chillaba que venía, al día siguiente; yo intenté retrasarlo. «¡Espérate! El aeropuerto tiene averías y aquí sigue temblando.» Que seguía, sin fuerza pero sin parar tampoco. Ramón no quería demorarse: «¡Tomo el primer avión, telefonearé desde el aeropuerto!» Después, todos hicieron cola al teléfono para llamar a sus parientes.

A la hora de la cena nos congregamos en el comedor con un cansancio, no teníamos ganas ni de hablar. Los mellizos llegaron despeinados y sucios, Lorena se desesperaba: «¡Así no os podéis sentar a la mesa! No os habéis lavado y estáis con la misma ropa desde ayer.» Entonces, se iban a la cama, no comían. Intervine: «Que cenen así, por una vez. Después se duchan y se acuestan.» Nos sentábamos; Aurora pasaba una fuente con carne. Encima de la mesa había colocado varios platos con verduras, guisantes tiernos, espárragos, espinacas, arroz... Marianita charloteaba en la cocina en las rodillas de Amadeo. Todos esperábamos descansar por la noche, sin sobresaltos. Lorena seguía enfadada con los mellizos. «¿Qué habéis hecho, todo el día? Ni siquiera habéis ayudado a recoger. Ahí, en el campo, con los animales. Como si no hubiera trabajo en la casa...» Elsa los disculpaba, que estaban nerviosos con el encierro de ayer, la muerte del Tizón. Volví a preguntar: «¿Por qué no queréis decir quién había en la cuadra con vosotros?» Y los mayores cambiaban la conversación: La casa de los padres de Enrique en la playa se había caído, don Enrique lo tomaba de buen humor, dijo que la casa nunca le gustó en realidad. Ahora la iba a edificar de otra manera, más bonita. Enrique dijo que quizá él haría el proyecto, Adrián lo animaba. «Pero que sea sólida. Este país no es para bromas.» Gonzalo declaró que era un hermoso país, de buena gente. Bastaba ver cómo se ayudaban unos a otros cuando ocurría una catástrofe. Todos concordaban; resultaba hasta estimulante vivir así, siempre en la alerta; daba a la existencia un interés. Pregunté otra vez, insistí a los mellizos, no podía quitármelo de la cabeza: «¿Quién estaba en la cuadra con vosotros? Yo oía su voz.» A lo que Marcos dijo de repente, con timidez: «Pero no la vimos.» La. No LA vimos. Así. Gonzalo preguntaba desde la otra punta de la mesa, qué había dicho, Elsa se ponía un dedo avisador delante de los labios; todos se callaban, atentos. Adrián agarró el brazo de Lorena para que no hablara. Mi respiración sujeta: en el mundo existían verdades escondidas, raras como islas desiertas, quizá sólo soñadas; ahora se iba a descubrir una. Miré a los mellizos abiertamente: «No la visteis pero os hablaba, ¿verdad?» Asintieron con la cabeza; les hablaba, no la conocieron. «Todo el tiempo que estuvimos allá, estuvo con nosotros, nos contaba cosas.» Ahora la escena se representaba entre los tres, los mellizos y yo. El resto, espectadores enmudecidos por el completo asombro. ¿Qué cosas? Pues... cosas. No sabían bien. De una vez que tuvieron pollitos cuando eran pequeños, dos pollitos iguales, amarillos... Ellos no se acordaban. «Hablaba... y dijo que Sebastián y los otros abrirían la puerta. Estábamos a oscuras. Y que el Tizón era muy viejo, de todos modos.»

–Nosotros estábamos muy quietos –dijo Marcos–, no nos atrevíamos a movernos. No la veíamos.

Así que, ¿por la voz tampoco podían reconocerla? Y... no. No estaban seguros. «Sólo cuando dijo que ahora se tenía que ir, que se volvía; entonces...»

–¿Entonces qué?

–Entonces nos dio un recado para ti..., que te dijéramos adiós.

Me levanté, apretando los ojos. No quería llorar. Dije: «Me disculpáis.» Salí. Como un sonámbulo, como un ciego, como un enamorado loco, fui por el corredor hasta mi cuarto.

Santiago. Madrid. 1982-1986.